MARIE LU

JOVENS DE ELITE

tradução
RACHEL AGAVINO

Título original
THE YOUNG ELITES

Copyright © 2014 *by* Xiwei Lu
Copyright da ilustração e do mapa © 2014 *by* Russell R. Charpentier

Todos os direitos reservados. Nenhuma parte desta obra pode ser reproduzida, ou transmitida por qualquer forma ou meio eletrônico ou mecânico, inclusive fotocópia, gravação ou sistema de armazenagem e recuperação de informação, sem a permissão escrita do editor.

Edição brasileira publicada mediante acordo com a G.P. Putnam's Sons, uma divisão da Penguin Young Readers Group, um selo da Penguin Group (USA) LLC, A Penguin Random House Company.

Direitos para a língua portuguesa reservados
com exclusividade para o Brasil à
EDITORA ROCCO LTDA.
Rua Evaristo da Veiga, 65 – 11º andar
Passeio Corporate – Torre 1
20031-040 – Rio de Janeiro, RJ
Tel.: (21) 3525-2000 – Fax: (21) 3525-2001
rocco@rocco.com.br | www.rocco.com.br

Printed in Brazil/Impresso no Brasil

Preparação de originais
MARIA BEATRIZ BRANQUINHO

CIP-BRASIL. CATALOGAÇÃO NA PUBLICAÇÃO.
SINDICATO NACIONAL DOS EDITORES DE LIVROS, RJ

L96j Lu, Marie
    Jovens de elite / Marie Lu; tradução de Rachel Agavino. – 1ª ed. – Rio de Janeiro: Rocco, 2021.
    (Jovens de elite; 1)

    Tradução de: The young elites
    ISBN 978-65-5532-183-8

    1. Ficção chinesa. I. Agavino, Rachel. II. Título. III. Série.

21-73853
CDD-895.13
CDU-82-3(510)

Camila Donis Hartmann – Bibliotecária – CRB-7/6472

Este livro obedece às normas do
Acordo Ortográfico da Língua Portuguesa.

MARIE LU

JOVENS DE ELITE

tradução
Rachel Agavino

Rocco

Título original
THE YOUNG ELITES

Copyright © 2014 *by* Xiwei Lu
Copyright da ilustração e do mapa © 2014 *by* Russell R. Charpentier

Todos os direitos reservados. Nenhuma parte desta obra pode ser reproduzida, ou transmitida por qualquer forma ou meio eletrônico ou mecânico, inclusive fotocópia, gravação ou sistema de armazenagem e recuperação de informação, sem a permissão escrita do editor.

Edição brasileira publicada mediante acordo com a G.P. Putnam's Sons, uma divisão da Penguin Young Readers Group, um selo da Penguin Group (USA) LLC, A Penguin Random House Company.

Direitos para a língua portuguesa reservados
com exclusividade para o Brasil à
EDITORA ROCCO LTDA.
Rua Evaristo da Veiga, 65 – 11º andar
Passeio Corporate – Torre 1
20031-040 – Rio de Janeiro, RJ
Tel.: (21) 3525-2000 – Fax: (21) 3525-2001
rocco@rocco.com.br | www.rocco.com.br

Printed in Brazil/Impresso no Brasil

Preparação de originais
MARIA BEATRIZ BRANQUINHO

CIP-BRASIL. CATALOGAÇÃO NA PUBLICAÇÃO.
SINDICATO NACIONAL DOS EDITORES DE LIVROS, RJ

L96j   Lu, Marie
         Jovens de elite / Marie Lu; tradução de Rachel Agavino. – 1ª ed. – Rio de Janeiro: Rocco, 2021.
         (Jovens de elite; 1)

         Tradução de: The young elites
         ISBN 978-65-5532-183-8

         1. Ficção chinesa. I. Agavino, Rachel. II. Título. III. Série.

21-73853   CDD-895.13
                                                        CDU-82-3(510)

Camila Donis Hartmann – Bibliotecária – CRB-7/6472

Este livro obedece às normas do
Acordo Ortográfico da Língua Portuguesa.

Para minha tia, Yang Lin, por tudo o que você faz.

Quatrocentos morreram aqui. Rezo para que os seus estejam se saindo melhor. A cidade cancelou as celebrações das Luas de Primavera por causa da quarentena, e os típicos mascarados se tornaram tão escassos quanto a carne e os ovos.

A maioria das crianças em nosso distrito está se recuperando de doenças com efeitos colaterais bastante peculiares. O cabelo de uma menina passou de dourado a preto da noite para o dia. Um garoto de seis anos tem cicatrizes no rosto sem nunca ter sido ferido. Os outros médicos estão bastante amedrontados. Por favor, avise-me se vir acontecimentos similares, senhor. Sinto algo estranho no ar e estou ansioso para estudar esse efeito.

Carta do Dr. Siriano Baglio para o Dr. Marino de Segna,
31 de Abrie, 1348
Distritos do Sudeste de Dalia, Kenettra

13 de JUNO, 1361

Cidade de Dalia
Sul de Kenettra
Terras do Mar

> Alguns nos odeiam, pensam que somos fora da lei
> a serem pendurados na forca.
> Alguns nos temem, pensam que somos demônios
> a serem queimados na fogueira.
> Alguns nos adoram, pensam que somos filhos dos deuses.
> Mas *todos* nos conhecem.
> – *Fonte desconhecida sobre os Jovens de Elite*

Adelina Amouteru

Vou morrer amanhã de manhã.

Pelo menos é o que os Inquisidores dizem quando vêm à minha cela. Estou aqui há semanas – sei porque contei quantas vezes as refeições chegaram.

Um dia. Dois dias.

Quatro dias. Uma semana.

Duas semanas.

Três.

Depois parei de contar. As horas passam, uma infinita sequência de nada preenchida com diferentes ângulos de luz e o tremor da pedra fria e úmida, os pedaços da minha sanidade, os sussurros desconexos dos pensamentos.

Mas amanhã meu tempo acaba. Eles vão me queimar na fogueira, na praça do mercado central, para todos verem. Os Inquisidores dizem que uma multidão já começou a se reunir do lado de fora.

Sento-me ereta, do jeito que sempre me ensinaram. Meus ombros não tocam a parede. Levo um tempo para perceber que estou me balançando para a frente e para trás, talvez para me manter sã, talvez apenas para ficar aquecida. Também murmuro uma antiga canção de ninar, uma que minha mãe costumava cantar para mim quando eu era bem pequena. Faço o melhor que posso para imitar a voz dela, um som doce e delicado, mas minhas notas saem falhadas e roucas, nem um pouco como me lembro. Paro de tentar.

É úmido demais aqui embaixo. A água escorre de cima da porta e criou um caminho na parede de pedra, de um verde desbotado e preto de sujeira. Meu cabelo está sem cor, e as unhas estão cheias de sangue e terra. Gostaria de escová-las. É estranho que tudo em que eu consigo pensar no meu último dia seja como estou suja? Se minha irmãzinha estivesse aqui, murmuraria algo reconfortante e mergulharia minhas mãos em água morna.

Não consigo parar de me perguntar se ela está bem. Não veio me ver.

Apoio a cabeça nas mãos. Como fui terminar assim?

Mas sei como, claro. É porque sou uma assassina.

Tudo aconteceu várias semanas antes, em uma noite de tempestade, na propriedade do meu pai. Eu não conseguia dormir. Chovia, e os relâmpagos refletiam na janela do meu quarto, mas nem mesmo a tempestade podia abafar a conversa no andar de baixo. Meu pai e seu hóspede falavam de mim, claro. As conversas que papai tinha, tarde da noite, eram sempre sobre mim.

Eu era o assunto no distrito onde minha família morava, no leste de Dalia. *Adelina Amouteru?*, diziam todos. *Ah, foi uma das que sobreviveram à febre há uma década. Coitadinha. O pai vai ter dificuldade para casá-la.*

Nenhum deles dizia isso por eu não ser *bonita*. Não estou sendo arrogante, apenas honesta. Minha ama-seca uma vez me disse que qualquer homem que tivesse posto os olhos em minha falecida mãe esperava com curiosidade ver suas duas filhas se tornarem mulheres. Minha irmã mais nova, Violetta, com apenas catorze anos já era a incipiente imagem da perfeição. Diferente de mim, herdara o temperamento e o charme inocente de nossa mãe. Ela beijava meu rosto, ria, rodopiava e sonhava. Quando éramos muito pequenas, sentávamos juntas no jardim, e ela trançava mirta em meu cabelo. Eu cantava para ela. E ela inventava brincadeiras.

Costumávamos amar uma à outra.

Meu pai trazia joias para Violetta e a observava bater palmas, maravilhada, enquanto ele as prendia em volta de seu pescoço. Ele lhe comprava vestidos bonitos, que chegavam ao porto vindos dos mais distantes cantos do mundo. Ele lhe contava histórias e dava um beijo de boa-noite. Ele a lembrava de como era bonita, como poderia elevar o padrão da família com um bom casamento, como atrairia príncipes e reis, se o desejasse. Violetta já tinha uma fila de pretendentes ansiosos por garantir sua mão, e papai dizia a todos que fossem pacientes, que ela não se casaria até completar dezessete anos. *Que pai zeloso*, todos pensavam.

É claro que Violetta não escapou de *toda* a crueldade de papai. Ele lhe comprava vestidos apertados e dolorosos demais, de propósito. Gostava de ver os pés dela sangrarem por causa dos sapatos cravejados de joias que a incentivava a usar.

Ainda assim, ele a amava, a seu modo. É diferente, entenda, porque ela era o investimento dele.

Comigo era outra história. O oposto de minha irmã, abençoada com cabelos pretos cheios de brilho que emolduram seus olhos escuros e a bela pele morena, sou marcada. E por marcada quero dizer: quando eu tinha quatro anos, a febre do sangue atingiu seu ápice, e todos em Kenettra trancaram suas casas em pânico. Em vão. Mamãe, minha irmã e eu, todas sucumbimos à febre. Sempre dava para saber quem estava infectado – pintas estranhas, de tons diferentes, apareciam na pele, os cabelos e cílios mudavam de cor rapidamente, e lágrimas cor-de-rosa, tingidas de sangue, escorriam dos olhos. Ainda me lembro do cheiro da doença em casa, a ardência da aguardente em meus lábios. Meu olho esquerdo ficou tão inchado que um médico teve que extraí-lo. Fez isso com uma faca incandescente e uma pinça fervente.

Então, sim. Pode-se dizer que sou imperfeita.

Marcada. Uma *malfetto*.

Violetta se recuperou da febre intacta, e eu ganhei uma cicatriz no lugar do olho. O cabelo dela continuou preto e cheio de brilho, mas *meus* fios e cílios adquiriram um tom prateado estranho e em constante mudança. À luz do sol, parecem quase brancos, como uma lua de inverno. No escuro, mudam para um cinza profundo, uma seda cintilante, fiada a partir de metal.

Pelo menos me saí melhor do que mamãe. Ela morreu, como todos os adultos infectados. Lembro-me de chorar em seu quarto vazio todas as noites, desejando que a febre tivesse levado meu pai em seu lugar.

Ele e seu hóspede misterioso continuavam conversando no andar de baixo. Fui dominada pela curiosidade e joguei as pernas para a lateral da cama. Arrastei-me até a porta do quarto com passos leves e a abri um pouco. A luz fraca de velas iluminava o corredor do lado de fora. Lá embaixo, papai estava sentado de frente para um homem alto, de ombros largos, com cabelos grisalhos nas têmporas, presos em um rabo de cavalo baixo e curto, comum, o veludo do casaco, preto e laranja, brilhando à luz. O casaco de meu pai também era de veludo, mas o material estava fino de tão gasto. Antes de a febre do sangue arrasar nosso país, as roupas dele eram tão luxuosas quanto as do convidado. Agora? É difícil manter bons negócios quando se tem uma filha *malfetto* manchando o nome da família.

Os dois bebiam vinho. Papai devia estar disposto a negociar esta noite, pensei, para ter aberto um de nossos últimos bons barris.

Abri a porta um pouquinho mais, me arrastei para o corredor e me sentei na escada, o queixo apoiado nos joelhos. Esse era meu lugar favorito. Às vezes eu fingia ser uma rainha que ficava ali, na sacada do palácio, olhando para meus súditos humilhados lá embaixo. Nessa noite, assumi o posto e ouvi com atenção a conversa. Como sempre, certifiquei-me de que meu cabelo cobria a cicatriz. Minha mão repousava, sem jeito, na escadaria. Papai quebrara meu quarto dedo, que não calcificou reto. Mesmo agora eu não podia fechá-lo direito em volta do corrimão.

– Não tenho a intenção de ofendê-lo, Mestre Amouteru – disse o homem a papai. – O senhor era um comerciante de boa reputação. Mas isso foi há muito tempo. Não quero ser visto negociando com uma família *malfetto*... dá azar, o senhor sabe. Há pouca coisa que possa me oferecer.

Meu pai mantinha o sorriso no rosto. O sorriso forçado de uma negociação.

– Ainda há credores na cidade que trabalham comigo. Posso lhe pagar assim que o movimento no porto aumentar. Há uma grande demanda pela seda e pelas especiarias de Tamoura este ano...

O homem não pareceu impressionado.

– O rei é burro como um cachorro – respondeu. – E cachorros não são bons em governar países. Temo que os portos ficarão fechados por anos, e, com as novas leis tributárias, suas dívidas só vão crescer. Como poderá me pagar?

Papai se recostou na cadeira, tomou um gole do vinho e suspirou.

– Deve haver algo que eu possa lhe oferecer.

O homem analisou sua taça de vinho, pensativo. Os traços duros de seu rosto me fizeram tremer.

– Fale-me sobre Adelina. Quantas ofertas o senhor recebeu?

Meu pai corou. Como se o vinho já não o tivesse deixado vermelho o bastante.

– As ofertas pela mão de Adelina têm demorado a chegar.

O homem sorriu.

– Então nenhuma para sua pequena aberração.

Papai apertou os lábios.

– Não tantas quantas eu gostaria – admitiu.

– O que os outros dizem sobre ela?

– Os outros pretendentes? – Meu pai passou a mão no rosto, admitindo que meus defeitos o constrangiam. – Dizem a mesma coisa. Sempre voltamos às... marcas dela. O que posso lhe dizer, senhor? Ninguém quer que uma *malfetto* dê à luz seus filhos.

O homem ouviu, emitindo sons de empatia.

– O senhor não ouviu as últimas notícias de Estenzia? Dois homens foram encontrados queimados quando voltavam da ópera para casa. – Meu pai mudou de assunto depressa, esperando que o estranho tivesse pena dele. – Marcas de tochas nas paredes, os corpos derretidos de dentro para fora. Todos têm medo de *malfettos*. Até mesmo o *senhor* está relutante em fazer negócios comigo. Por favor. Não tenho mais o que fazer.

Eu sabia do que meu pai estava falando. Ele se referia a *malfettos* muito específicos – um grupo raro de crianças que escapou da febre do sangue com cicatrizes bem piores que as minhas, habilidades assustadoras que não são deste mundo. Todos falavam desses *malfettos* em sussurros apressados; a maioria os temia e os chamava de demônios. Mas *eu* secretamente os respeitava. As pessoas diziam que eles podiam conjurar fogo do ar. Podiam controlar o vento. Invocar monstros. Desaparecer. Matar em um piscar de olhos.

Se procurasse no mercado negro, encontraria gravuras de madeira à venda, com seus nomes entalhados de modo elaborado, objetos colecionáveis proibidos que, em tese, significavam que *eles* o protegiam – ou que, pelo menos, não o machucariam. Independentemente de qual fosse a opinião, todos sabiam seus nomes. *Ceifador. Magiano. Caminhante do Vento. Alquimista.*

Os Jovens de Elite.

O homem balançou a cabeça.

– Ouvi dizer que mesmo os pretendentes que recusam Adelina ainda ficam de queixo caído por ela, loucos de desejo. – Fez uma pausa. – Verdade que as marcas dela são... uma infelicidade. Mas uma garota bonita é sempre uma garota bonita.

Algo estranho brilhou em seus olhos. Meu estômago revirou ao ver aquilo, e afundei mais o queixo nos joelhos, como se isso fosse me proteger.

Meu pai parecia confuso: empertigou-se na cadeira e gesticulou com a taça de vinho para o homem.

– Você está me fazendo uma oferta pela mão de Adelina?

O negociante enfiou a mão no casaco e pegou uma pequena bolsa marrom, então a jogou sobre a mesa. A bolsa caiu com um retinido pesado. Como filha de comerciante, me familiarizei com o dinheiro

– e, pelo som e pelo tamanho das moedas, eu podia dizer que a bolsa estava cheia até a borda com talentos de ouro. Contive um arquejo.

Meu pai ficou boquiaberto com o conteúdo da bolsa, e o homem se recostou e bebericou o vinho, pensativo.

– Sei dos tributos que o senhor ainda não pagou à coroa. Sei de suas novas dívidas. E vou cobrir todas elas em troca de sua filha Adelina.

Papai franziu a testa.

– Mas você tem uma esposa.

– Tenho, sim. – O homem fez uma pausa e então acrescentou: – Nunca disse que quero *me casar* com ela. Só estou propondo tirá-la de suas mãos.

Senti o sangue deixar meu rosto.

– O senhor... o senhor a quer como amante, então? – perguntou papai.

O homem deu de ombros.

– Nenhum nobre em sã consciência se casaria com uma garota tão marcada... ela não poderia comparecer a compromissos públicos comigo. Tenho uma reputação a zelar, Mestre Amouteru. Mas acho que podemos chegar a um acordo. Ela terá uma casa, e o senhor terá seu ouro. – Ele ergueu uma das mãos. – Com uma condição. Eu a quero *agora*, não daqui a um ano. Não tenho paciência para esperar até que complete dezessete anos.

Um zumbido estranho invadiu meus ouvidos. Não era permitido que *ninguém* – rapaz ou moça – se entregasse a outra pessoa até completar dezessete anos. Esse homem estava pedindo que meu pai infringisse a lei. Que desafiasse os deuses.

Meu pai ergueu uma sobrancelha, mas não discutiu.

– Uma amante – disse, por fim. – O senhor deve saber o que isso fará com minha reputação. É o mesmo que vendê-la para um bordel.

– E como anda sua reputação agora? Quanto prejuízo ela já causou a seu nome no mercado? – O homem se inclinou para a frente. – Com certeza o senhor não está insinuando que minha casa não passa de um bordel comum. Pelo menos sua Adelina pertenceria a uma casa nobre.

Enquanto via meu pai tomar o vinho, minhas mãos começaram a tremer.

– Uma amante – repetiu ele.

– Pense rápido, Mestre Amouteru. Não vou repetir a oferta.

– Dê-me apenas um momento – meu pai o tranquilizou, ansioso.

Não sei quanto tempo durou o silêncio, mas quando enfim ele voltou a falar, pulei ao som de sua voz.

– Adelina poderia ser uma boa companhia para o senhor. É sábio de sua parte enxergar isso. Ela é adorável, mesmo com as marcas e... o temperamento.

O homem girou o vinho na taça.

– Vou domá-la. Negócio fechado?

Fechei o meu único olho. O mundo afundou na escuridão – imaginei o rosto do homem diante do meu, a mão dele em minha cintura, seu sorriso repugnante. Nem sequer esposa. *Amante*. A ideia fez com que me encolhesse na escada. Sob um nevoeiro de tontura, vi meu pai apertar a mão do homem e os dois tocarem as taças em um brinde.

– Negócio fechado, então – disse papai. Ele parecia aliviado de um grande fardo. – Amanhã ela será sua. Apenas... mantenha isso em particular. Não quero os Inquisidores batendo à porta e me multando por cedê-la jovem demais.

– Ela é uma *malfetto* – respondeu o homem. – Ninguém se importará. – Ele ajustou as luvas e se levantou da cadeira com um movimento elegante. Meu pai baixou a cabeça. – Mandarei uma carruagem buscá-la pela manhã.

Papai foi levá-lo à porta, e me esgueirei para o quarto e fiquei ali no escuro, tremendo. Por que as palavras de meu pai ainda feriam meu coração? Eu já devia estar acostumada. O que ele me falara certa vez? *Minha pobre Adelina,* dissera, acariciando meu rosto com o polegar. *Que vergonha! Olhe só para você. Quem vai querer uma* malfetto *como você?*

Vai ficar tudo bem, tentei dizer a mim mesma. *Pelo menos você pode deixar seu pai para trás. Não vai ser tão ruim.* Mas mesmo ao pensar isso, senti um peso no peito. Eu sabia a verdade. *Malfettos* não são bem-

-vindos. Dão azar. E, mais do que nunca, são temidos. Eu poderia ser jogada de lado no instante em que o homem se enchesse de mim.

Meu olhar vagou pelo quarto e se fixou na janela. Meu coração parou por um momento. A chuva desenhava linhas zangadas pelo vidro, mas além delas eu ainda podia ver a silhueta da cidade de Dalia, de um azul profundo, as fileiras de torres de tijolos e seus domos, as vielas de pedra, os templos de mármore, as docas em que os limites da cidade se inclinavam gentilmente para o mar, onde, nas noites claras, gôndolas com lanternas douradas deslizavam na água. Onde rugiam as cachoeiras que margeavam o sul de Kenettra. Nessa noite, o oceano estava agitado, furioso, e a espuma branca explodia no horizonte da cidade, fazendo transbordar os canais.

Continuei olhando pela janela castigada pela chuva por um bom tempo.

Esta noite. Esta era a noite.

Corri para a cama, me ajoelhei e puxei uma trouxa que tinha feito com um lençol. Dentro dela havia prataria de qualidade – garfos e facas, candelabros, pratos gravados – qualquer coisa que eu pudesse vender em troca de comida e abrigo. Esta é mais uma coisa adorável sobre mim. Eu roubo. Andei roubando objetos de nossa casa por meses, guardando as coisas embaixo da cama, preparando-me para o dia em que não conseguisse mais viver com meu pai. Não era muito, mas calculei que, se vendesse tudo aos negociantes certos, acabaria com alguns talentos de ouro. O suficiente para me manter por pelo menos alguns meses.

Em seguida, corri para o baú de roupas, puxei uma braçada de sedas e zanzei pelo quarto coletando todas as joias que consegui encontrar. Meu bracelete de prata. Um colar de pérolas, herança de mamãe que minha irmã não quis. Um par de brincos de safira. Peguei duas longas faixas de seda que formavam um turbante tamourano. Eu precisaria esconder meu cabelo prateado durante a fuga. Agi com uma concentração febril. Guardei as joias e as roupas com cuidado dentro da trouxa, escondi-a atrás da capa e calcei as botas de montaria de couro suave.

Sentei-me para esperar.

Uma hora mais tarde, quando meu pai foi para a cama e a casa ficou em silêncio, peguei a trouxa. Corri para a janela e pressionei a mão ali. Cuidadosamente, empurrei a vidraça esquerda para o lado e a abri. A tempestade amainara um pouco, mas ainda chovia o bastante para abafar o barulho dos meus passos. Olhei por cima do ombro uma última vez, em direção à porta do quarto, como se esperasse meu pai entrar. *Aonde você vai, Adelina?*, diria ele. *Não há nada lá fora para uma garota como você.*

Afastei a voz dele de minha cabeça. Que ele descubra que sumi pela manhã, junto com sua melhor chance de quitar as dívidas. Respirei fundo e então me preparei para subir na janela aberta. A chuva gelada chicoteava meus braços, espetando minha pele.

– Adelina?

Virei-me na direção da voz. Atrás de mim, vi a silhueta de uma garota à porta – minha irmã, Violetta, ainda esfregando os olhos, sonolenta. Ela olhou a janela aberta e a trouxa em meus ombros e, por um momento aterrorizante, achei que fosse levantar a voz e gritar por papai.

Mas Violetta ficou me olhando em silêncio. Senti uma pontada de culpa, mesmo com a visão dela provocando uma onda de ressentimento em meu coração. Que idiota. Por que eu deveria ficar triste por alguém que me viu sofrer tantas vezes antes? *Amo você, Adelina*, ela costumava dizer, quando era pequena. *Papai ama você também. Ele só não sabe demonstrar.* Por que eu tinha pena da irmã que era valorizada?

Ainda assim, eu me vi indo até ela, com passos silenciosos, pegando uma de suas mãos e pondo o dedo fino em seus lábios. Ela me lançou um olhar preocupado.

– Você deveria voltar para a cama – sussurrou. À luz fraca da noite, pude ver o brilho de seus olhos escuros e frios, sua pele delicada. A beleza dela era muito pura. – Vai se meter em encrenca se papai encontrá-la.

Apertei a mão dela com mais força, em seguida deixei nossas testas se tocarem. Ficamos paradas por um bom tempo, e parecia que éramos crianças de novo, uma se apoiando na outra. Em geral, Violetta se afastava de mim, pois sabia que papai não gostava de nos ver próximas. Desta vez, no entanto, se agarrou a mim. Como se soubesse que essa noite era diferente.

– Violetta – sussurrei –, você se lembra de quando mentiu para papai a respeito de quem tinha quebrado um dos melhores vasos dele?

Minha irmã assentiu, com a cabeça em meu ombro.

– Preciso que faça isso por mim outra vez. – Afastei-me o suficiente para prender o cabelo dela atrás da orelha. – Não diga nada.

Ela não respondeu. Em vez disso, engoliu em seco e olhou para o quarto de papai, do outro lado do corredor. Ela não o odiava como eu, e a ideia de ir contra o que ele ensinara – que ela era boa demais para mim, que me amar era besteira – enchia seus olhos de culpa. Por fim, assentiu. Senti como se um fardo tivesse sido tirado de meus ombros, como se ela estivesse me deixando ir.

– Tome cuidado lá fora. Fique em segurança. Boa sorte.

Trocamos um último olhar. *Você poderia vir comigo*, pensei. *Mas sei que não viria. É medrosa demais. Volte e continue sorrindo para os vestidos que papai compra para você.* Ainda assim, meu coração amoleceu por um momento. Violetta sempre foi a boa menina. Ela não escolheu nada disso. *Desejo-lhe uma vida feliz. Espero que se apaixone e faça um bom casamento. Adeus, irmã.* Não me atrevi a esperar que ela dissesse mais alguma coisa. Virei-me, andei até a janela e pisei no peitoril do segundo andar.

Quase perdi o equilíbrio. A chuva deixara tudo escorregadio, e minhas botas de cavalgada lutaram para encontrar aderência no peitoril estreito. Um pouco da prataria caiu da trouxa, encontrando, com estrondo, o chão lá embaixo. *Não olhe para baixo.* Caminhei pelo peitoril até chegar a uma sacada e, de lá, deslizei para baixo, até que não houvesse nada além de minhas mãos trêmulas me sustentando. Fechei o olho e me soltei.

Minhas pernas se dobraram quando aterrissei. O impacto me fez perder o fôlego e, por um momento, tudo o que consegui fazer foi ficar ali, na frente da nossa casa, molhada da chuva, os músculos doendo, buscando ar. Fios de cabelo se colavam ao meu rosto. Tirei-os da frente e rastejei, apoiada nas mãos e nos joelhos. A chuva conferia um brilho refletivo a tudo em volta, como se aquilo fosse um tipo de pesadelo do qual eu não conseguia acordar. Concentrei-me. Precisava sair dali antes que papai descobrisse que eu tinha sumido. Por fim, fiquei de pé e corri, confusa, em direção aos estábulos. Os cavalos se agitaram quando entrei, mas soltei meu garanhão favorito, sussurrei algumas palavras tranquilizantes para ele e o selei.

Corremos na tempestade.

Eu o incitei ao máximo, até deixarmos para trás a propriedade de papai e cruzarmos o limite do mercado de Dalia. O lugar estava completamente abandonado e cheio de poças – eu nunca tinha ido à cidade naquele horário, e encontrar vazio um lugar em geral apinhado de gente me deixou nervosa. Meu garanhão bufou, agitado por causa do aguaceiro, e deu vários passos para trás. Seus cascos afundaram na lama. Desci da sela, passei as mãos pelo pescoço dele, em uma tentativa de acalmá-lo, e tentei puxá-lo para a frente.

Foi então que ouvi o som de cascos galopando atrás de mim.

Fiquei congelada onde estava. A princípio, o som parecia distante – quase completamente abafado pela tempestade –, mas então, um instante depois, tornou-se ensurdecedor. Tremi. *Meu pai.* Eu sabia que ele estava vindo; só podia ser ele. Parei de acariciar o garanhão e, em vez disso, desesperada, agarrei sua crina molhada. Será que Violetta contara a papai? Talvez ele tivesse ouvido o barulho da prataria caindo do telhado.

E, antes que eu pudesse pensar em qualquer outra coisa, eu o vi, uma imagem que me encheu de terror: meu pai, os olhos faiscando, se materializando através da névoa úmida da madrugada. Em toda a vida, nunca vira tanta raiva em seu semblante.

Apressei-me em pular de novo sobre o cavalo, mas não fui rápida o bastante. Em um instante o cavalo de meu pai avançava em nossa direção e, no seguinte, ele estava *ali*, suas botas fazendo espirrar uma poça, e seu casaco pingando atrás dele. Sua mão se fechou em torno de meu braço como uma algema de ferro.

– O que você está fazendo, Adelina? – perguntou, a voz assustadoramente calma.

Tentei em vão me livrar de seu aperto, mas a mão dele só se fechou mais, até que eu arquejasse de dor. Meu pai puxou-me com força – tropecei, perdi o equilíbrio e caí contra ele. A lama espirrou em meu rosto. Tudo o que eu ouvia era o rugido da chuva e sua voz sombria.

– Levante-se, sua pivetinha ingrata – sussurrou em meu ouvido, me puxando com força para cima. Então sua voz se tornou suave: – Venha, meu amor. Você está se destruindo. Deixe-me levá-la para casa.

Olhei para ele e puxei meu braço com toda a força. A mão dele deslizou pela água da chuva – minha pele se retorcia de um jeito doloroso contra a dele e, por um instante, eu estava livre.

Senti sua mão se fechar em um punhado de meus cabelos. Gritei, cerrando as mãos no vazio.

– Um temperamento tão difícil... Por que você não pode ser mais parecida com sua irmã? – murmurou ele, balançando a cabeça e me arrastando na direção de seu cavalo.

Bati com o braço na trouxa que tinha amarrado à sela do garanhão, e a prataria se espalhou a nossa volta com um barulho muito alto, brilhando na noite.

– Aonde você planejava ir? Quem mais iria querer *você*? Nunca receberá uma oferta melhor do que essa. Não se dá conta de quanta humilhação sofri, tendo que lidar com todas as recusas de casamento que recebeu? Sabe como é difícil para mim me desculpar por você?

Gritei. Gritei com toda força, esperando acordar as pessoas que dormiam nas casas ao redor, que testemunhassem aquela cena. Será que se importariam? Meu pai apertou mais meu cabelo e puxou com força.

– Venha comigo agora! – ordenou ele, parando por um momento para me olhar. A chuva escorria por seu rosto. – Boa menina. Seu pai sabe o que é melhor.

Cerrei os dentes e o encarei.

– Odeio você – sussurrei.

Meu pai me bateu com força no rosto. Uma luz cruzou minha visão. Cambaleei e caí na lama. Ele ainda segurava meu cabelo. Puxou tão forte que senti fios sendo arrancados. *Fui longe demais*, pensei de repente, através de uma névoa de terror. *Forcei demais a barra com ele.* O mundo flutuava em um oceano de sangue e chuva.

– Você é uma desgraça – sussurrou ele em meu ouvido, enchendo-o com sua raiva suave e fria. – Você vai partir pela manhã. Eu juro que *mato* você antes de permitir que estrague esse acordo.

Algo estalou dentro de mim. Meus lábios se curvaram em um esgar.

Uma onda de energia, uma mistura de luz ofuscante e vento sombrio. De repente eu via tudo: meu pai imóvel diante de mim, seu rosto irritado a uma pequena distância do meu, o entorno iluminado pelo luar tão brilhante que tirava as cores do mundo, deixando tudo preto e branco. Gotas d'água pairavam no ar. Um milhão de fios cintilantes conectava todas as coisas.

Algo dentro de mim mandou que eu puxasse os fios. O mundo a nossa volta congelou, e, como se minha mente tivesse saído do meu corpo e mergulhado no chão, uma ilusão de formas negras muito altas se ergueram da terra, seus corpos deformados se movendo aos solavancos, os olhos injetados e fixos em meu pai, as bocas cheias de presas tão largas que se estendiam por toda a sombra de seu rosto, rasgando a cabeça ao meio. Os olhos de meu pai se arregalaram e depois se moveram depressa, perplexos com os fantasmas que se arrastavam em sua direção. Ele me soltou. Caí no chão e me arrastei para longe dele o mais rápido que pude. As formas pretas e fantasmagóricas continuaram a avançar. Eu me encolhi em meio a elas, indefesa e ao mesmo tempo poderosa, olhando enquanto passavam por mim.

Eu sou Adelina Amouteru, os fantasmas sussurraram para meu pai, pronunciando meus pensamentos mais assustadores em um coro de vozes que gotejavam ódio. Meu ódio. *Não pertenço a ninguém. Esta noite, juro me erguer acima de tudo o que você já me ensinou. Vou me tornar uma força que este mundo nunca conheceu. Terei tanto poder que ninguém ousará me machucar de novo.*

As sombras se reuniram junto dele. *Esperem*, eu quis gritar, mesmo com uma estranha satisfação me preenchendo. *Esperem, parem.* Mas os fantasmas me ignoraram. Meu pai gritou, golpeando desesperadamente os dedos ossudos e esticados deles, e então se virou e fugiu. Às cegas. Chocou-se contra o cavalo e caiu para trás, na lama. O animal relinchou, revirando os olhos. Ergueu-se sobre as fortes patas traseiras, agitando as dianteiras no ar por um instante...

E então seus cascos desceram. Sobre o peito de meu pai.

O grito dele foi cortado de um modo abrupto. Seu corpo sofreu uma convulsão.

Os fantasmas sumiram na mesma hora, como se nunca houvessem estado ali. De repente, a chuva voltou a ficar intensa, um relâmpago cruzou o céu e um trovão sacudiu meus ossos. O cavalo balançou a cabeça e galopou na chuva. Calor e gelo corriam em minhas veias; meus músculos latejavam. Fiquei deitada na lama, tremendo, sem acreditar, o olhar cheio de horror fixo no corpo caído a alguns metros dali. Eu respirava com soluços irregulares, e a cabeça queimava de dor. O sangue escorria por meu rosto. O cheiro de ferro invadia meu nariz – eu não sabia dizer se ele vinha das minhas feridas ou das de papai. Abraçando meu próprio corpo, esperei que as formas reaparecessem e voltassem sua ira para mim, mas isso não aconteceu.

– Essa não era minha intenção – murmurei, sem saber para quem.

Corri o olho pelas janelas, apavorada que houvesse pessoas olhando de todos os prédios, mas não havia ninguém ali. A tempestade abafou minha voz. Eu me arrastei para longe do corpo de meu pai. *Está tudo errado.*

Mas isso era mentira. Mesmo então eu já sabia. Você percebeu como sou parecida com meu pai? Eu tinha gostado de cada momento.

– Não era minha intenção! – gritei, tentando silenciar minha voz interior, mas minhas palavras soaram apenas fracas e confusas. – Eu só queria escapar... só queria... fugir... eu não queria... não quero...

Não tenho a menor ideia de quanto tempo fiquei ali. Tudo o que sei é que, por fim, me levantei, cambaleante. Recolhi a prataria espalhada com dedos trêmulos, amarrei outra vez a trouxa e subi na sela de meu cavalo. Fui embora, deixando para trás a confusão que criara. Fugi do pai que tinha assassinado. Escapei tão depressa que nem tornei a me perguntar se alguém tinha ou não me visto da janela.

Cavalguei durante dias. No caminho, negociei minha prataria roubada com um gentil dono de hospedaria, um fazendeiro simpático, um padeiro de bom coração, até ter adquirido um bom punhado de talentos de ouro que me garantiriam o pão até chegar à próxima cidade. Meu objetivo: Estenzia, a capital portuária do norte, a joia da coroa de Kenettra, a cidade dos dez mil navios. Grande o bastante para estar cheia de *malfettos*. Eu ficaria segura lá. Estaria tão longe de tudo que ninguém jamais me encontraria.

Mas, no quinto dia, a exaustão enfim me dominou – não era nenhum soldado e nunca tinha cavalgado desse jeito antes. Eu me encolhi, um monte delirante e destroçado, diante dos portões de uma fazenda.

Uma mulher me encontrou. Estava vestida com mantos marrons limpos, e me lembro de ter sido seduzida por sua beleza maternal a ponto de meu coração imediatamente se aquecer com a confiança que eu depositava nela. Estendi a mão trêmula para ela, como se para tocar sua pele.

– Por favor – sussurrei, por entre os lábios partidos. – Preciso de um lugar para descansar.

A mulher ficou com pena de mim. Aninhou meu rosto em suas mãos frias e macias, observou minhas marcas por um bom tempo e assentiu.

– Venha comigo, criança – falou.

Conduziu-me até o palheiro no celeiro, mostrando onde eu poderia dormir, e, depois de uma refeição de pão e queijo duro, caí inconsciente, segura em meu abrigo.

Pela manhã, acordei com mãos ásperas me arrastando da palha.

Fiquei assustada, tremendo, e ergui o olhar para dois soldados da Inquisição que me encaravam, as armaduras e túnicas brancas adornadas com ouro, suas expressões duras como pedra. *Os agentes da paz do rei.* Desesperada, tentei conjurar o mesmo poder que sentira antes de meu pai morrer, mas desta vez a energia não me atravessou, o mundo não se tornou preto e branco, e nenhum fantasma surgiu do chão.

Havia uma garota de pé ao lado dos Inquisidores. Olhei para ela por um longo momento antes de acreditar no que via. Violetta. Minha irmã mais nova. Ela parecia ter chorado, e olheiras escuras maculavam sua perfeição. Havia um hematoma em sua bochecha, preto e azulado.

– Esta é sua irmã? – perguntou-lhe um dos Inquisidores.

Violetta olhou para eles em silêncio, recusando-se a aceitar aquela pergunta – mas nunca soube mentir bem, e o reconhecimento estava óbvio em seus olhos.

Os Inquisidores a deixaram de lado e se concentraram em mim.

– Adelina Amouteru – disse o outro, enquanto eles me colocavam de pé e amarravam minhas mãos às costas. – Você está presa a mando do rei...

– Foi um acidente – arquejei em protesto. – A chuva, o cavalo...

O Inquisidor me ignorou.

– Pelo assassinato de seu pai, Sir Martino Amouteru.

– O senhor disse que, se eu testemunhasse em favor dela, a deixaria livre! – disparou Violetta para eles. – Testemunhei a favor dela! Ela é inocente!

Eles pararam por um instante, quando minha irmã se agarrou ao meu braço. Ela se virou para mim, os olhos cheios de lágrimas.

– Sinto muito, minha Adelinetta – sussurrou, angustiada. – Sinto *muito mesmo*. Eles estavam atrás de você... Nunca tive a intenção de ajudá-los...

Mas ajudou. Virei a cara para ela, porém ainda assim me agarrei a seu braço até os Inquisidores nos separarem. Queria dizer a ela: *Me salve. Você tem que descobrir um jeito.* Mas não encontrei minha voz. Eu, eu, eu. Talvez eu fosse tão egoísta quanto meu pai.

❦

Isso foi há semanas.

Agora você sabe como acabei aqui, acorrentada à parede de uma cela úmida na masmorra, sem janelas e sem luz, sem um julgamento, sem uma única alma no mundo. Foi assim que descobri minhas habilidades e fiquei diante do fim da minha vida com o sangue de meu pai me manchando as mãos. O fantasma dele me faz companhia. Toda vez que desperto de um sonho febril, vejo-o de pé, no canto da cela, rindo de mim. *Você tentou escapar de mim*, diz, *mas eu a encontrei. Você perdeu, eu venci*. Digo a ele que fico feliz por ele estar morto. Mando-o ir embora. Mas ele fica.

De todo modo, não tem importância. Vou morrer amanhã de manhã.

Enzo Valenciano

O pombo chega tarde da noite. Pousa em sua mão enluvada, e ele dá as costas para a sacada e leva a ave para dentro. Ali, tira o minúsculo pergaminho da pata do bicho, acaricia seu pescoço com a luva salpicada de sangue e desenrola a mensagem. Está escrita em uma letra bonita e fluida.

Eu a encontrei. Venha imediatamente a Dalia.

Seu fiel mensageiro

Sua expressão permanece impassível, e ele dobra o pergaminho e o guarda com cuidado dentro do braço da armadura. À noite, seus olhos não passam de escuridão e sombra.

É hora de agir.

> Eles acham que podem me manter do lado de fora,
> mas não importa quantos cadeados pendurem na entrada.
> *Sempre* há outra porta.
> – *A ladra que roubou as estrelas*, de Tristan Chirsley

Adelina Amouteru

Passos no corredor escuro. Eles cessam do lado de fora da minha cela e, pelo espaço debaixo da porta, um Inquisidor empurra uma tigela de mingau. Ela desliza até uma poça no canto da cela, e a água suja respinga na comida. Se é que se pode chamar isso de comida.

– Sua última refeição – anuncia ele por trás da porta. Sei que já está se afastando quando diz: – É melhor comer, pequena *malfetto*. Viremos buscá-la em uma hora.

O som de seus passos se torna mais fraco e depois some por completo.

Da cela ao lado da minha, uma voz me chama:

– Garota – sussurra, me fazendo tremer. – *Garota*. – Como não respondo, ele pergunta: – É verdade? Disseram que você é uma deles. Dos Jovens de Elite.

Silêncio.

– E aí? – insiste. – Você é?

Continuo calada.

Ele ri. O som de um prisioneiro trancafiado há tanto tempo que a mente começou a apodrecer.

– Os Inquisidores dizem que você invocou os poderes de um demônio. Você *fez isso*? Foi tocada pela febre do sangue? – A voz dele se interrompe para cantarolar alguns versos de uma canção popular que não reconheço. – Talvez você possa me tirar daqui. O que acha? Me libertar? – Suas palavras se dissolvem outra vez em uma gargalhada.

Faço o melhor que posso para ignorá-lo. Jovens de Elite. A ideia é tão ridícula que sinto uma vontade repentina de rir com meu colega de masmorra maluco.

Ainda assim, tento conjurar outra vez qualquer que tenha sido o estranho encanto que lancei naquela noite. E outra vez falho.

As horas passam. Na verdade, não tenho ideia de quanto tempo. Tudo o que sei é que, por fim, ouço os passos de vários soldados descendo os degraus de pedra da escada em espiral. O som fica mais próximo, até que escuto uma chave arranhando a porta da minha cela e o rangido de uma dobradiça enferrujada. *Eles estão aqui.*

Dois Inquisidores entram em minha cela. Seus rostos estão escondidos à sombra dos capuzes. Cambaleio para longe, mas me pegam e me fazem ficar de pé. Destrancam minhas correntes e as deixam cair no chão.

Luto com a pouca força que me resta. *Isto não é real. É um pesadelo.* Não é um pesadelo. É real.

Eles me arrastam escada acima. Um andar, dois, três. Era o quanto estava abaixo da superfície, no subsolo. Aqui, a Torre da Inquisição pode ser vista melhor – os pisos mudam de pedra úmida e cheia de mofo para mármore polido, as paredes são decoradas com pilares e tapeçarias e o símbolo circular da Inquisição, o sol eterno. Enfim posso ouvir a comoção do lado de fora. Gritos, cânticos. Meu coração parece estar na garganta e, de repente, arrasto meus pés para trás com toda a força, minhas botas de montaria destruídas, guinchando em vão contra o piso.

Os Inquisidores puxam meu braço com mais violência, forçando-me a tropeçar para a frente.

– Continue andando, garota! – dispara um deles, sem rosto debaixo do capuz.

Em seguida, saindo da torre, por um instante, o mundo desaparece em um branco ofuscante. Estreito o olhar. Devemos estar na praça do mercado central. Com o olho marejado, consigo enxergar um mar de gente, todos ali para ver minha execução. O céu é de um azul bonito, irritante, as nuvens tão brilhantes que chegam a cegar. Ao longe, um poste de ferro preto ergue-se no centro de uma plataforma de madeira, sobre a qual uma fila de Inquisidores aguarda. Mesmo daqui, consigo ver os emblemas circulares cintilando em seus peitorais, as mãos enluvadas descansando nos cabos das espadas. Tento arrastar os pés com mais força.

Vaias e gritos furiosos se fazem ouvir na multidão enquanto os Inquisidores me conduzem para a plataforma de execução. Algumas pessoas jogam frutas podres em mim, outras cospem insultos e maldições. Vestem-se com trapos, sapatos gastos e hábitos sujos. Tantos pobres e desesperados que foram ali me ver sofrer a fim de se distraírem de sua vida faminta. Mantenho o olhar baixo. O mundo é um borrão, e não consigo pensar. À minha frente, o poste que antes parecia tão distante agora está cada vez mais perto.

– Demônio! – grita alguém para mim.

Sou atingida no rosto por algo pequeno e afiado. Um seixo, acho.

– Ela é uma criatura do mal!

– Arauto de má sorte!

– Monstro!

– Aberração!

Mantenho o olho fechado, o mais apertado que posso, mas em minha mente todos na praça têm a aparência e a voz de meu pai. *Odeio todos vocês*. Imagino minhas mãos em suas gargantas, sufocando-os, silenciando-os, um a um. Quero paz e silêncio. Algo se agita dentro de mim – tento me agarrar a isso –, mas a energia desaparece imediatamente. Minha respiração fica entrecortada.

Não sei quanto tempo levamos até a plataforma, mas fico com medo quando chegamos lá. A esta altura, estou tão fraca que não consigo subir as escadas. Um dos Inquisidores acaba me levantando e me jogando sobre o ombro. Ele me põe no chão no alto da plataforma e me empurra para o poste.

Feito de ferro preto, é dez vezes mais grosso que o braço de um homem, e uma forca está pendurada de seu topo. Correntes para mãos e pés balançam das laterais do poste. Pilhas de madeira escondem a parte de baixo. Vejo tudo isso através de um nevoeiro.

Eles me empurram contra o poste – prendem as correntes em meus pulsos e tornozelos e passam a forca por meu pescoço. Algumas pessoas na multidão continuam a entoar maldições contra mim. Outras jogam pedras. Agitada, olho os telhados do entorno da praça. As correntes são frias em minha pele. Ergo as mãos em vão, repetidamente, em uma tentativa de chamar alguma coisa que possa me salvar. As correntes tilintam por causa de meu tremor.

Quando desvio o olhar para os outros Inquisidores, meu olho se fixa no mais novo entre eles. Ele está de pé no centro e na frente da plataforma, tem os ombros eretos e o queixo erguido, as mãos cruzadas às costas. De seu rosto, só vejo o perfil.

– Mestre Teren Santoro. – Um dos outros Inquisidores o apresenta com uma elegância formal. – Líder Inquisidor de Kenettra.

Mestre Teren Santoro? Olho para ele outra vez. O Líder Inquisidor de Kenettra veio me ver morrer?

Teren se aproxima de mim com passos calmos e confiantes. Eu me encolho para longe dele até as costas estarem pressionadas de modo firme contra o poste de ferro. Minhas correntes batem umas nas outras, retinindo. Ele abaixa a cabeça para sustentar meu olhar. Suas vestes brancas estão decoradas com mais ouro que as de todos os outros que já vi, sem dúvida algo condizente com sua posição, e uma elaborada corrente de ouro o adorna de um ombro ao outro. Ele é surpreendentemente jovem. Seu cabelo é da cor do trigo, pálido para um cidadão de Kenettra, e cortado de um jeito estiloso que não é comum no sul – mais curto nas laterais, cheio no alto, com um rabo estreito, envolto em metal dourado, descendo por sua nuca. Seu rosto é fino e parece esculpido em mármore, bonito em sua frieza, e os olhos são azul-claros. *Muito* claros. Tanto que, à luz, parecem sem cor. Algo neles me provoca um arrepio na espinha. Há loucura nesses olhos, algo violento e selvagem.

Ele usa a mão com uma luva delicada para tirar de meu rosto os fios ensanguentados do cabelo, e, em seguida, ergue meu queixo. Analisa minha cicatriz. Os cantos de sua boca se erguem em um sorriso estranho, quase simpático.

– Que pena – diz. – Você teria sido muito bonitinha.

Com um gesto brusco da cabeça, tiro meu queixo de sua mão.

– E é temperamental também. – Suas palavras gotejam pena. – Não precisa ter medo. – Com o rosto perto do meu, ele diz baixinho: – Encontrará a redenção no Submundo.

Ele se afasta de mim, vira para a multidão e levanta os braços, pedindo silêncio.

– Acalmem-se agora, meus amigos! Tenho certeza de que estamos todos empolgados. – Quando o barulho da turba se torna apenas um murmúrio, ele se endireita, então pigarreia. Suas palavras ressoam pela praça. – Alguns de vocês devem ter notado uma recente onda de crimes nas ruas. Cometidos por pessoas... imitações distorcidas de pessoas... que se sentem mais que... humanas. Alguns de vocês passaram a chamar esses fora da lei de *Jovens de Elite,* como se fossem excepcionais, como se *valessem* alguma coisa. Vim aqui hoje para lembrar a todos que eles são *perigosos* e demoníacos. São assassinos, ansiosos por matar os próprios entes queridos. Não se importam com a lei e a ordem.

Teren olha para trás, para mim. A praça cai em um silêncio mortal.

– Deixem-me tranquilizá-los: quando encontrarmos esses demônios, os traremos à justiça. O mal deve ser punido. – O olhar dele percorre a multidão. – A Inquisição existe para proteger vocês. Que isso sirva de aviso para todos.

Luto levemente contra as correntes. Minhas pernas estão tremendo muito. Quero proteger meu corpo de todas essas pessoas, esconder meus defeitos de seus olhos curiosos. Violetta está em algum lugar na multidão? Vasculho seus rostos à procura dela, depois olho para o céu. É um dia tão bonito – como o céu pode ser tão azul? Algo molhado escorre por minha face. Meu lábio treme.

Deuses, me deem força. Estou com tanto medo.

Teren pega uma tocha acesa com um de seus homens e vira para mim. A visão do fogo faz um terror ainda maior percorrer minhas veias. Minha luta se torna frenética. Desmaiei quando os médicos arrancaram meu olho esquerdo com fogo. *Quão doloroso deve ser deixar o fogo consumir todo o seu corpo?*

Ele leva os dedos à testa, em um gesto formal de despedida, e joga a tocha na pilha de madeira a meus pés. Ela levanta um monte de centelhas, e os gravetos secos pegam fogo na hora. A multidão explode em vivas.

A raiva se agita dentro de mim, misturada ao medo. *Não vou morrer aqui hoje.*

Desta vez, busco no fundo de minha mente e enfim alcanço o estranho poder que estava procurando. Meu coração se fecha em volta dele, em desespero.

O mundo para.

As chamas congelam, suas trilhas de fogo se tornam faixas de cores pintadas, imóveis, suspensas no ar. As nuvens no céu param de se mover, e a brisa que soprava minha pele morre. O sorriso de Teren estremece quando ele se vira para me encarar. A multidão fica paralisada, confusa.

Algo se abre em meu peito. O mundo volta ao normal – as chamas rugem contra a madeira.

E, acima de nós, a escuridão invade o céu claro e azul.

As nuvens se tornam negras. Assumem formas estranhas, assustadoras, e, em meio a tudo isso, o sol ainda brilha, um farol forte e estranho contra um cenário de meia-noite. A multidão grita enquanto a noite cai sobre todos nós, e os Inquisidores sacam suas espadas, as cabeças viradas para cima, assim como a de todos nós.

Não consigo respirar. Não sei como fazer isso parar.

Em meio à escuridão e ao pânico, algo se move no céu. E, do nada, as nuvens negras se contorcem – elas se espalham em um enxame de um milhão de manchas, que giram no céu e mergulham sobre a multidão. Um pesadelo de *gafanhotos*. Eles investem sobre nós com uma eficiência impiedosa, seu zumbido abafando os gritos das pessoas. Os Inquisidores agitam suas espadas contra eles, inutilmente.

As chamas lambem meus pés, seu calor me ferindo. *Estão vindo em minha direção – vão me devorar.*

Enquanto luto para ficar longe das chamas, percebo uma coisa estranha. Os gafanhotos chegam perto, mas atravessam meu corpo. Como se não estivessem ali de verdade. Observo a cena à minha frente – os insetos fazem o mesmo com os Inquisidores, assim como com a multidão embaixo da plataforma.

É só uma ilusão, percebo de repente. *Assim como as silhuetas dos fantasmas que atacaram papai. Nada disto é real.*

Um dos Inquisidores se levanta, cambaleante, os olhos ardendo por causa da fumaça, apontando a espada em minha direção. Ele avança para mim. Reúno o que me resta de energia e puxo as correntes com toda força. Sangue quente escorre por meus pulsos. Enquanto luto, ele se aproxima, materializando-se do mar de gafanhotos e da escuridão.

De repente...

Uma rajada de vento. Safira e prata. O fogo a meus pés se extingue em espirais de fumaça.

Algo passa pelo meu campo de visão. Alguém aparece entre mim e o Inquisidor, movendo-se com uma graça fatal. É um garoto, acho. *Quem é ele?* Este garoto *não* é uma ilusão – posso sentir a realidade dele, a solidez de seu corpo, que o céu escuro e os gafanhotos não têm. Ele está envolto em um redemoinho de túnicas azuis com capuz, e uma máscara de metal prateado cobre todo o seu rosto. Agacha-se na minha frente, todas as linhas de seu corpo estão tensas, os olhos se focam no Inquisidor. Uma longa adaga brilha em cada uma de suas mãos.

O Inquisidor derrapa e para diante dele. A incerteza cruza seus olhos.

– Saia do caminho! – ordena ao recém-chegado.

O garoto mascarado inclina a cabeça para o lado.

– Que falta de educação – zomba, a voz profunda e aveludada. Mesmo em meio ao caos, consigo ouvi-lo.

O Inquisidor avança para cima dele com a espada, mas o garoto ginga para fora de seu caminho e ataca com uma de suas adagas. Ela se crava fundo no corpo do Inquisidor. Os olhos do homem se arregalam – ele deixa escapar um guincho, como um porco sendo abatido. Estou impressionada demais para emitir qualquer som. Algo em mim brilha com uma estranha alegria.

Outros Inquisidores veem a luta e correm para seu colega caído. Empunham as espadas contra o garoto. Ele simplesmente assente, desafiando-os a se aproximar. Quando o fazem, desliza entre eles, como água entre pedras, seu corpo é uma linha em movimento, as lâminas brilhando, prateadas, na escuridão. Um dos Inquisidores quase o parte ao meio com uma guinada de sua espada, mas o garoto arranca a mão do homem. A espada cai no chão, fazendo barulho. Com um golpe leve da bota, o garoto a chuta para cima, pega-a e a empunha contra os outros Inquisidores.

Quando olho com atenção, percebo que outras figuras mascaradas flutuam entre os soldados – vestidos com a mesma túnica escura do garoto. Ele não veio sozinho.

– É o Ceifador! – grita Teren, apontando para o garoto com a espada. Ele começa a se dirigir para nós. Seus olhos claros têm um brilho louco. – Peguem-no!

Aquele nome. Eu já o vira antes nas gravuras dos Jovens de Elite. *O Ceifador.* É um *deles.*

Mais Inquisidores correm para a plataforma. O garoto para por um momento e olha para eles, suas lâminas pingando sangue. Então se empertiga, ergue um braço acima da cabeça e o baixa novamente, em um arco cortante.

Uma coluna de fogo explode de suas mãos, traçando pela plataforma uma linha que separa os soldados de nós, e uma parede de chamas ergue-se alta no céu escurecido. Gritos de terror vêm de trás da cortina de fogo.

O garoto se aproxima de mim. Encaro, assustada, seu rosto encapuzado e a máscara prateada, o contorno de seus traços iluminado pelo inferno atrás dele. A única parte do rosto não escondida pela máscara são os olhos – duros, escuros como a noite, mas cheios de fogo.

Ele não diz uma palavra. Em vez disso, ajoelha-se a meus pés e pega as correntes que prendem meus tornozelos ao poste. Em suas mãos, elas se tornam vermelhas, depois brancas e quentes. Derretem depressa, libertando minhas pernas. Ele se levanta e faz o mesmo com a forca em volta de meu pescoço, e depois com as correntes que prendem meus pulsos.

Marcas pretas de tochas nas paredes. Corpos derretidos de dentro para fora.

As correntes em meus braços se quebram. Eu desabo, fraca demais para me manter de pé, mas o garoto me ampara e me ergue em seus braços, sem fazer esforço. Fico tensa, esperando que ele talvez queime minha pele. Ele tem cheiro de fumaça, e o calor emana de cada centímetro de seu corpo. Minha cabeça se recosta fracamente em seu peito. Estou cansada demais para lutar, mas ainda tento. Tudo a minha volta parece nadar em um oceano de escuridão.

O garoto aproxima seu rosto do meu.

– Fique quieta – sussurra em meu ouvido. – E segure firme.

– Consigo andar – pego-me murmurando, mas minhas palavras se embaralham e estou exausta demais para pensar com clareza. Acho que ele está me levando embora deste lugar, mas não consigo me concentrar. Quando a escuridão vem, a última coisa de que me lembro é a insígnia de prata em seu peitoral.

O símbolo de um punhal.

Cidade de Estenzia
Norte de Kenettra
Terras do Mar

Ao norte, as nevadas Terras do Céu. Ao sul, as escaldantes Terras do Sol. Entre elas ficam as nações insulares das Terras do Mar, joias de riqueza e negócios em um mundo de extremos.
— *Nações do Céu, do Sol e do Mar*, por Étienne de Ariata

Adelina Amouteru

Sonho com Violetta. É o fim da primavera. Ela tem oito anos, eu tenho dez, e ainda somos inocentes.

Brincamos juntas no pequeno jardim atrás de nossa casa, um manto de verde cercado por todos os lados por um muro de pedra antigo e arruinado e um portão vermelho-vivo com um trinco enferrujado. Como amo esse jardim! Pelo muro sobe um manto de hera e, por entre ela, brotam pequenas flores brancas com cheiro de chuva recente. Outras flores nascem em ramos ao longo das bordas do muro, rosas alaranjadas e brilhantes e caminhos de centáureas, arbustos vermelhos e mirtas cor de uva, talos de lírios brancos.

Violetta e eu sempre adoramos brincar entre os montes de samambaias que brotavam aqui e ali, encolhidas nas sombras. Agora, espalho as camadas da minha saia na grama e sento-me pacientemente enquanto Violetta trança uma coroa de mirta em meu cabelo com os dedos delicados. O aroma das flores enche meus pensamentos de uma doçura pesada. Fecho o olho, imaginando uma coroa de verdade, de ouro, prata e rubis. As mãos de Violetta trançando meu cabelo me fazem cócegas, e a cutuco nas costas, contendo um sorriso. Ela ri. Um segundo depois, sinto seus lábios pequenos beijando meu rosto e me recosto nela, preguiçosa e contente. Murmuro a canção de ninar favorita de mamãe. Violetta ouve com paixão, como se eu fosse aquela mulher que ela mal conheceu. Lembranças. Essa é uma das coisas que tenho, e minha irmã, não.

– Mamãe dizia que as fadas moram no centro dos lírios brancos – digo, enquanto ela trança. É uma antiga lenda popular de Kenettra. – Quando as flores se enchem de pingos de chuva, você pode ver fadas se banhando.

O rosto de Violetta se ilumina, ressaltando seus traços bonitos.

– É verdade? – pergunta.

Sorrio ao ver como ela se agarra às minhas palavras.

– Claro – respondo, querendo acreditar. – Eu já vi.

Algo distrai minha irmã. Ela arregala os olhos ao ver uma criatura se mover sob a sombra de uma folha de samambaia. É uma borboleta. Ela se arrasta entre folhas de grama sob a samambaia e, quando presto atenção, percebo que uma de suas asas turquesa e cintilantes foi arrancada.

Violetta lamenta, em compaixão, corre para o inseto sofrido e o pega nas mãos. Murmura:

– Pobrezinha.

A asa restante da borboleta se agita fracamente na palma de Violetta, e minúsculas nuvens de um pó dourado flutuam no ar. As pontas desfiadas da asa arrancada lembram dentes, como se algo tivesse tentado devorá-la. Violetta vira seus grandes olhos escuros para mim.

– Você acha que posso salvá-la?

Dou de ombros.

– Ela vai morrer – digo, de modo gentil.

Violetta segura a criatura mais perto de si.

– Você não tem como saber – declara.

– Só estou lhe dizendo a verdade.

– Por que você não quer salvá-la?

– Porque ela não tem salvação.

Ela balança a cabeça para mim com pesar, como se eu a houvesse decepcionado.

Minha irritação cresce.

– Por que pediu minha opinião se já tinha decidido? – Minha voz se torna fria: – Violetta, em breve você vai entender que as coisas não terminam bem para todo mundo. Alguns de nós estão destruídos, e não há nada que você possa fazer para consertar isso.

Baixo o olhar para a pobre criatura se debatendo nas mãos dela. Ver aquela asa rasgada, aquele corpo inválido, deformado, faz uma onda de raiva me dominar. Dou um tapa na borboleta, fazendo-a cair das mãos de minha irmã. Ela pousa de barriga para cima na grama, as pernas se agitando no ar.

Arrependo-me na mesma hora. *Por que fiz isso?*

Violetta explode em lágrimas. Antes que eu possa me desculpar, ela agarra a saia com força e fica de pé, deixando os brotos de mirta espalhados no chão. Ela se vira.

E ali, atrás dela, está meu pai, o cheiro de vinho o envolvendo como uma nuvem invisível. Violetta se apressa em esfregar e secar as lágrimas quando ele se inclina para ficar na altura dela. Meu pai franze a testa.

– Minha doce Violetta – diz, tocando seu rosto. – Por que você está chorando?

– Por nada – sussurra ela. – Só estávamos tentando salvar uma borboleta.

Os olhos de papai recaem sobre a criatura agonizante na grama.

– Vocês duas? – pergunta para Violetta, as sobrancelhas erguidas. – Duvido que sua irmã fizesse isso.

– Ela estava me mostrando como cuidar dela – insiste Violetta, mas é tarde demais. O olhar dele se desvia para mim.

O medo me assalta e começo a me afastar. Sei o que está por vir. Da primeira vez que a febre do sangue atacou, matando um terço da população e deixando crianças marcadas e deformadas por toda parte, tivemos pena. *Coitadinhas.* Então, os pais de algumas crianças *malfetto* morreram em acidentes estranhos. Os templos disseram que as mortes eram atos dos demônios e nos condenaram. *Fiquem longe das aberrações.*

Elas dão azar. A piedade para conosco logo se transformou em medo. O medo, combinado a nossa aparência assustadora, se tornou ódio. Espalhou-se o boato de que os poderes de um *malfetto*, se os tivesse, se manifestariam quando ele fosse provocado.

Isso despertou o interesse de papai. Se eu tivesse poderes, pelo menos valeria alguma coisa. Ele poderia me vender para um show de horrores, conseguir uma recompensa com a Inquisição por me entregar, usar meu poder para tirar vantagem, *qualquer coisa*. Faz tempo que tenta despertar algo em mim.

Ele gesticula para que eu me aproxime e, quando obedeço, estica as mãos e segura meu queixo com as palmas frias. Há um longo momento de silêncio entre nós. *Desculpe-me por aborrecer Violetta*, quero dizer. Mas as palavras ficam engasgadas pelo medo, deixando-me calada, paralisada. Imagino-me desaparecendo por trás de um véu escuro, sumindo para algum lugar que ele não veja. Minha irmã se esconde atrás de papai, de olhos arregalados. Olha para nós, de um para outro, com crescente desconforto.

Os olhos dele se movem para onde a borboleta agonizante ainda se debate na grama.

– Vá em frente – diz, acenando para o bicho. – Termine o serviço.

Hesito.

Sua voz me persuade:

– Vamos. Era o que você queria, não era? – O aperto em meu queixo fica mais forte, até machucar. – Pegue a borboleta.

Tremendo, faço o que ele manda. Pego a única asa da borboleta entre dois dedos e a ergo no ar. O pó cintilante mancha minha pele. Suas patas se agitam, ainda lutando. Meu pai sorri. Lágrimas brilham nos olhos de Violetta. Ela não pretendia que isso acontecesse. Nunca pretende fazer nada.

– Bom – diz ele. – Arranque a asa.

– Não, papai – protesta Violetta. Ela passa os braços em volta dele, tentando vencê-lo. Mas ele a ignora.

Tento não chorar.

– Não quero – sussurro, mas minhas palavras desaparecem no olhar de meu pai.

Seguro a asa da borboleta entre os dedos e então a arranco do corpo, meu coração se rasgando enquanto faço isso. Sua forma nua e patética rasteja na palma da minha mão. Nesse momento, algo agita a escuridão dentro de mim.

– Mate-a.

Atordoada, esmago a criatura sob meu polegar. Sua carcaça partida se contorce devagar contra minha pele, antes de enfim ficar imóvel.

Violetta grita.

– Muito bem, Adelina. Gosto quando você aceita sua verdadeira essência. – Ele pega uma de minhas mãos. – Gostou disso?

Começo a balançar a cabeça, mas os olhos dele me fazem congelar. Ele quer de mim algo que não sei como dar. Mudo o movimento e assinto. *Sim, gostei disso. Adorei. Direi qualquer coisa para deixá-lo feliz, mas, por favor, não me machuque.*

Nada acontece, mas o olhar de papai se torna mais raivoso.

– Tem que haver algo mais dentro de você, Adelina. – Ele pega meu dedo anelar e passa a mão por ele. Minha respiração se acelera. – Diga que ao menos ganhei uma filha *malfetto* com alguma utilidade.

Estou confusa. Não sei como responder.

– Sinto muito – consigo dizer, enfim. – Eu não tinha a intenção de chatear Violetta. Só estávamos brincando.

Meu coração entra em um ritmo frenético. Eu e minha irmã trocamos um olhar desesperado. *Salve-me, Violetta.*

Meu pai a dispensa, volta sua atenção para mim outra vez e aperta com mais força meu anelar.

– Você é inútil como aquela borboleta, Adelina?

Balanço a cabeça em pânico. *Não. Por favor. Dê-me uma chance.*

– Então *me mostre*. Mostre o que pode fazer.

Em seguida, ele quebra meu dedo na articulação.

Acordo de repente, um grito preso na garganta. Meu dedo torto lateja, como se tivesse sido quebrado há um instante, não seis anos antes, e o esfrego instintivamente, como sempre tentando endireitá-lo. Ondas sombrias reviram meu estômago, a conhecida monstruosidade que meu pai gostava de alimentar.

Estreito o olhar por causa da luz. Onde estou? O sol invade o quarto desconhecido através das janelas em arco, enchendo o ambiente com uma neblina cor de creme, e cortinas diáfanas ondulam à brisa. Em uma mesa próxima, há um livro aberto ao lado de uma pena e um tinteiro. Há vasos com botões de jasmim sobre penteadeiras e na mureta da sacada. Seu aroma doce deve ter sido o motivo para eu sonhar com minha irmã e eu no jardim. Eu me mexo com cuidado e percebo que estou deitada em uma cama cheia de cobertores e travesseiros bordados. Pisco, sentindo-me desorientada por um momento.

Talvez eu tenha morrido. No entanto, este quarto não se parece com o Submundo. O que aconteceu na execução? Lembro-me dos Inquisidores alinhados na plataforma e de minhas mãos lutando contra algemas de ferro. Olho para elas – bandagens brancas cobrem meus pulsos e, quando os mexo, sinto a pele ferida arder debaixo dos curativos. Minhas roupas sujas e rasgadas sumiram e foram substituídas por uma túnica de seda azul e branca. Quem me limpou e me trocou? Toco minha cabeça e estremeço. Alguém também enrolou um tecido bem apertado em minha cabeça, bem onde meu pai puxara meu cabelo, e quando passo a mão, hesitante, por ele, percebo que foi lavado. Franzindo a testa, tento me lembrar de mais.

Teren, o Líder Inquisidor. Um dia claro e bonito. Havia o poste de ferro, os soldados e a tocha acesa. Eles jogaram a tocha na pilha de madeira a meus pés.

E então fiz o céu escurecer. Meus olhos se arregalam quando a lembrança surge.

Uma batida à porta do quarto me assusta.

– Entre! – grito, surpresa com o som da minha voz. Parece estranho dar ordens em um quarto que não é o meu. Puxo mechas de cabelo sobre o lado direito do rosto, cobrindo minha cicatriz.

A porta se abre. Uma jovem criada espia do lado de dentro. Ao me ver, ela se ilumina e entra, agitada, segurando uma bandeja com comida e um copo com uma bebida espumante. Pão fumegante; um ensopado grosso com pedaços dourados de carne e batata; frutas geladas; tortas gordas de framboesa; e ovo. O cheiro forte de manteiga e temperos faz minha cabeça girar – faz semanas que não vejo comida de verdade. Devo parecer espantada ao olhar para os pedaços de pêssego fresco, porque ela sorri para mim.

– Um de nossos parceiros de negócios nos fornece das melhores árvores frutíferas do Vale Dourado – explica ela.

Em seguida, põe a bandeja na penteadeira perto de minha cama e verifica meus curativos. Pego-me admirando sua túnica, como boa filha de comerciante que sou. É feita de cetim brilhante, bordada com fio de ouro, *muito* boa para uma criada. Não é o tecido áspero que se compra por um punhado de lunes de cobre. É um material que vale talentos de ouro de verdade, importado das Terras do Sol.

– Vou avisar que você acordou – diz ela, enquanto tira a bandagem de minha cabeça. – Parece muito melhor depois de uns dias de descanso.

Tudo o que ela diz me deixa confusa.

– Avisar a quem? Quanto tempo dormi?

A criada enrubesce. Quando toca seu rosto, noto como suas unhas são impecavelmente polidas, a pele bem cuidada e brilhante de óleos aromáticos. Que lugar é este? Não pode ser uma casa comum se as criadas forem tão bonitas quanto ela.

– Sinto muito, senhorita Amouteru – responde ela. Também sabe meu nome. – Não tenho certeza de quanto estou autorizada a lhe contar. A senhorita está em segurança, fique tranquila, e em breve ele virá explicar tudo. – Ela faz uma pausa para pegar algo na bandeja. – Coma um pouco, senhorita. Deve estar faminta.

Por mais que esteja com fome, hesito em comer o que ela oferece. O fato é que ela estar cuidando de meus ferimentos não explica *por que* está me curando. Lembro-me da mulher que me acolheu depois daquela noite, como pensei que ela me ajudaria. E, em vez disso, me entregou à Inquisição. Quem sabe que venenos podem haver nesta comida?

– Não estou com fome – minto, com um sorriso educado. – Tenho certeza de que em breve estarei.

Ela retribui meu sorriso, e acho que posso ver um traço de simpatia por trás dele.

– Não precisa fingir – responde ela, dando tapinhas na minha mão. – Deixarei a bandeja aqui para quando você estiver pronta.

Ela para ao ouvir passos no fim do corredor.

– Deve ser ele. Já deve saber – diz. Ela solta minha mão e faz uma reverência rápida. Em seguida, corre para a porta. Mas antes que ela saia, um garoto entra.

Algo nele me parece familiar. Um instante depois, reconheço seus olhos – negros como a noite, com cílios grossos. É meu salvador misterioso. Agora, em vez da máscara prateada e da túnica com capuz, está vestido com um linho fino e um gibão de veludo preto adornado com ouro, roupas delicadas o bastante para pertencer ao mais rico dos aristocratas. Ele é alto. Tem a pele morena dos cidadãos do norte de Kenettra, e seus malares são altos, o rosto estreito e bonito. Mas é seu cabelo que mais me chama a atenção. À luz, parece vermelho-escuro, tão escuro que é quase preto, um tom de sangue que nunca vi, amarrado para trás em um rabo de cavalo curto e frouxo na nuca. Esta cor não é deste mundo.

Ele é marcado, assim como eu.

A criada faz uma reverência para ele e murmura algo que não consigo entender. O rosto dela fica escarlate. O tom de voz que usa agora é bem diferente do que usou comigo – antes parecia relaxada, agora parece obediente e nervosa.

O garoto assente uma vez em resposta. A criada não precisa de mais uma dispensa; faz mais uma reverência e imediatamente sai para o corredor. Meu desconforto aumenta. Afinal, eu o vi brincar com todo um esquadrão de Inquisidores, homens adultos e treinados na arte da guerra, sem esforço algum.

Ele anda pelo quarto com a mesma graça exagerada de que me lembro. Quando me vê, sentada, buscando uma posição mais confortável, agita uma das mãos, com indiferença. Um anel de ouro brilha em seu dedo.

– Por favor – diz, me olhando pelo canto do olho. – Fique à vontade.

Agora também reconheço sua voz, profunda e suave, sofisticada, uma camada de veludo escondendo segredos. Ele se senta em uma poltrona perto da minha cama. Reclina-se e estica o corpo, apoia o queixo em uma das mãos e deixa a outra cair no cabo de uma adaga em sua cintura. Mesmo dentro de casa, usa um par de luvas finas e, quando olho melhor, vejo minúsculas manchas de sangue nelas. Um calafrio percorre minha espinha. Ele não sorri.

– Você é meio tamourana – diz, depois de um momento de silêncio.

– Perdão? – falo, piscando.

– Amouteru é um sobrenome de Tamoura, não de Kenettra.

Por que esse garoto sabe tanto sobre as Terras do Sol? Amouteru não é um sobrenome comum em Tamoura.

– Há muitos imigrantes de Tamoura no sul de Kenettra – respondo, por fim.

– Então você deve ter um apelido de bebê tamourano. – Ele fala de modo casual, um bate-papo despretensioso que me parece estranho depois de tudo o que aconteceu.

– Minha mãe me chamava de *kami gourgaem* – retruco. – Sua *lobinha*.

Ele inclina a cabeça de leve.

– Escolha interessante.

A pergunta dele desperta uma antiga lembrança de minha mãe, meses antes de ser acometida pela febre do sangue. *Você tem o fogo de seu pai*, kami gourgaem, dissera, aninhando meu queixo em suas mãos mornas. Sorria para mim de um jeito que endurecia seu comportamento em geral suave. Então se inclinou e beijou minha testa. *Fico feliz. Você vai precisar disso neste mundo.*

– Minha mãe só achava que os lobos eram bonitos – digo.

Ele me estuda com uma curiosidade silenciosa. Uma fina linha de suor escorre pelas minhas costas. Mais uma vez tenho a vaga sensação de que já o vi antes, em algum lugar antes da execução.

– Você deve estar se perguntando onde está, lobinha.

– Sim, por favor – respondo, tentando soar doce para que ele saiba que sou inofensiva. – Ficaria grata por saber. – A última coisa de que preciso é que um assassino com as luvas salpicadas de sangue não goste de mim.

A expressão dele se mantém distante e reservada.

– Você está no centro de Estenzia.

Prendo a respiração.

– Estenzia?

A capital portuária de Kenettra, que fica na costa norte do país – talvez seja a cidade mais distante de Dalia – e o lugar para onde eu queria fugir inicialmente. Tenho o impulso de pular da cama e olhar pela janela para esta cidade lendária, mas me forço a manter o foco no jovem sentado à minha frente e esconder minha súbita empolgação.

– E quem é você? – pergunto a ele. – Senhor? – Lembro-me de acrescentar.

Ele meneia a cabeça uma vez.

– Enzo – responde.

– Eles o chamaram... quero dizer, na execução... se referiram a você como o Ceifador.

– Sim, também sou conhecido por esse nome.

Os pelos de minha nuca se arrepiam.

– Por que me salvou?

Seu rosto relaxa pela primeira vez e um sorrisinho satisfeito surge em seus lábios.

– Algumas pessoas me agradeceriam primeiro.

– *Obrigada*. Por que me salvou?

A intensidade do olhar de Enzo faz meu rosto corar.

– Deixe-me responder a essa pergunta com calma. – Ele descruza as pernas, sua bota batendo no chão, e se inclina para a frente. Agora vejo que o anel de ouro em seu dedo tem um entalhe simples, com a forma de um diamante. – A manhã de sua execução. Foi a primeira vez que criou algo fora do normal?

Paro um instante antes de responder. Devo mentir? Mas então ele saberia, ele esteve lá na execução; sabia por que eu tinha sido presa. Decido lhe dizer a verdade.

Ele pondera minha resposta por um momento e estende uma das mãos enluvadas para mim.

Estala os dedos.

Uma pequena chama ganha vida na ponta deles, lambendo o ar, faminta. Diferentemente de qualquer coisa que eu tenha criado durante minha execução, esse fogo provoca sensações reais, seu calor distorce o espaço acima dele e esquenta minhas bochechas. Lembranças violentas do dia da execução cruzam minha mente. Eu me encolho apavorada para longe do fogo. *A parede de chamas que ele formou do ar durante minha execução*. Aquilo era real também.

Enzo gira o pulso e a chama se apaga, deixando apenas um filete de fumaça. Meu coração bate fraco.

– Quando eu tinha doze anos – começa ele –, a febre do sangue enfim chegou a Estenzia. Ela se espalhou, mas foi erradicada em um ano. Fui o único acometido em minha família. Um ano depois de os médicos me declararem curado, eu ainda não conseguia controlar o calor de meu corpo. Ficava desesperadamente quente em um momento e, no seguinte, estava congelando. E então, um dia, isto. – Ele baixa os olhos para as mãos e depois os volta para mim. – Qual é sua história?

Abro a boca e a fecho em seguida. Faz sentido. A febre atingiu o país em ondas por uma década, começando em Dalia, minha cidade, e terminando aqui, em Estenzia. De todas as cidades de Kenettra, Estenzia foi a mais violentamente atingida – quarenta mil mortos e outros quarenta mil marcados para o resto da vida. Quase um terço da população, se somados. A cidade *ainda* está lutando para se reerguer.

– É uma história muito pessoal para contar a alguém que se acabou de conhecer – consigo responder.

Ele sustenta meu olhar com uma calma inabalável.

– Não estou lhe contando minha história para que você me conheça – diz ele. Coro, mesmo contra vontade. – Estou lhe contando para oferecer um acordo.

– Você é um dos...

– E você também – diz Enzo. – Você pode criar ilusões. Desnecessário dizer que chamou minha atenção. – Ao ver meu olhar cético, ele continua: – Dizem que os templos de Dalia estão transbordando de adoradores apavorados desde a façanha com seu pai.

Posso criar ilusões. Posso conjurar imagens que não estão ali de verdade e fazer as pessoas acreditarem que são reais. Uma sensação de enjoo se arrasta do meu estômago à superfície de minha pele. *Você é um monstro, Adelina.* Por instinto, esfrego o braço, como se tentasse me livrar de uma doença. Meu pai tentara tanto despertar algo assim em mim. Agora *algo assim* aconteceu. E ele está morto.

Enzo espera pacientemente que eu volte a falar. Não sei quanto tempo passa antes de eu enfim murmurar:

– Eu tinha quatro anos quando contraí a febre do sangue. Os médicos tiveram que tirar um dos meus olhos – hesito. – Eu só fiz... isso... duas vezes. Nada parecia incomum durante minha infância.

Ele assente.

– Alguns manifestam os poderes mais tarde que outros, mas nossas histórias são iguais. Sei como é crescer marcado, Adelina. Todos nós entendemos o que é ser uma aberração.

– *Todos* nós? – pergunto. Minha mente volta às gravuras em madeira do mercado negro, aos crescentes rumores sobre os Jovens de Elite. – Há outros?

– Sim. Do mundo todo.

O Caminhante do Vento. Magiano. O Alquimista.

– Quem são eles? Quantos?

– Poucos, mas o número está crescendo. Durante esses dez anos desde que a febre do sangue foi erradicada em Kenettra, alguns de nós começaram a se fazer conhecer. Uma visão estranha aqui, um testemunho estranho ali. Sete anos atrás, cidadãos de Triese di Mare apedrejaram uma garota até a morte porque ela havia coberto o lago local de gelo em pleno verão. Há cinco anos, em Udara, pessoas atearam fogo em um garoto porque ele fez um buquê de flores brotar na frente da menina de quem gostava. – Ele ajeita as luvas, e meus olhos se movem para as manchas de sangue que recobrem o couro. – Como pode ver, mantive minhas habilidades em segredo por motivos óbvios. Só mudei de ideia depois que conheci mais alguém com poderes estranhos provenientes da febre.

– Então você é um Jovem de Elite. – Pronto. Eu tinha dito isso em voz alta.

– Um nome que as pessoas inventaram para se referir a nossa juventude e a nossas habilidades anormais. A Inquisição odeia esse termo. – Enzo sorri, uma expressão malandra de desprezo. – Sou o líder da Sociedade dos Punhais, um grupo de Jovens de Elite que busca outros como nós antes que a Inquisição os encontre. Mas não somos os únicos Jovens de Elite. Há muitos outros, tenho certeza, espalhados pelo mundo. Meu objetivo é nos reunir. Execuções na fogueira, como a sua, acontecem sempre que a Inquisição acredita ter encontrado um Jovem de Elite. Algumas pessoas abandonam seus próprios parentes marcados porque acham que trazem *má sorte*. O rei usa os *malfettos* como desculpa para seu péssimo governo. Como se fôssemos os culpados pelas mazelas da nação. Se não reagirmos, o rei e sua Inquisição vão matar todos nós, todas as crianças marcadas pela febre. – Os olhos dele se tornaram duros. – Mas nós *reagimos*. Não é, Adelina?

Suas palavras me lembraram dos estranhos sussurros que acompanharam minhas ilusões – algo sombrio e vingativo, tentador e poderoso. Sinto um peso no peito. Estou com medo. Intrigada.

– O que vocês vão fazer? – murmuro.

Enzo se recosta e olha pela janela.

– Vamos tomar o trono, é claro. – Ele soa quase indiferente, como se estivesse falando sobre o café da manhã.

Ele quer matar o rei? Mas e a Inquisição?

– É impossível – sussurro.

– É mesmo?

Sinto minha pele formigar. Olho para ele mais de perto. De repente, cubro a boca com a mão. *Sei onde o vi antes.*

– Você... – gaguejo. – Você é o príncipe.

Não é de admirar que ele pareça familiar. Vi muitos retratos do príncipe primogênito de Kenettra quando criança. Na época, usava a coroa de príncipe, nosso futuro rei. Diziam que ele quase morrera por causa da febre do sangue. Mas, em vez disso, saiu dela marcado. Inapto para herdar o trono. Na verdade, foi a última notícia que tivemos dele. Depois que seu pai, o rei, morreu, a irmã mais velha de Enzo tomou a coroa dele e o baniu para sempre do palácio, proibindo-o de chegar perto da família real. O marido dela, um duque poderoso, se tornou rei.

Baixo o olhar.

– Alteza – digo, curvando a cabeça.

Enzo responde com um único e sutil meneio de cabeça.

– Agora você sabe o verdadeiro motivo para o rei e a rainha condenarem os *malfettos*. Isso faz com que pareçam aberrações e me mantém inapto ao trono.

Minhas mãos começam a tremer. Agora eu entendo. Ele está reunindo uma equipe para ajudá-lo a reclamar seu direito.

Enzo se inclina para tão perto que posso ver traços de um vermelho brilhante em seus olhos.

– Eu lhe faço esta oferta, Adelina Amouteru. Você pode passar o resto da vida fugindo, sozinha e sem amigos, sempre com medo de que a Inquisição a encontre e a leve à justiça por um crime que não cometeu. Ou podemos ver se seu lugar é *conosco*. Os dons que a febre lhe deixou não são tão pouco confiáveis quanto podem parecer. Há um ritmo e uma ciência para controlar seu poder. Há lógica por trás do caos. Se quiser, pode aprender a controlá-lo. E será bem recompensada por isso.

Fico em silêncio. Enzo levanta a mão enluvada e toca meu queixo.

– Quantas vezes você foi chamada de aberração? – sussurra. – De monstro? De inútil?

Muitas.

– Então deixe que eu lhe conte um segredo. – Ele se mexe de modo que seus lábios fiquem perto da minha orelha. Um calafrio desce pela minha espinha. – Você não é uma aberração. Você não é apenas uma *malfetto*. É por isso que eles a temem. Os deuses nos deram poderes, Adelina, porque *nascemos para reinar.*

Um milhão de pensamentos voam pela minha mente – lembranças da minha infância, visões de papai e de minha irmã, da masmorra da Inquisição, do poste de ferro, os olhos claros de Teren, a multidão cantando contra mim. Lembro-me de como sempre me agachava no alto da escada, fingindo reinar lá de cima. *Posso ficar acima de tudo isso se me juntar a eles. Eles podem me manter em segurança.*

De repente, na presença desse Jovem de Elite, o poder dos Inquisidores parece muito distante.

Sei que Enzo está observando como a cor dos meus cabelos e dos meus cílios muda ligeiramente à luz. Seu olhar se demora nas mechas que escondem o lado de meu rosto com a cicatriz. Coro. Ele estende a mão. Ela paira ali, como se esperasse que eu me encolhesse, mas permaneço imóvel, até que ele enfim toca meu cabelo e, com cuidado, o tira do rosto, expondo minhas imperfeições. O calor corre das pontas dos dedos dele para o meu corpo, uma sensação eletrizante que faz meu coração acelerar.

Por um tempo, ele não diz nada. Então tira a luva de uma das mãos. Engasgo. Sob o couro, sua mão é uma massa de carne queimada, a maior parte curada com grossas camadas de um tecido horrível, cicatrizado, que deve ter se acumulado ao longo dos anos, enquanto alguns pontos continuam vermelhos e inflamados. Ele põe a luva de volta, transformando aquela visão horrível em couro preto e manchas de sangue. Em *poder.*

– Enfeite suas imperfeições – diz com suavidade. – Elas se tornarão suas vantagens. E, caso se torne uma de nós, vou lhe ensinar a usá-las como um assassino usa uma faca. – Seus olhos se estreitam. Seu sorriso sutil se torna perigoso. – Então me diga, lobinha. Quer punir aqueles que ofenderam você?

Teren Santoro

F im de tarde em Estenzia.
Teren espera atrás da coluna que cerca o pátio principal do palácio, o coração na garganta, o branco de sua túnica de Líder Inquisidor se misturando ao mármore. Sombras e luz do sol brincam em seu rosto. Do outro lado do caminho do pátio e parcialmente escondida pelas roseiras, a rainha de Kenettra passeia sozinha, o cabelo escuro preso no alto da cabeça em uma cascata de cachos, a pele de um tom quente sob o sol. *Vossa Majestade, a Rainha Giulietta I de Kenettra.*

Teren espera até que ela esteja perto o bastante. Quando ela passa, ele pega seu pulso e a puxa com gentileza para as sombras atrás da coluna.

A rainha deixa escapar um arquejo baixo, mas sorri ao vê-lo.

– Você voltou de Dalia – sussurra. – E também para suas travessuras, pelo que vejo.

Teren a prensa contra o pilar. Os lábios roçam a pele do pescoço dela. Seu vestido tem um decote muito baixo, destacando seus seios fartos, e ele se pergunta, com uma onda de ciúme, se ela o usa como uma tentação para o rei – ou para ele. O rei é um homem feito, já avançado na casa dos quarenta. Teren tem dezenove. *Ela gosta de mim pela minha juventude? Talvez me veja como um garoto, quatro anos mais jovem do que o apropriado a ela.* Mais uma vez fica maravilhado com sua sorte, por ter chamado a atenção da realeza.

– Voltei na noite passada – sussurra ele de volta. E a beija profundamente. – Queria me ver, Vossa Majestade?

A rainha deixa escapar um suspiro enquanto ele beija o contorno de seu queixo. Corre os dedos pelas ranhuras do cinto de prata dele, e Teren se curva para ela, tomado de desejo.

– Sim. – Ela o detém por um momento para lançar-lhe um olhar equilibrado. Seus olhos são muito escuros. Tanto que às vezes parecem completamente vazios. Como se Teren pudesse afundar neles e morrer. – Então, eles a pegaram.

– Pegaram.

– E você vai conseguir encontrá-la de novo?

Teren assente uma vez.

– Não sei que maldição os deuses jogaram em nós, para nos dar demônios como esses, mas eu prometo: ela será nossa vantagem. Vai me levar a eles. Já reuni cinco patrulhas dos meus melhores homens.

– E a irmã dela? Você a mencionou em seu relatório.

Teren baixa a cabeça.

– Sim, Majestade. Violetta Amouteru está sob minha custódia. – Ele dá um sorriso breve. – Não foi ferida.

A rainha assente em aprovação. Estica a mão e abre um fecho no colarinho do uniforme dele, expondo seu pescoço, e então desliza um dedo delicado pela pele à mostra. Ele deixa escapar um suspiro. *Deuses, eu quero você. Amo você. Não a mereço.* Ela esprema os lábios, perdida em pensamentos, e seus olhos voltam a encontrar os dele.

– Avise-me quando encontrar a garota. Não gosto do constrangimento que esses Jovens de Elite estão impondo à Coroa.

Eu faria qualquer coisa por você.

– Às ordens, Majestade.

Giulietta toca o rosto dele com afeição. Sua mão é fria.

– O rei ficará feliz em ouvir isso, assim que voltar da cama de sua amante. – Ela enfatiza as últimas palavras.

O humor de Teren se torna sombrio ao ouvir isso. O rei deveria estar reunido com o conselho nesse momento – não aprontando na cama com uma amante. *Ele não é rei. É um duque com quem a rainha foi obrigada a se casar. Um duque vulgar, arrogante e desrespeitoso.* Ele baixa os lábios para junto dos dela, então rouba outro longo beijo. Sua voz se torna suave e dolorida:

– Quando poderá me ver de novo? Por favor.

– Esta noite. – Ela lhe oferece um sorriso cuidadoso, cheio de segredos calculados. É o sorriso de alguém que sabe muito bem o que dizer a um soldado loucamente apaixonado. Puxa-o para perto o bastante para sussurrar em seu ouvido: – Também senti sua falta.

Há quatro lugares onde os espíritos ainda vagam... o Escuro da Noite, coberto de neve; o paraíso esquecido de Sobri Elan; os Pilares de Vidro de Dumon; e a mente humana, esse reino misterioso onde os fantasmas andarão para sempre.

– *Uma investigação dos mitos modernos e antigos*, de Mordove Senia

Adelina Amouteru

Por uma semana não saio do quarto. Recupero e perco a consciência, acordando apenas para comer as massas e as codornas assadas trazidas diariamente a meus aposentos, e para permitir que a criada troque minha túnica e meus curativos.

Às vezes Enzo vem me ver, o rosto inexpressivo e as mãos enluvadas, mas, além dele e da criada, ninguém mais me visita. Não recebo mais nenhuma informação sobre a Sociedade dos Punhais. Não tenho ideia do que vão fazer comigo agora.

Mais dias se passam: prosperindia. Aevandia. Morandia. Amarendia. Sapiendia. Imagino o que Violetta esteja fazendo agora e se está se perguntando o mesmo sobre mim. Se está em segurança ou não. Se me procura ou simplesmente toca a sua vida.

Na prosperindia seguinte, já me recuperei o bastante e posso ficar sem as bandagens. As feridas em meus pulsos e tornozelos melhoraram e se tornaram hematomas esmaecidos, e o inchaço em minha face desapareceu, o que fez meu rosto voltar ao normal. No entanto, estou mais magra, e meu cabelo se tornou um ninho de ratos, o ponto em que meu pai o arrancou permanece sensível. Olho-me no espelho todas as noites, observando como a luz da vela derrama tons de laranja em meu rosto, como ilumina a pele cicatrizada sobre meu olho arrancado. Pensamentos sombrios se insinuam nos cantos mais remotos de minha mente. Algo vive nesses sussurros, tentando chamar minha atenção, acenando para mim das sombras, e tenho medo de ouvir.

Pareço a mesma. No entanto, também pareço uma completa estranha.

Vozes do lado de fora de meu quarto me despertam do sono à luz dourada da manhã. Fico deitada, imóvel, ouvindo a conversa que atravessa a porta.

Reconheço imediatamente as pessoas que falam. Enzo e minha criada.

– ... negócios a cuidar. A senhorita Amouteru. Como ela está?

– Muito melhor. – Uma pausa. – O que devo fazer com ela hoje, Alteza? Ela está bem agora e começando a ficar inquieta. Devo levá-la para dar uma volta na corte?

Um breve intervalo. Imagino Enzo ajustando as luvas, o rosto virado para longe da criada, parecendo tão desinteressado quanto sua voz.

– Leve-a a Raffaele – diz, por fim.

– Sim, Alteza.

A conversa termina. Os passos ecoam pelo corredor, diminuindo até sumirem por completo. Sinto um estranho desapontamento com a ideia de que Enzo não estará por perto. Tinha a esperança de lhe fazer mais perguntas. A corte. Foi assim que a criada chamou o prédio onde estamos. Que tipo de corte? Uma propriedade da realeza? Quem é Raffaele?

Fico na cama e espero até a criada entrar agitada.

– Bom dia, senhorita – diz ela por trás de uma braçada de sedas e de uma tigela de água fervente. – Veja só isso! Suas feições estão muito coradas. Que ótimo!

É muito estranho ter alguém me elogiando o tempo todo e cuidando de todos os meus caprichos. Sorrio em agradecimento. Enquanto ela esfrega meu corpo e me veste em uma nova túnica azul e branca, penteio mechas de cabelo sobre minha cicatriz. Encolho-me quando ela passa a escova pela parte ferida de minha cabeça.

Por fim, estamos prontas. Ela me conduz até a porta, e respiro fundo ao sair do quarto pela primeira vez.

Seguimos por um corredor estreito que se bifurca em dois. Observo as paredes, decoradas com quadros de deuses – belas Pulchritas saindo do mar e jovens Laetes caindo dos céus, as cores tão vívidas quanto se tivessem sido pintadas apenas uma semana antes. Mármore cheio de veios contorna o arco do teto. Passo tanto tempo olhando o corredor que começo a ficar para trás, e só quando a criada grita para que me apresse desvio o olhar e acelero o passo. Tento pensar em alguma coisa para dizer a ela – mas toda vez que abro a boca, a criada sorri educadamente e desvia o olhar, desinteressada. Decido ficar calada. Fazemos uma curva e paramos de repente diante do que parece ser uma parede sólida e uma fileira de colunas.

Ela passa a mão pela lateral de uma coluna, depois empurra a parede. Observo perplexa a parede se mover para o lado e revelar um novo corredor.

– Venha, senhorita – diz a criada por sobre o ombro.

Em choque, eu a sigo. A parede se fecha atrás de nós. Como se nada jamais houvesse existido para além dela.

Quanto mais andamos, mais curiosa fico. A arquitetura faz sentido, é claro. Se este é o lugar onde ficam os Jovens de Elite – assassinos procurados pela Inquisição –, então não poderia haver uma porta com acesso direto para a rua, pela qual se pudesse entrar e sair. Os Jovens de Elite são um segredo escondido por trás das paredes de outro prédio. Mas o que é essa corte?

A criada finalmente se detém diante de uma série de portas altas, no fim de um corredor. As portas duplas são elaboradamente entalhadas com a imagem de Amare e Fortuna, deus do Amor e deusa da Prosperidade, em um abraço íntimo. Prendo a respiração. Agora sei onde estou.

Este lugar é um bordel.

A criada puxa as portas duplas, abrindo-as. Entramos em uma sala de estar gloriosamente decorada, com uma porta ao longo de uma das paredes que provavelmente leva aos aposentos. A ideia faz minhas bochechas corarem. Parte da sala se abre para um pátio exuberante. Cortes drapeados de seda translúcida pendem do teto, movendo-se de leve, e cordões com discos de prata tilintam à brisa. O cheiro de jasmim paira no ar.

A criada bate na porta do quarto.

– Pois não? – responde alguém. Mesmo abafada pela porta, percebo como a voz é incomumente agradável. Como a de um menestrel.

A criada baixa a cabeça, embora não haja ninguém além de mim para testemunhar seu gesto.

– A senhorita Amouteru está aqui para vê-lo.

Silêncio. Ouço o arrastar suave de pés, e um momento depois, pego-me olhando para um garoto que me deixa sem fala.

Um famoso poeta das Terras do Sol certa vez descreveu um rosto bonito como "beijado pela lua e pela água", uma ode a nossas três luas e à beleza de sua luz refletida no oceano. Ele fez esse elogio a duas pessoas: sua mãe e a última princesa do império Feishen. Se estivesse vivo e pudesse ver quem estou olhando, teria elogiado uma terceira pessoa. A lua e a água devem amar desesperadamente este garoto.

Seu cabelo, preto e brilhoso, cai sobre um de seus ombros em uma trança frouxa e sedosa. O aroma suave de lírios da noite o envolve como um véu, intoxicante, prometendo algo proibido. Estou tão distraída com sua aparência que demoro um tempo para perceber sua marca – sob a proteção de cílios longos e escuros, um de seus olhos é da cor do mel sob o sol, enquanto o outro tem o tom verde brilhante de uma esmeralda.

A criada acena um até logo para nós dois e desaparece pelo corredor, nos deixando a sós. O rapaz sorri para mim, mostrando covinhas.

– É um prazer conhecê-la, mi Adelinetta.

Ele pega minhas mãos e se inclina para beijar minhas bochechas. Estremeço com a suavidade de seus lábios. Suas mãos são frias e suaves, os dedos finos e adornados por finos anéis de ouro; as unhas brilham. Sua voz é tão lírica quanto pareceu através da porta.

– Eu sou Raffaele.

Um movimento atrás dele me distrai. Apesar de o quarto estar mal iluminado, observo a silhueta suave de outra pessoa se virar na cama, seus cachos curtos e castanhos captando a luz. Olho de volta para Raffaele. Isto é um bordel, claro. Raffaele deve ser um cliente.

Ele percebe minha hesitação, então cora e baixa as pálpebras uma única vez. Nunca vi um gesto tão gracioso.

– Peço desculpas. Meu trabalho muitas vezes dura até de manhã.

– Ah – consigo responder.

Sou uma tola. Ele não é o cliente. O homem lá dentro é o cliente, e Raffaele é o *acompanhante*. Com um rosto desses, eu deveria ter sabido na mesma hora – mas, para mim, acompanhante significa prostituta de rua. Trabalhadoras pobres e desesperadas se vendendo à beira da estrada e nos bordéis. Não um trabalho de arte.

Raffaele torna a olhar para dentro do quarto e, quando parece que seu cliente voltou a cair em um sono profundo, sai e fecha a porta sem fazer barulho.

– Príncipes mercadores tendem a dormir até tarde – diz, com um sorriso delicado.

Em seguida, acena com a cabeça para que eu o siga. Fico maravilhada com a elegância simples de seus gestos, afinados à perfeição com o jeito que, suponho, um acompanhante de alto nível deve ter. Toda esta sala de estar e o pátio pertencem a ele?

– Sentir sua energia assim tão perto é meio impressionante – diz ele.

– Você pode me sentir?

– Fui o primeiro a descobrir você.

Franzo a testa.

– O que quer dizer com isso?

Raffaele nos conduz para fora da sala de estar e para o corredor, até chegarmos a um grande pátio com chafarizes. A brisa sopra o cabelo dele, revelando fios cor de safira muito brilhantes sob o preto, linhas de joias mexendo-se contra uma tela negra. Uma segunda marca.

– Na noite em que fugiu de casa – diz ele, conforme andamos –, você parou no mercado central de Dalia.

Eu me encolho com essa lembrança. O rosto de meu pai, molhado de chuva e partido em um esgar ameaçador, surge na minha frente em um flash.

– Sim – sussurro.

– Enzo me mandou ao sul de Kenettra por vários meses, para encontrar alguém como você. Pude senti-la assim que cheguei a Dalia. No entanto, sua energia era fraca, ia e vinha, e levei várias semanas para limitar minha busca ao seu distrito. – Raffaele para diante do maior chafariz do pátio. – Mas a primeira vez que *vi* você foi no mercado. Eu a vi partir cavalgando pela chuva. É claro que mandei uma mensagem para Sua Alteza imediatamente.

Alguém estivera mesmo me observando naquela noite. *Um garoto capaz de sentir aqueles como eu – como nós.* Essa deve ser sua habilidade, assim como Enzo tem o fogo, e eu, a ilusão.

– Então você recruta Jovens de Elite para a Sociedade dos Punhais?

– Sim. Eles me chamam de Mensageiro, e a caçada é sempre uma aventura. A cada mil *malfettos*, existe aquele *um*. Porém, depois que um recruta em potencial cai nas mãos da Inquisição, é difícil salvá-lo a tempo. Você é a primeira que arrancamos direto das mãos deles. – Raffaele pisca o olho cor de pedra preciosa para mim. – Parabéns.

O Ceifador. O Mensageiro. Uma sociedade cheia de nomes duplos e significados ocultos. Respiro fundo, pensando nos outros nomes sobre os quais ouvi falar.

– Ninguém me disse que este lugar era... um bordel – digo.

– Uma corte de prazeres – especifica Raffaele. – Bordéis são para os pobres e sem refinamento.

– Uma corte de prazeres – repito.

– Nossos clientes nos procuram em busca de música e conversa, beleza, alegria e graça. Jantam e bebem conosco. Esquecem suas preocupações. – Ele sorri com discrição. – Às vezes fora do quarto. Às vezes dentro.

Eu lhe lanço um olhar suspeito, de esguelha.

– Espero que não precise me tornar uma acompanhante para me juntar à Sociedade dos Punhais. Sem querer ofendê-lo, claro – acrescento depressa.

A risada gentil de Raffaele me responde. Como tudo nele, seu riso é perfeitamente refinado, tão adorável quanto flores de verão, e o som enche meu coração de luz.

– O lugar onde você dorme não determina quem você é. Você não tem idade, mi Adelinetta. Ninguém na Corte Fortunata vai obrigá-la a servir aos clientes... a menos, é claro, que o trabalho lhe interesse.

Meu rosto queima diante dessa sugestão.

Raffaele nos guia pela lateral do pátio. Aqui fora, o vento traz o aroma doce da primavera. Dá para perceber que o bordel – *a corte de prazeres* – está localizado em uma colina, e, quando chegamos a um ponto mais aberto, tenho um vislumbre da cidade lá embaixo. Prendo a respiração.

Estenzia.

Domos de tijolo vermelho e estradas amplas e lisas, torres sinuosas, arcadas arrebatadoras. Ruas laterais estreitas repletas de flores coloridas e videiras. Monumentos enormes que brilham ao sol. Pessoas indo de um prédio a outro, cavalos puxando carroças carregadas de barris e caixotes. Estátuas de mármore dos doze deuses e anjos, seus pés enfeitados com flores, circundam a praça central, centenas de navios chegam e partem do porto, galeões largos, caravelas estreitas com suas distintas velas marrons e brancas contra o azul profundo do mar, suas bandeiras um arco-íris de reinos do mundo inteiro. Gôndolas deslizam entre eles, vaga-lumes entre gigantes. Um sino repica em algum lugar distante. No horizonte, as silhuetas indistintas de uma cadeia de ilhotas aparecem diante da imensidão sem fim do Mar do Sol. E no céu...

Arquejo, maravilhada, ao ver uma criatura enorme, semelhante a uma arraia, deslizar preguiçosamente sobre o porto da cidade, suas asas suaves e translúcidas à luz, a cauda estendida para trás em uma linha comprida. Alguém – um ponto minúsculo que quase não se pode ver – está montado em suas costas. A criatura emite um som marcante que ecoa por toda a cidade.

– Uma balira! – exclamo.

Raffaele olha para mim por sobre o ombro, o gesto tão suave e magnificente que alguém poderia achar que ele é da realeza. Ele ri de meu encantamento.

– Achei que as visse com frequência fazendo entregas em Dalia, dada sua localização perto do arco das cascatas.

– Nunca tão de perto.

– Entendo. Bem, temos águas rasas e mornas, então elas se reúnem aqui no verão para procriar. Você vai vê-las até não aguentar mais, acredite.

Balanço a cabeça e continuo a observar o cenário.

– A cidade é linda.

– Só para os recém-chegados. – O sorriso dele desaparece. – Não somos como as nações da Terra do Céu, onde a febre do sangue foi branda e as poucas pessoas marcadas são motivo de comemoração. Estenzia foi devastada pela febre e tem sofrido desde então. O comércio está fraco. Piratas atormentam nossas rotas. A cidade fica cada vez mais pobre, e as pessoas passam fome. Os *malfettos* são os bodes expiatórios. Uma garota *malfetto* foi morta ontem mesmo, esfaqueada nas ruas. A Inquisição finge que não vê.

Minha animação diminui. Quando torno a olhar a cidade lá embaixo, vejo as muitas lojas fechadas com tábuas, os mendigos, os colarinhos brancos dos Inquisidores. Viro-me, desconfortável.

– Não é muito diferente em Dalia – murmuro. Um breve silêncio. – Onde estão os outros Jovens?

Chegamos a uma parede de pedra sem graça, em um canto estreito do pátio, posicionado de forma que você jamais pensaria em parar ali a menos que soubesse de alguma coisa. Raffaele corre o dedo pela parede antes de empurrá-la; para minha surpresa, ela se abre em silêncio. Uma lufada de ar frio nos recebe. Espio lá dentro. Uma escada de pedra gasta desce em espiral para a escuridão.

– Não pense neles – responde Raffaele. – Hoje somos só você e eu.

Um arrepio estranho e agradável desce pelo meu pescoço. Ele não diz mais nada e decido não pressioná-lo para obter mais informações.

Seguimos para a escuridão. Raffaele pega uma pequena lanterna na parede e a acende, o brilho fraco desenha sombras pretas e laranja na penumbra. Tudo o que consigo ver são os degraus bem na minha frente e as dobras da túnica de Raffaele. Uma corte de prazeres cheia de passagens secretas.

Depois de um tempo, a escada termina diante de outra parede. Raffaele a destranca também. Ela se abre com um rangido pesado. Entramos em um cômodo iluminado por fragmentos de luz vindos de uma grade no teto, que realçam partículas de poeira flutuando no ar. Musgo cobre as barras da grade. Em um canto, uma mesa abarrotada de pergaminhos e mapas, planetários estranhos mostrando as fases das luas e livros ilustrados. O lugar tem um cheiro frio, úmido. Raffaele vai até a mesa e empurra alguns dos papéis para o lado.

– Não se assuste – diz.

Fico tensa de repente.

– Por quê? O que estamos fazendo aqui?

Raffaele não olha para mim. Em vez disso, abre uma gaveta na mesa e pega vários tipos de pedras. *Pedra*, na verdade, não é a melhor palavra. São *gemas*, brutas e não polidas, recém-tiradas da terra. Há algo familiar nesse conjunto. Sim, agora lembro – por dois lunes de cobre, especuladores nas ruas colocam pedras coloridas na frente de uma criança e falam sobre sua personalidade.

– Isto é um tipo de jogo? – pergunto.

– Não exatamente. – Ele arregaça as mangas. – Antes que você possa se tornar uma de nós, tem que passar por uma série de testes. Hoje é o primeiro deles.

Tento parecer calma.

– E qual é o teste?

– Todo Jovem de Elite responde à energia de um modo único e tem uma força e uma fraqueza diferentes. Alguns respondem a força e bravura. Outros são sábios e lógicos. E há os que são governados pela paixão. – Ele baixa os olhos para as gemas. – Hoje vamos descobrir *quem* você é. Como a *sua* energia específica se conecta ao mundo.

– E para que servem as gemas?

– Somos as crianças dos deuses e dos anjos. – Um sorriso gentil se insinua no rosto de Raffaele. – Dizem que as gemas são lembretes duradouros de onde as mãos dos deuses tocaram a terra durante a criação. Certas gemas vão se ligar ao tipo de energia específico que corre em você. Elas funcionam melhor em seu estado natural. – Raffaele ergue uma das pedras, que parece irregular e clara. – O diamante, por exemplo. – Ele a baixa e pega outra, de tonalidade azul. – O veritium também. Há quartzo verde, pedra da lua, opalina, água-marinha.

Ele mostra uma a uma. Por fim, doze gemas diversas repousam sobre a mesa, cada uma cintilando uma cor diferente sob a luz.

– E a pedra da noite – termina. – Uma para cada um dos deuses e anjos. Algumas vão se ligar a você mais do que outras.

Observo, agora mais confusa do que desconfiada.

– Por que você disse para eu não me assustar?

– Porque em um instante você vai sentir algo muito estranho. – Raffaele estende a mão para mim, indicando que devo me posicionar no centro da sala. Com cuidado, começa a arrumar as gemas em um círculo ao meu redor. – Não lute contra isso. Apenas se acalme e deixe a energia fluir.

Hesito, mas depois concordo.

Ele termina de posicionar as gemas. Giro-me no mesmo lugar, olhando para cada uma delas com crescente curiosidade. Raffaele se afasta, me observa por um momento e cruza os braços, emitindo um farfalhar de mangas de seda.

– Agora quero que relaxe. Esvazie a mente.

Respiro fundo e tento fazer o que ele diz.

Silêncio. Nada acontece. Acalmo meus pensamentos, me concentrando em água serena, na noite. Perto dali, Raffaele abaixa a cabeça, um gesto quase imperceptível. Sinto um estranho formigamento nos braços e na nuca. Quando abaixo o olhar para as pedras, vejo que cinco delas começaram a brilhar, como se estivessem se iluminando pelo lado de dentro, em tons de escarlate, branco, azul, laranja e preto.

Raffaele desliza lentamente ao meu redor, descrevendo um círculo, os olhos acesos de curiosidade. O modo como circula parece quase predatório, sobretudo quando passa para o lado em que minha visão é falha e tenho que virar o rosto para mantê-lo à vista. Ele levanta um pé de leve, sua sandália cravejada de joias afastando cada uma das pedras que não brilham. Pega as cinco que sobraram, volta para a mesa e as expõe ali, com cuidado.

Diamante, roseta, veritium, âmbar, pedra da noite. Mordo o lábio, impaciente para descobrir o que significam.

– Bom. Agora quero que olhe para o diamante.

Por um momento, Raffaele não se mexe. Tudo o que faz é me encarar, seu olhar calmo e equilibrado, as mãos soltas ao lado do corpo. O espaço entre nós parece zumbir, cheio de vida. Tento me concentrar na pedra e me impedir de tremer.

Raffaele inclina a cabeça.

Engasgo. Uma onda de energia me atravessa, algo forte e leve que ameaça me fazer voar. Eu me apoio na parede. Uma lembrança cruza minha mente, tão vívida e clara que eu poderia jurar que a estou revivendo.

Tenho oito anos, e Violetta, seis. Corremos para fora a fim de cumprimentar papai, que acabou de voltar de uma viagem de um mês a Estenzia. Ele pega Violetta no colo, ri e a gira. Ela grita de alegria, e fico parada ali. À tarde, desafio Violetta em uma corrida entre as árvores nos fundos de casa. Escolho um trajeto cheio de pedras e buracos, sabendo bem que ela acabou de se recuperar de uma febre e ainda está fraca. Quando ela cai sobre as raízes, ralando os joelhos, sorrio e não paro para ajudá-la. Continuo correndo, correndo, correndo até eu e o vento nos tornarmos um só. Não preciso de meu pai para me girar. Já posso voar. Mais tarde, à noite, observo o lado do meu rosto sem olho, com a cicatriz, os fios prateados do meu cabelo. Então pego minha escova e quebro o espelho em mil pedaços.

A lembrança desaparece. Por um momento, o brilho forte pulsa dentro do diamante, e então se apaga. Respiro fundo, trêmula, perdida em uma névoa de espanto e culpa por causa da lembrança.

O que foi *isso*?

Os olhos de Raffaele se arregalam, depois se estreitam. Ele fita o diamante sobre a mesa. Lanço um olhar para a pedra também, como se esperasse ver um brilho colorido – mas não vejo nada. Talvez eu esteja longe demais para enxergar.

– Fortuna, a deusa da Prosperidade. O diamante mostra seu alinhamento com poder e ambição, o fogo dentro de você. Adelina, poderia estender os braços para os lados?

Hesito, mas quando Raffaele me dá um sorriso encorajador, faço o que pediu – estendo os braços paralelos ao chão. Ele move o diamante para o lado e, em seu lugar, posiciona o veritium, agora banhado de luz. Raffaele me observa por um tempo, estende a mão e faz o gesto de puxar algo invisível no ar. Tenho uma sensação estranha, um empurrão, como se alguém estivesse tentando me jogar para o lado, investigando meus segredos. Por instinto, empurro de volta. O veritium se acende e emite um forte brilho azul.

Esta é a lembrança que me ocorre desta vez:

Tenho doze anos. Violetta e eu estamos sentadas juntas em nossa biblioteca, onde leio para ela um catálogo de flores. Ainda me lembro daquelas páginas ilustradas, o pergaminho enrugado como folhas secas. *Rosas são tão lindas*, suspira Violetta com seu jeito inocente, admirando as imagens. *Como você.* Fico em silêncio. Um pouco depois, quando ela sai para tocar cravo com papai, aventuro-me no jardim para olhar nossas roseiras. Observo uma das rosas com atenção, olho para meu anelar torto, que papai quebrara anos antes. Em um estranho impulso, estico a mão e a fecho com força ao redor do caule da rosa. Uma dúzia de espinhos cortam minha palma. Ainda assim, cerro a mandíbula e fecho a mão o máximo que consigo. *Você está certa, Violetta.* Por fim, solto o caule, olhando espantada para o sangue que brota em minha mão. Os espinhos estão manchados de vermelho. *A dor acentua a beleza*, lembro-me de pensar.

A cena some. Nada mais acontece. Raffaele diz para eu me virar e, quando obedeço, vejo que o veritium tem um fraco brilho azul. Ao mesmo tempo, emite uma nota musical trêmula que me faz pensar em uma flauta quebrada.

– Sapientus, deus da Sabedoria – diz Raffaele. – Você se alinha com o veritium pela verdade interior, pelo conhecimento e pela curiosidade.

Ele segue para a roseta, sem dizer mais uma palavra. Dessa vez, me chama para perto com um aceno e me manda cantarolar na frente da pedra. Quando o faço, um leve formigamento corre pela minha garganta, deixando-a dormente. A pedra se acende, vermelha, por um longo tempo, então se apaga, em uma chuva de faíscas. A lembrança que acompanha é esta:

Tenho quinze anos. Papai organizou tudo para que vários pretendentes fossem a nossa casa dar uma olhada em Violetta e em mim. Minha irmã se mantém discreta e doce o tempo todo, sua boca pequena contraída em um sorriso rosado. *Eu também detesto quando olham para mim*, ela sempre diz. *Mas você tem que tentar, Adelina.* Eu a pego na frente do espelho, puxando o decote para baixo de forma a mostrar mais as curvas, sorrindo diante do jeito que seu cabelo cai sobre os ombros. Não sei o que fazer. Os homens a admiram no jantar. Eles riem e brindam. Sigo o exemplo de Violetta; flerto e sorrio o máximo que consigo. Percebo a voracidade nos olhos deles quando me fitam, o modo como se demoram na linha da minha clavícula, em meus seios. Sei que também me querem. Só que não como esposa. Um deles brinca sobre me encurralar da próxima vez que eu andar sozinha no jardim. Rio com ele. Penso em misturar veneno em seu chá, depois observar seu rosto ficar vermelho e angustiado; eu me imagino inclinando-me sobre ele, observando com paciência, com o queixo apoiado nas mãos, admirando seu corpo moribundo, retorcido, enquanto conto os minutos. Violetta não pensa nessas coisas. Ela vê felicidade e esperança, amor e inspiração. Ela é nossa mãe. Sou nosso pai.

Mais uma vez, a lembrança some no ar, e mais uma vez me pego olhando para Raffaele. Há certa cautela em seus olhos agora, distanciamento misturado a interesse.

– Amare, deus do Amor – diz ele. – Roseta, para a paixão e compaixão por si mesmo, cega e vermelha.

Por fim, ele ergue o âmbar e a pedra da noite. O âmbar emite uma bela cor laranja e dourada, mas a pedra da noite é feia, escura, desajeitada e sombria.

– O que faço desta vez? – pergunto.

– Segure-as.

Ele pega uma de minhas mãos. Coro ao sentir como a palma dele é suave, como seus dedos são gentis. Quando ele toca meu dedo quebrado, estremeço e me encolho. O olhar dele encontra o meu. Embora não pergunte por que reagi ao seu toque, ele parece entender.

– Vai ficar tudo bem – murmura. – Estenda a mão aberta.

Obedeço, e ele põe as pedras nela, com cuidado. Meus dedos se fecham ao redor delas.

Um choque violento me atravessa. Uma onda de fúria amarga. Raffaele pula para trás – engasgo e caio no chão. Os sussurros nos cantos mais escuros da minha mente se libertam de suas gaiolas e enchem meus pensamentos com seu barulho. Trazem uma confusão de lembranças, de tudo o que já vi e de tudo que lutei para conter. Meu pai quebrando meu dedo, gritando comigo, me batendo, me ignorando. A noite na chuva. Suas costelas esmagadas. As longas noites nas masmorras da Inquisição. Os olhos sem cor de Teren. A multidão zombando de mim, jogando pedras em meu rosto. O poste de ferro.

Fecho bem o olho e pressiono as mãos contra as orelhas, em uma tentativa desesperada de bloqueá-los, mas o redemoinho cresce, uma cortina de escuridão que ameaça me soterrar. Papéis voam da mesa. O vidro da lanterna de Raffaele se quebra.

Pare. Pare. PARE. Vou destruir tudo para fazer com que isso pare. *Vou destruir todos vocês.* Cerro os dentes enquanto minha fúria gira ao meu redor, fervente e incansável, ansiando por se libertar. Através do redemoinho, ouço o sussurro rouco de meu pai.

Sei quem você é de verdade. Quem vai querer você, Adelina?

Minha raiva aumenta. *Todo mundo. Eles se curvarão aos meus pés e os farei sangrar.*

Os gritos silenciam. A voz de meu pai desaparece, deixando apenas lembranças trêmulas no ar. Fico no chão, todo o corpo tremendo com a ausência da raiva inesperada, o rosto molhado de lágrimas. Raffaele se mantém distante. Nós nos encaramos por um bom tempo, até que enfim se aproxima para ajudar a me levantar. Ele indica a cadeira perto da mesa. Sento-me, grata, afundando na paz súbita. Meus músculos estão fracos, e mal consigo manter a cabeça erguida. Sinto uma repentina necessidade de dormir, para afastar minha exaustão com um sonho.

Depois de um tempo, Raffaele pigarreia.

– Formidite e Caldora, os anjos gêmeos do medo e da raiva – sussurra. – Âmbar, para o ódio enterrado no peito. Pedra da noite, para a escuridão interior, a força do medo. – Ele hesita, então olha no meu olho. – Algo escurece seu coração, algo profundo e amargo. Tem se banqueteado dentro de você há anos, nutrido e encorajado. Nunca senti nada assim.

Foi meu pai que alimentou isso. Estremeço, lembrando as terríveis ilusões que responderam ao meu chamado. No canto da sala, o fantasma de meu pai espreita, parcialmente escondido atrás da parede de hera. *Ele não está ali de verdade, é uma ilusão, ele está morto.* Mas não há engano – posso ver sua silhueta me esperando, sua presença fria e inquietante.

Desvio o olho dele, para que Raffaele não pense que estou enlouquecendo.

– O que... – começo, então pigarreio. – O que isso significa?

Raffaele apenas assente para mim de um jeito simpático. Parece relutante em discutir o assunto mais profundamente, e também estou ansiosa para ir em frente.

– Vamos ver o que Enzo acha disso, e o que isso significa para seu treinamento – diz, em tom mais hesitante. Ele franze a testa. – Pode levar algum tempo até você ser considerada membro da Sociedade dos Punhais.

– Espere – digo. – Não entendo. Já não sou uma de vocês?

Raffaele cruza os braços e olha para mim.

– Não, ainda não. A Sociedade dos Punhais é composta por Jovens de Elite que se provaram capazes de invocar seus poderes sempre que necessário. Eles podem *controlar* suas habilidades com um nível de precisão que você ainda não tem. Lembra-se de como Enzo a salvou, de como controlou o fogo? Você tem que ser mestre da sua habilidade. Vai chegar lá, tenho certeza, mas ainda não chegou.

O modo como Raffaele fala tudo isso desperta um alerta em mim.

– Se ainda não sou um membro, o que sou então? O que acontece agora?

– Você é uma aprendiz. Temos que ver se conseguimos treiná-la e qualificá-la.

– E o que acontece se eu não conseguir?

Os olhos de Raffaele, antes tão calorosos e doces, agora parecem sombrios e assustadores.

– Há alguns anos – diz, em tom suave –, recrutei para nossa sociedade um garoto que podia invocar a chuva. Ele parecia promissor na época. Tínhamos grandes expectativas para ele. Um ano se passou. Ele não conseguia aprender a controlar suas habilidades. Você ouviu falar da estiagem que atingiu o norte de Kenettra?

Assinto. Meu pai praguejara contra o aumento dos preços do vinho, e houve o boato de que Estenzia foi obrigada a sacrificar cem cavalos premiados porque não podia alimentá-los. O povo passou fome. O rei mandou a Inquisição e matou centenas de pessoas durante os protestos.

Raffaele suspira.

– Esse garoto causou a estiagem por acidente, e não tivemos como revertê-la. Ele entrou em pânico e ficou frustrado. As pessoas culparam os *malfettos*, claro. Os templos queimaram *malfettos* na esperança de que nos sacrificar suspendesse a estiagem. O garoto começou a agir de modo estranho e inconstante, causando uma comoção pública ao tentar conjurar a chuva no meio da praça do mercado, escapando para o porto à noite para tentar atrair as ondas e coisas assim. Enzo *não* ficou contente. Entende? Alguém que não consegue aprender a controlar sua energia é um perigo para todos nós. Não agimos de graça. Mantê-la aqui em segurança, alimentá-la, vesti-la e lhe dar abrigo, treiná-la... tudo isso custa tempo e dinheiro, mas, acima de tudo, custa nosso nome e nossa reputação com aqueles que nos são leais. Você é um risco e um investimento. Em outras palavras, tem que *provar* que vale a pena. – Raffaele faz uma pausa e pega minha mão. – Não gosto de assustá-la, mas não vou esconder de você o quanto levamos a sério nossa missão. Isso não é um jogo. Não podemos arcar com um elo fraco em um país que nos quer mortos. – Ele aperta minha mão com mais força. – E vou fazer tudo ao meu alcance para garantir que você seja um elo forte.

Ele está tentando me confortar, mesmo com sua honestidade. Mas há algo que não diz. Nos breves silêncios entre suas palavras, escuto tudo o que preciso saber. Eles ficarão de olho em mim. Tenho que provar que posso invocar meus poderes de novo e que posso usá-los com precisão. Se, por algum motivo, eu não conseguir controlar minhas habilidades, eles não vão apenas me expulsar da Sociedade dos Punhais. Eu vi seus rostos, onde ficam e o que fazem. Sei que o príncipe de Kenettra os lidera. Sei demais. *Um elo fraco em um país que nos quer mortos.* Esse elo fraco poderia ser eu.

Se eu não passar nos testes, eles farão comigo o que devem ter feito com o garoto que não conseguia controlar a chuva. Vão me matar.

Raffaele Laurent Bessette

Meia-noite. Toda a Corte Fortunata dorme, e Raffaele está sentado sozinho em seu quarto, virando as páginas delicadas de um livro sobre as luas e as marés. Espera. Por fim, ouve uma leve batida à porta. Ele se levanta em um movimento delicado, as sedas bordadas brilhando à luz da vela, e caminha a passos silenciosos a fim de abrir para o visitante. Enzo entra arrastando sua túnica escura, trazendo com ele o aroma do vento, da noite e da morte. Raffaele faz uma reverência respeitosa.

Enzo fecha a porta atrás de si.

– O Torneio das Tormentas – sussurra Enzo. – Está confirmado. O rei e a rainha farão uma rara aparição juntos lá. Será nossa melhor oportunidade de derrubar os dois.

Raffaele assente.

– Perfeito.

Enzo franze a testa para ele.

– Você parece cansado. Está tudo bem?

O cliente da tarde deixara Raffaele uma hora antes.

– Estou bem – responde ele.

– Viu Adelina hoje?
– Sim.
– E?

Ele conta a Enzo sobre o teste de Adelina. A reação dela a cada gema. Comenta sobre o alinhamento dela com o âmbar e a pedra da noite, sua ligação devastadora com as pedras gêmeas. Como ele temia, Enzo estreita os olhos, interessado. Raffaele estremece com a expressão do líder. Recrutara muitos Jovens de Elite para o príncipe nos últimos anos, mas nenhum jamais demonstrara o mesmo alinhamento de Enzo com o diamante, uma ambição tão ardente. Estar próximo da energia dele é intoxicante.

– Medo e fúria – diz o príncipe, pensativo. À luz da vela, seus olhos brilham. – Bem, é algo inédito.

Raffaele respira fundo e pergunta:
– Tem certeza de que quer fazer isso?

Enzo mantém as mãos enluvadas fechadas atrás das costas.
– Qual é seu conselho?
– Livre-se dela. Agora.
– Depois de todo esse trabalho, está me dizendo para matá-la?

A voz de Raffaele é dolorida, mas firme:
– Enzo, todas as lembranças dela estão embrulhadas em escuridão. É como uma infecção em sua mente. Há algo *muito errado* com ela. Poderia ter manifestado o poder mais cedo, quando criança, mas só agora começou a encontrá-lo. Ele cresceu dentro dela, e a energia parece deformada de um jeito que me perturba. Ela não sabe ainda, mas está ávida demais para usá-la. Não sei como responderá ao treinamento.

– Você está com medo dela – murmura Enzo, intrigado. – Ou talvez esteja com medo de seu fascínio por ela.

Raffaele fica em silêncio. *Não. Estou com medo do* seu *fascínio por ela.*

Os olhos de Enzo se suavizam.
– Sabe que confio em você. Sempre confiei. Mas me livrar dela seria um desperdício. Adelina tem potencial para ser muito útil.

– Ela *vai* ser muito útil – concorda Raffaele. Os fios cor de safira em seus cabelos captam a luz. Ele olha de esguelha para Enzo. – *Se* obedecer você.

— Em breve recuperarei meu trono — sussurra Enzo. — E os *malfettos* não viverão mais com medo. — Raffaele podia sentir a ameaça de fogo emanando do corpo de Enzo. — Adelina tem potencial para nos fazer chegar lá, mesmo que esse potencial esteja na escuridão. Todos vimos o que ela pode fazer. Não há motivo para se virar contra nós.

Raffaele hesita.

— Vá com calma, Ceifador. Ainda não conhecemos a extensão da energia dela.

— Então, treine-a. Vamos ver como se sai. Se sua opinião se mantiver a mesma, vou me livrar dela. Mas até lá — diz ele, os olhos se tornando mais duros —, ela fica.

Estamos cometendo um erro terrível, pensa Raffaele, mas se inclina mesmo assim.

— Como desejar, Alteza.

Quando o faz, seu cabelo cai para a frente e expõe seu pescoço. Enzo se curva para mais perto. Ele estende a mão e, com delicadeza, puxa o colarinho de Raffaele para o lado.

Feios hematomas vermelhos circulam a base do pescoço do acompanhante, como se alguém tivesse tentado esganá-lo. Só agora, quando Enzo toca o queixo de Raffaele e vira seu rosto para a luz, as marcas arroxeadas nos cantos de seus lábios se tornam aparentes.

Enzo encara Raffaele.

— Foi um dos clientes que fez isso com você?

Os olhos de Raffaele continuam baixos. Ele ajeita o colarinho, depois arruma o cabelo sobre um dos ombros, em uma trança brilhosa. Não fala nada, ciente de que seu silêncio responde à pergunta de Enzo.

— Diga o nome — murmura o príncipe.

Por um momento, Raffaele não fala. A maioria dos clientes é gentil com ele, mesmo em meio à paixão. Mas nem todos. Lembranças de mais cedo, naquela tarde, retornam, as mãos ásperas em seu pescoço, empurrando-o contra a parede, batendo em seu rosto, insultos sussurrados com dureza em seu ouvido. Acontecia em raríssimas ocasiões, e ele não gostava de incomodar Enzo com os detalhes. O trabalho de Raffaele é importante para a Sociedade dos Punhais, afinal, ele pode não ter os mesmos poderes dos outros, mas, apesar de seu poder não matar, ele *hipnotiza*. Muitos de seus clientes se apaixonam tão perdidamente por ele que se tornam patronos leais da Sociedade. Alianças políticas são feitas em sua cama.

Mesmo assim, o trabalho tem seus riscos. *Eu deveria contar a minha gerente primeiro; ela multaria o cliente pelo abuso e o proibiria de me ver.* Em vez disso, sustenta o olhar de Enzo. Seu coração bondoso endurece. *Mas não desta vez. Alguns merecem punição maior que uma multa.*

– Conde Maurizio Saldana – responde.

Enzo assente uma vez. Sua expressão não muda, mas os traços escarlate em seus olhos se incendeiam. Ele pressiona o dedo enluvado no peito de Raffaele e ordena em voz baixa:

– Da próxima vez, não guarde segredos de mim.

Na manhã seguinte, os Inquisidores encontram o corpo desmembrado do Conde Maurizio Saldana pregado na porta da frente de sua casa, a boca aberta em um grito suspenso, o cadáver incinerado e impossível de ser reconhecido.

Magia é uma abreviatura derivada de "truques de Magiano",
cunhada pelos investigadores do famoso jovem charlatão,
Magiano, que nunca foi capturado pela Inquisição.
– *Ensaios*, de Raffaele Laurent Bessette

Adelina Amouteru

Violetta tinha medo de trovão.
    Quando éramos muito pequenas, ela se esgueirava para meu quarto sempre que havia uma tempestade. Subia em minha cama, me acordava e acomodava seu corpinho ao meu. Eu passava o braço em volta dela e cantarolava a canção de ninar de nossa mãe, enquanto a tempestade caía do lado de fora. Não tenho orgulho de admitir, mas sempre gostei de sua impotência. Fazia com que eu me sentisse poderosa. Naqueles breves momentos, eu era a melhor.

É assim que meu sonho começa esta noite. Uma forte tempestade cai do lado de fora da minha janela. Sonho que acordo em meu quarto e encontro Violetta encolhida a meu lado, sob as cobertas, de costas para mim, tremendo, os cachos escuros de seus cabelos espalhados em meu travesseiro. Sorrio, sonolenta.

– Está tudo bem, mi Violettina – sussurro. Ponho o braço em volta dos ombros dela e começo a cantarolar. – É só uma tempestade.

Vai piorar, murmura ela de volta. Sua voz soa estranha, como um assobio. Não humana.

Paro de cantar. Meu sorriso desaparece.

– Violetta? – murmuro.

Movo o braço e a giro para que fique de frente para mim.

Onde deveria estar o rosto de Violetta, não há nada.

A cama desaba abaixo de mim – e de repente estou caindo, caindo, caindo. Caio para sempre.

Splash.

Luto para chegar à superfície, arquejando, e seco a água de meus cílios. Onde estou? Vejo-me cercada por todos os lados pelo que parece um oceano tranquilo, sem terra à vista. Acima, o céu é cinza, cor de carvão. O mar é preto.

Estou nas águas do Submundo. O reino dos mortos.

Sei disso imediatamente porque a luz aqui não é como no mundo dos vivos, completa e acabada, espantando as sombras com seu calor. A luz aqui é mortiça, fraca o bastante para manter tudo em um constante tom de cinza, sem cores, sem sons, apenas o mar calmo. Baixo o olhar para a água escura. A visão me provoca uma espiral de terror na barriga. Profundo, escuro, sem fim, repleto das silhuetas deslizantes e fantasmagóricas de monstros.

Adelina.

Um sussurro me chama. Olho para o lado. Uma criança anda na superfície da água, a pele pálida como porcelana, o corpo esquelético sob a seda branca, os longos cachos de cabelo preto espalhados contra o oceano, como uma rede interminável de fios, estendendo-se até onde os olhos podem alcançar. É Formidite, o anjo do Medo, filha da Morte. Quero gritar, mas não consigo emitir som algum. Ela se inclina em minha direção. Onde deveriam estar seus olhos, nariz e boca, vejo apenas pele, como se alguém houvesse esticado um tecido contra seu rosto. Era *ela* encolhida na minha cama, não Violetta.

Medo é poder, sussurra.

Sob a água, uma mão ossuda me agarra e me puxa para baixo.

Sento-me na cama, tremendo da cabeça aos pés. Tudo desaparece, substituído pelo quarto vazio na Corte Fortunata. A chuva bate fraca contra a janela.

Após alguns instantes, repouso a cabeça nos braços, cansada. Imagens de Violetta se demoram em minha mente, fragmentos de fantasmas. Pergunto-me se está chovendo onde ela está e se não consegue dormir por causa dos trovões.

O que vou fazer? Tento, como sempre, captar a energia enterrada bem fundo dentro de mim e trazê-la à tona, mas não encontro nada. E se eu nunca conseguir fazer aquilo de novo? *Ótimo*, uma parte de mim pensa. Talvez eu *não devesse* usar meus poderes outra vez. Ainda assim, essa ideia faz meu estômago revirar.

E se eu escapar esta noite? Fugir da Sociedade dos Punhais? As palavras ameaçadoras de Raffaele ressoam em minha cabeça. Ele mencionou nações nas frias Terras do Céu que reverenciam os *malfettos* e os Jovens de Elite – eu poderia deixar Kenettra e velejar bem longe, para o norte. Mas, mesmo quando penso nisso, sei que é perigoso e inútil. *Fique calma, Adelina, e pense.* Se eu fosse tentar fugir de um grupo de Jovens de Elite, como conseguiria me manter à frente deles? Eles têm poderes bem afiados – e eu, não. O que *tenho* é a Inquisição atrás de mim, provavelmente a caminho do sul de Kenettra neste exato momento, esperando que eu dê um passo em falso. Se não consegui fugir da Inquisição quando tentei escapar pela primeira vez, como posso ter esperança de me esquivar da Sociedade dos Punhais? Eles jamais descansariam até me pegar; me silenciariam antes que eu pudesse entregar seus segredos. É provável que me peguem antes que eu consiga chegar ao porto – e, mesmo que eu pudesse embarcar em um navio para as Terras do Céu, eles podem me seguir até lá. Devem estar me observando agora. Sempre terei alguém de olho em mim. Minhas chances são quase nulas.

Contemplo minha segunda opção.

E se me *tornar* um deles? O que mais tenho a perder? Não estou mais segura por conta própria do que se ficar com eles. Porém, para sobreviver, tenho que ficar e provar que sou capaz. E, para fazer isso, não preciso apenas aprender a controlar minha energia – também tenho que conseguir alguns aliados. Amigos. Começar sozinha não funcionou muito bem para mim. Estremeço ao me lembrar da reação que tive à pedra da noite; o que quer que Raffaele tenha feito despertou a escuridão dentro de mim e a trouxe à superfície.

E se for isso que sou? *Seja honesta consigo mesma*, Violetta me disse uma vez, quando eu tentava, em vão, ganhar o papai. Isso é algo que todos dizem, contudo, não de verdade. Ninguém quer que você seja tão verdadeiro. Querem que você seja sua versão da qual *eles gostam*.

Ótimo. Se preciso que gostem de mim, se preciso ser *amada*, é isso que farei. Conquistarei a aprovação de Enzo. Vou impressioná-lo.

No momento em que o amanhecer enfim invade meu quarto, banhando-o com uma pálida luz dourada, estou exausta. Eu me mexo quando alguém dá uma batida fraca à porta. Deve ser a criada de novo.

– Entre – respondo.

A porta se abre um pouco. Não é a criada que vem me ver, mas Raffaele. Desta vez, ele usa uma bela túnica preta, enfeitada com fios de ouro, as mangas largas e onduladas. Finas correntes de ouro circundam sua testa e seu pescoço, escondendo a pele da garganta, e sua trança frouxa cai sobre o ombro, fios cor de safira brilhando contra o fundo escuro como as penas de um pavão. Seus olhos da cor de joias estão delineados com grossas linhas negras. Ele parece ainda mais impressionante do que me lembro, e desvio o olhar, constrangida.

– Bom dia – diz ele, se aproximando e me beijando nas bochechas. Não demonstra qualquer sinal da hesitação que sentiu em relação a mim depois do incidente com as gemas. – Enzo e os outros voltaram. – Ele me lança um olhar sério. – Não vamos deixá-los esperando.

Eu me visto apressada. Raffaele me guia pelo túnel secreto de novo, na mesma direção que seguimos quando ele testou minha energia. Desta vez, porém, passamos direto pela porta da sala e seguimos pelo túnel, até que a escuridão nos engole. Nossos passos ecoam. Enquanto andamos, o teto parece ficar cada vez mais alto. Um cheiro frio e úmido enche o ar.

– Quão longe vai este túnel? – sussurro.

A voz suave de Raffaele flutua até mim, vinda de cima.

– Sob as ruas de Estenzia estão as catacumbas dos mortos.

As catacumbas. Estremeço.

– Estes túneis cruzam toda a cidade – continua ele. – Conectam alguns de nossos esconderijos, as casas e propriedades de nossos patronos. Há tantos túneis e tumbas sob a cidade que muitos foram esquecidos ao longo do tempo.

– É úmido aqui.

– Chuvas de primavera. Por sorte, estamos em uma área elevada.

Finalmente chegamos a um conjunto de altas portas duplas. Pedras encravadas na madeira antiga brilham à luz fraca. Percebo que são gemas dos mesmos tipos que Raffaele usou para me testar.

– Pedi a um de nossos Jovens que as incrustasse – explica ele. – Apenas a energia elevada de um Jovem de Elite pode se ligar às gemas. A energia delas, por sua vez, mexe as engrenagens dentro das portas para abri-las. – Ele assente para mim. – Faça sua reverência, mi Adelinetta. Estamos no reino dos mortos agora.

Ele murmura uma breve oração a Moritas, a deusa da Morte, pedindo uma passagem segura, e o imito. Quando terminamos, ele fecha a mão sobre uma das gemas incrustadas na porta.

As pedras começam a brilhar. Uma série elaborada de cliques se faz ouvir dentro da madeira, destrancando-a. Observo, maravilhada. Uma fechadura engenhosa. Raffaele olha para mim, e uma centelha de simpatia parece iluminar seus olhos.

– Seja corajosa – sussurra. E então joga seu peso contra as portas, que se abrem.

Uma enorme caverna, do tamanho de um salão de baile, se assoma à nossa frente. Lanternas nas paredes iluminam poças d'água que se formaram pelo chão. As paredes são contornadas por arcadas de pedras e colunas que parecem ter sido entalhadas séculos antes, a maioria alta, algumas desmoronadas e espalhadas no chão. A luz pálida lança da água para a pedra reflexos trêmulos e parecidos com teias de aranha. Tudo ali tem um tom esverdeado. Posso ouvir o gotejar da água em algum lugar distante. Afrescos de deuses decoram as paredes, desgastados pelo fluxo de água, apesar de todo o esforço dos artistas. Posso dizer na mesma hora que aquela arte data de séculos, um estilo de uma era diferente. Nas paredes há nichos com urnas empoeiradas, que guardam as cinzas de gerações esquecidas.

Mas o que chama mesmo minha atenção é o pequeno semicírculo de pessoas a nossa espera. Além de Enzo, há mais quatro. Cada um virado em uma direção, usando o manto azul-escuro da Sociedade dos Punhais. É difícil ler suas expressões, misteriosas à luz fraca. Tento calcular suas idades. Devem ser próximas da minha; os que sobreviveram à febre do sangue eram crianças, afinal. Um deles é enorme, as túnicas mal disfarçam os braços grossos e musculosos que parecem capazes de partir um homem em pedaços. Ao lado dele está uma garota que parece pequena e frágil, com uma das mãos pousando frouxa no quadril. Ela é a única que me cumprimenta com um meneio de cabeça. Uma enorme águia dourada está empoleirada em seu ombro. Sorrio para ela, hesitante, meu olhar fixo na águia. Ao lado dela está um garoto magro e, por fim, uma garota de ombros largos com longos cachos acobreados, a pele pálida demais para ser de Kenettra. Uma garota das Terras do Céu, talvez? Ela cruza os braços e me observa inclinando de leve a cabeça, os olhos frios e curiosos. Meu sorriso desaparece.

No meio e à frente deles está Enzo, o cabelo cor de sangue, as mãos cruzadas atrás das costas e o olhar fixo em mim, sem hesitação. Não há nele mais nenhum traço da travessura que vi quando ele falou comigo pela primeira vez em meu quarto. Hoje, sua expressão é dura e implacável, o jovem príncipe substituído por um assassino de sangue-frio. A estranha iluminação da caverna lança uma sombra sobre seus olhos.

Paramos a alguns passos deles. Raffaele se dirige ao grupo primeiro.

– Esta é Adelina Amouteru – diz, com a voz clara e bonita. – Nossa mais nova recruta em potencial. Ela tem o poder da ilusão, a habilidade de enganar a percepção que as pessoas têm da realidade.

Sinto que deveria falar, mas não tenho certeza do que dizer. Apenas os encaro com o máximo de coragem que consigo reunir.

Enzo olha para mim. Não sei por quê, mas sinto-me atraída por ele como no dia em que nos vimos pela primeira vez. São seus ombros empertigados, o modo régio como ergue a cabeça. Meu alinhamento com a ambição se agita diante dessa visão.

– Diga-me, Adelina – começa ele. Suas palavras ecoam na caverna. – Já ouviu os versos 'Um recém-nascido respira/ e cria uma tempestade que faz chover a morte'?

– Sim – respondo.

– Nada é isolado. Faça uma coisa, por menor que seja, e ela vai afetar alguma outra, do outro lado do mundo. De certo modo, você já está conectada a cada um de nós.

Ele dá um passo em minha direção. Os outros continuam parados.

– Você é a primeira Jovem de Elite a se alinhar tão fortemente com a pedra da noite. Há uma escuridão em você, algo que lhe dá uma força imensa. – Ele estreita os olhos. – Hoje quero trazer isso à tona e encontrar um modo que lhe permita conjurar isso quando quiser. Aprender a curvar essa energia à sua vontade. Você aceita?

E tenho escolha? Após um momento de silêncio, ergo o queixo.

– Sim, Alteza.

Enzo assente em aprovação.

– Então devemos usar todo o nosso poder para evocar o seu.

Raffaele se afasta de mim. O fato de agora eu estar de pé ali sozinha lança uma pontada de incerteza pelo meu peito, e eu me pego desejando que ele, a única pessoa ali que não me assusta, fique ao meu lado. Os outros conversam entre si em voz baixa. Olho para seus rostos ao redor do semicírculo, em busca de ajuda, mas a única gentileza que recebo vem da garota com a águia no ombro. Ela vê minha ansiedade e meneia a cabeça para mim, de modo sutil e encorajador. Tento me agarrar a isso.

Enzo ergue uma das mãos.

– Vamos começar.

Ele estala os dedos, e todas as tochas da caverna se apagam ao mesmo tempo.

O lugar fica escuro.

Por um segundo, entro em pânico. Estou completamente cega. A tontura que senti ontem com a pedra da noite inunda meus sentidos agora. Este é um de meus maiores medos, que algum dia eu perca meu único olho bom e tenha que ficar em uma eterna escuridão para o resto da vida. Olho em volta desesperada, piscando. Nada além de silêncio. De vez em quando, uma lufada de vento frio – uma respiração sussurrada –, um passo ecoando. Meu coração dispara. *Por favor, deixe que surja um pouco de luz*. Estreito o olho com força na escuridão, tentando forçar a vista a se ajustar.

Assim que consigo distinguir os contornos fracos do chão da caverna, percebo que todos os membros da Sociedade dos Punhais se foram.

De repente, a voz de Enzo se faz ouvir de algum lugar na escuridão:

– Aranha. Ladrão de estrelas.

Sua profundidade agora me assusta.

Fico tensa. Nada acontece.

Do nada, uma corrente de vento. Asas batendo. Subitamente há milhares – milhões – delas, pequenas criaturas que guincham, de asas moles batendo contra mim, girando a minha volta em círculos invisíveis de escuridão. Grito e caio agachada enquanto elas se amontoam. Meus braços cobrem a cabeça. Morcegos. São morcegos. Suas garras minúsculas cortam minha pele. Fecho bem meu olho.

Alguém grande me empurra com violência. Eu voo e então tombo com força no chão. O golpe me faz perder o fôlego. Tento recuperar o ar. Um metal afiado desliza em direção ao meu ombro – grito, erguendo os braços para me defender, mas um novo corte abre a pele do outro braço. O sangue quente escorre. Viro a cabeça freneticamente de um lado para outro. Onde está o agressor? Não consigo ver nada. Alguém chuta minhas costas. Eu me dobro com a dor aguda. Outro chute – e então sinto mãos ásperas me agarrando pela túnica, erguendo-me no ar. Chamo meu poder, em desespero, desejando poder evocá-lo de dentro de mim. Mas nada acontece. Enquanto luto, uma voz, um rosnado baixo, surge de algum lugar à frente.

— Que *loba*? — dispara Aranha. — Ela é um *cordeirinho*.

Trinco os dentes e reajo, chutando. Só atinjo o ar e caio no chão.

— Já chega — diz alguém em outro ponto na caverna. Parece Raffaele.

Uma lanterna se acende — seu brilho me pega desprevenida, e estreito o olho em sua direção. Os milhões de morcegos se agitam ferozmente com a luz, guinchando, e então se agrupam em uma nuvem e desaparecem por um dos túneis escuros da caverna. Como se nunca tivessem estado ali. Olho ao redor. A uma curta distância, estão o garoto enorme, que deve ser Aranha, e a garota com a águia. Em algum outro lugar, perto das colunas e das paredes nas sombras, percebo os outros. Um deles abafa o riso. Finos traços de sangue deslizam pelos meus braços. Os cortes são menores do que eu esperava, considerando quanto doem. *Eles não estão nem tentando*, penso, com raiva. *Estão brincando comigo.* Como Aranha conseguiu me ver na escuridão?

A luz some. Desta vez, minha visão se ajusta mais rápido — e, no escuro, vejo a silhueta de Aranha se agachando. Ele ataca de novo. Dessa vez, corre para mim com uma velocidade assustadora e some de vista imediatamente antes de me atingir. Olho em volta à procura dele, praguejando contra meu olho arrancado e minha péssima visão periférica.

Ele se materializa do meu lado fraco. Então me segura pelo pescoço antes que eu possa detê-lo. Seu braço aperta, me sufocando. Eu luto. *Visão*. De repente me dou conta de que seus poderes devem lhe dar a habilidade de enxergar quando os outros não conseguem.

— Terei uma pele de ovelha decorando meu piso esta noite — diz ele.

Jogo o cotovelo com toda a força que consigo. Ele não devia esperar que eu revidasse, porque o acerto na garganta. Ele engasga e me solta. Caio de joelhos, arfando. Aranha gira, os olhos estreitados para mim, com raiva, e me preparo para outro ataque.

— Chega — diz Enzo, baixinho. A palavra é uma ordem baixa e reprovadora que se ergue das sombras.

Aranha se afasta de mim. Desabo, aliviada, tomando fôlego na escuridão. Todas as tochas se acendem de novo. Nós nos encaramos — os olhos verdes e duros do jovem membro da Sociedade dos Punhais, o meu, arregalado e em choque. Não sinto nada além das batidas do meu coração.

Aranha se empertiga e guarda sua faca. Ele não se dá ao trabalho de me ajudar a levantar.

– Uma criatura fraca, de um olho só – diz, a voz cheia de desdém. – Deveríamos ter deixado você para a Inquisição e nos poupado todo esse trabalho. – Ele me dá as costas.

Uma centelha de raiva me atravessa. Imagino como seria se o estrangulasse em resposta, minhas ilusões sombrias descendo por sua garganta e bloqueando o ar. Meus poderes podem fazer isso? Os sussurros escondidos em minha mente confirmam, famintos e ávidos. *Sim, sim.*

– Covarde – murmuro para as costas dele.

Aranha não me ouve, mas a garota com a águia – Ladra de Estrelas, suponho –, sim. Ela pisca.

Enzo me observa com interesse enquanto Raffaele sussurra algo em seu ouvido. Eles aprovam?

Um momento depois, Enzo ergue a voz:

– Caminhante do Vento.

Caminhante do Vento? Olho ao redor da caverna, procurando meu próximo adversário. Por fim a vislumbro. É a garota alta e pálida, a que não parece ser de Kenettra. Ela ri enquanto caminha em minha direção, insinuante e ameaçadora, e dou um passo para trás.

– Com prazer, Alteza – diz ela a Enzo.

Minha respiração está acelerada. *Acalme-se. Concentração.* Mas a força do último ataque me deixou trêmula, e a expectativa do que está por vir faz minha pele se arrepiar de pavor. Aranha tem o poder de enxergar na mais completa escuridão.

O que a Caminhante do Vento pode fazer? Voar, talvez?

Então... um grito agudo embota meus sentidos. Encolho-me. Levo as mãos às orelhas em uma tentativa inútil de silenciar o barulho, mas ele só piora. O som destrói tudo ao redor, transformando o mundo em linhas cegantes de vermelho e perfurando cada canto de minha mente. Devo estar sangrando. Tenho a leve sensação de pedra gelada contra minha pele. Lágrimas escorrem por meu rosto. *Eu caí*, percebo, de modo estúpido.

Algo se agita de leve dentro de meu corpo, mas tento alcançá-lo e o perco. Que tipo de poder é esse? Como luto contra ele? *Como se silencia um grito que vem de dentro da sua cabeça?* Tento me pôr de pé, mas o grito me devasta. Ele corta o ar repetidamente, ameaçando me afundar.

De algum modo, em meio ao caos, ouço a voz da Caminhante do Vento em meu ouvido. Parece que ela está bem ao meu lado. Quando viro a cabeça, a vejo.

Ela ri.

– Olhe por onde anda, lobinha – zomba.

De repente, sinto-me ser erguida do chão por uma cortina invisível de vento. Os braços da Caminhante do Vento estão erguidos na minha direção. Ela me ergue mais alto, depois faz um gesto cortante com uma das mãos. O vento passa pelas minhas orelhas – eu voo pela câmara. Minhas costas batem com força na parede. Caio no chão como uma boneca quebrada. Ao redor, o grito continua.

Não consigo. Eu me encolho toda quando a Caminhante do Vento se aproxima. Ela se ajoelha diante de mim – tudo o que vejo agora é seu sorriso dissimulado. O grito em minha mente parte minha alma, e a dor de ser arremessada me deixa ofegante. O grito parece ser o meu. Vejo-me sendo arrastada pelos cabelos na chuva, o rosto de meu pai diante do meu, me encarando. Atrás de nós, Violetta grita para que ele pare. Ele a ignora.

Não aguento mais. Minha raiva cresce – busco a energia fora de meu alcance. O fantasma de meu pai paira à minha frente, e os gritos de minha irmã nos cercam. Desorientada, solto um grito abafado e arranho o ar.

Minha mão atinge alguma coisa. De repente, os gritos ao redor param, e papai e Violetta desaparecem. Desta vez, não ouço mais risadas abafadas. Para minha surpresa, Caminhante do Vento está encolhida a muitos metros de distância, segurando o pescoço. Um filete de sangue escorre por sua mão, no ponto onde a arranhei com as unhas. Espantada, percebo que devo tê-la atacado quando pensei estar atacando meu pai. A raiva ainda queima dentro de mim, uma fúria fervilhante, quase ao meu alcance.

Trinco os dentes para ela.

– É isso? – disparo de repente. – Me atacar quando estou indefesa?

A Caminhante do Vento olha para mim em silêncio. Em seguida, tira a mão do pescoço para mostrar o corte que fiz.

– Você está longe de ser indefesa.

Há várias linhas marcadas na sua pele. Sem dizer uma palavra, ela se aproxima e me ajuda a ficar de pé, sobre minhas pernas trêmulas.

– Não foi tão ruim – diz ela, sem qualquer traço de malícia na voz. – Você gosta de ser provocada. Dá para perceber.

Aos poucos, minha raiva diminui e se transforma em confusão. Ela me fez um elogio?

– Qual é seu poder exatamente? – consigo perguntar.

Ela ri da minha expressão. Não parece nem um pouco preocupada com seu pescoço arranhado e, de certo modo, está mais amigável comigo.

– Qualquer coisa que o vento possa fazer. Assobiar, gritar, uivar, tirar você do chão... Tudo o que ele faz, posso fazer também.

Ela se afasta de mim. Por toda a caverna os outros cochicham entre si, suas vozes ecoando no espaço vazio. Por fim, Enzo dá um passo à frente, as mãos tranquilamente cruzadas nas costas.

– Melhor. – Ele aperta os lábios. – Mas não o bastante.

Eu espero, balançando sobre os pés, recuperando o fôlego. Seus olhos me queimam até os ossos, trazendo uma onda de terror e empolgação.

– O problema, Adelina – diz ele, se aproximando de mim –, é que você não está com medo.

Meu coração acelera.

– Eu *estou* com medo – sussurro. Mas minhas palavras não soam convincentes. O que ele vai fazer comigo?

– Você *sabe* que sua vida não está em risco – continua Enzo. – Você não acolhe sua escuridão a menos que esteja diante da morte. Portanto, não consegue se conectar com o medo e a fúria. – Ele descruza as mãos atrás de si. – Deixe-me ver se conseguimos dar um jeito nisso.

Um anel de fogo ganha vida ao redor, transformando a caverna escura em um espaço iluminado. As chamas se erguem até o teto. Pulo para trás, apavorada com o calor na pele. Um grito ameaça escapar de minha garganta. *Não. Não, não.* Fogo não. Qualquer coisa, menos isso. Tudo o que consigo ver são os olhos de Enzo, escuros e determinados, cravados nos meus. Tanto fogo!

Não estou amarrada ao poste. Estou bem. Estou bem. Mas não acredito em mim mesma. Estamos de volta à minha execução – a Inquisição vai me matar na frente de todo mundo, contente de ver o fogo me consumir como punição pela morte de meu pai. Os deuses me salvam. De repente, os ataques dos outros Jovens de Elite parecem fracos em comparação. As chamas parecem estar se fechando a minha volta. *Estão* se fechando. Não consigo respirar.

Enzo está me forçando a *liberar a sensação* de estar diante da morte.

Ele me atinge. Enquanto as chamas rugem à nossa volta, ele se inclina para perto o suficiente para que eu sinta o calor de seu corpo pela túnica, o poder absoluto escondido sob ela. O medo que cresce em meu peito desde o primeiro ataque de Aranha agora flui dentro de mim como uma corrente irrefreável, deixando meus membros dormentes. Com uma das mãos, Enzo me toca na base das costas. Uma violenta e irresistível onda de calor emana de seu toque e pulsa pelo meu corpo, me fazendo ferver. As chamas ao nosso redor lambem as pontas das minhas mangas – vejo apavorada o tecido se enrugar, chamuscado. Tudo em relação a Enzo remete a perigo, assassinato em nome da justiça. Estou desesperada para me afastar. E quero mais. Dividida, tremo incontrolavelmente.

– Sei que você anseia pelo medo. – Seu hálito queima a pele exposta do meu pescoço. – Deixe-o crescer. Alimente-o, e ele retribuirá dez vezes mais.

Tento me concentrar, mas tudo o que sinto é o calor. O poste, a pilha de madeira a meus pés. Os olhos de meu pai morto, assombrando meus sonhos para sempre. *Você é uma assassina*, sussurra seu fantasma. Mas quantas pessoas a Inquisição matou? Quantas *mais* ainda vai matar? Eu não teria sido uma de suas vítimas se os Punhais não houvessem me resgatado?

Com o fogo a nossa volta, a mão quente de Enzo na seda da minha roupa, com suas palavras em meus ouvidos e meu corpo ainda trêmulo por causa dos ataques dos outros, medo, ódio, raiva e desejo enfim se fundem. Posso sentir a escuridão incontrolável crescendo dentro de mim, milhões de fios que conectam umas às outras todas as coisas do mundo, a maldade dentro de Enzo, a malícia dentro de todos ao nosso redor, crescendo, até que sou capaz de fechar a mente em torno de um punhado desses fios e *puxá-los*. A escuridão se curva diante de mim, ansiosa para que eu a aceite. Fecho o olho, abro meu coração para a sensação e me deixo afundar no prazer da vingança.

Mostre-me o que pode fazer, sussurra o fantasma de meu pai.

Silhuetas negras se erguem do chão, com formas demoníacas e olhos escarlate, as presas pingando sangue. Elas se reúnem em torno de nós, cada vez mais altas, até atingirem o teto da caverna. Esperam pacientemente meu comando. Eu me deixo levar, ao mesmo tempo zonza de alegria pela sensação de poder e aterrorizada por estar tão vulnerável.

Enzo afasta a mão.

A súbita ausência de contato me distrai e, em um piscar de olhos, minhas silhuetas desaparecem. Os demônios se encolhem de volta para dentro do solo. As colunas de fogo de Enzo desaparecem. Estamos de volta ao silêncio pesado da caverna, como se nada tivesse acontecido. Meus ombros se curvam por causa do esforço. Sem o fogo, o lugar voltou ao seu estranho brilho esverdeado. Os outros não estão mais rindo. Olho para Raffaele. Ele parece em choque, as sobrancelhas arqueadas em uma linha trágica.

Enzo se afasta de mim. Oscilo sobre minhas pernas fracas. Se eu não soubesse, diria que ele próprio parece surpreso.

Tudo o que sei é que quero fazer isso de novo. Quero que Enzo me toque. Quero sentir esse fluxo de poder e quero ver os outros Punhais intimidados.

Quero algo *mais*.

> Não faz sentido acreditar no que vê,
> se você só vê aquilo em que acredita.
> –"O almirante", de *O réquiem dos deuses*, vol. XI, traduzido por Chevalle

Adelina Amouteru

Dois dias depois de meu teste, um grupo de jogadores bêbados queimou um *malfetto* no meio da praça do mercado. Vários dias mais tarde, outro assassinato. Como se nos matar fosse, de algum modo, tornar a cidade próspera outra vez. Do pátio secreto com vista para Estenzia, observo a segunda vítima ser arrastada, chorando, até uma rua principal, por um grupo de pessoas gritando. Os Inquisidores por perto fingem não ver nada.

Preciso aprender mais rápido. O mundo está se fechando para nós.

– As vítimas eram *malfettos* acusados de terem poderes, de serem Jovens de Elite – conta-me Raffaele, quando nos sentamos juntos diante do espelho de meu quarto. – Nenhum deles era, claro. Mas as famílias os entregaram mesmo assim. A Inquisição paga bem por esse tipo de informação e, em tempos como estes, é difícil abrir mão de ouro.

Olho para a fileira de cremes e pós sobre a penteadeira e depois para meu reflexo no espelho. Pela manhã, minha criada me levou a uma casa de banhos privada na corte e me lavou até que eu estivesse brilhando. Agora minha pele cheira a rosa e mel. Fico surpresa com a rapidez com que me acostumei a esse tipo de luxo.

Volto o olhar para Raffaele.

– Por que os Punhais não os salvaram? – pergunto.

A resposta dele não esclarece nada. Ele pega um tubo de creme.

– Essas caçadas acontecem com muita frequência. Reagimos quando é necessário.

Tento não parecer perturbada com a resposta, mas, em segredo, reflito sobre seu verdadeiro significado. *Não nos arriscamos para salvá-los porque não eram Jovens de Elite.*

– O que você vai fazer comigo? – pergunto.

– Você está na Corte Fortunata. Precisa ter uma aparência adequada.

Fico horrorizada com a ideia de me transformar em uma acompanhante. Raffaele deve ter sentido a súbita mudança em minha energia, porque acrescenta:

– Você prefere ser reconhecida por um Inquisidor? – Ele passa um pouco do creme gelado em meu rosto. – Ninguém vai tocar em você, dou minha palavra. Mas ter a aparência apropriada vai lhe garantir certa liberdade.

O creme pinica. Observo, espantada, ele trazer calor a minha pele morena. Raffaele desliza uma escova de marfim por meu cabelo. De vez em quando, seus dedos tocam minha nuca, arrepios de prazer percorrem minha espinha. A precisão de seus gestos fala muito de seu talento como acompanhante. Tenho um pensamento rápido sobre como deve ser a sensação de ser sua cliente, sua pele morna contra a minha, os lábios macios em meu pescoço, as mãos suaves e experientes explorando.

Raffaele ergue uma sobrancelha para mim pelo espelho.

– O que você está pensando vai lhe custar pelo menos cinco mil talentos de ouro, mi Adelinetta – provoca ele de modo gentil, inclinando a cabeça em um movimento sutil que faz minhas bochechas corarem.

Cinco *mil* talentos de ouro?

– Por uma noite? – sussurro.

– Por uma hora – responde Raffaele, ainda escovando meu cabelo.

Cinco mil talentos de ouro *por hora*. Em uma noite, Raffaele pode ganhar o mesmo que meu pai ganha em um ano.

– Você sozinho deve ter tornado a Fortunata a corte mais rica do país – digo.

Ele dá um sorriso tímido... mas, por trás de sua expressão, sinto certa tristeza. Meu sorriso desaparece.

Raffaele esfrega um óleo suave em meu couro cabeludo e termina de escovar meu cabelo. Volta sua atenção para outros detalhes – retoca as pálpebras e os cílios com um pó preto cintilante que esconde os fios prateados; esfrega uma pomada nas unhas para fazê-las brilhar; retoca as sobrancelhas com pinceladas perfeitas. Estremeço outra vez quando seu dedo desliza pelos meus lábios, pintando-os em um tom de rosa que os torna mais cheios. Pergunto-me se alguns de seus clientes são patronos da Sociedade dos Punhais, nobres atraídos pela riqueza com que Enzo pode recompensá-los depois que assumir o trono. Talvez todos sejam. Ou talvez não tenham ideia de quem é o líder da Sociedade – apenas que estão apoiando um assassino experiente que vai depor o rei.

– Como você aprendeu tanto sobre energia? – decido perguntar enquanto ele trabalha em mim.

Raffaele dá de ombros uma vez.

– Tentativa e erro – responde. – Somos os primeiros. Não houve ninguém antes de nós com quem aprender. A cada novo Jovem que recrutamos, aprendo, experimento e registro. Alguém tem que transmitir o conhecimento para a próxima geração. *Se* houver uma próxima geração.

Ouço em uma fascinação silenciosa. Ele é um Mensageiro em mais de um sentido.

– Você sabe de onde isso vem? Sei que começou com a febre do sangue, mas...

Ele pega um pincel fino.

– Não começou com a febre do sangue. Começou com energia, o elo entre os deuses e o mundo mortal que eles criaram.

– Energia.

– Sim. É ela que forma a terra, o ar, o mar e todas as coisas vivas. É isso que sopra a vida dentro de nós.

– E que nos dá poderes?

Raffaele assente. Ele afunda o pincel em um prato raso com pó cintilante, depois toca a beira de meu olho bom com ele. Franzo a testa enquanto ele age, tentando imaginar essa energia estranha, invisível.

Ele para o pincel por um momento.

– Quando você fecha o olho, vê centelhas de luz, não vê? – pergunta.

Fecho o olho para testar sua teoria. Sim. Centelhas de azul e verde, vermelho e dourado flutuam na escuridão, surgindo e desaparecendo.

– Sim.

– Na verdade, está vendo fios de energia. – Ele toca minha mão com cuidado, e um arrepio de prazer sobe pelo meu braço. – O mundo é feito de incontáveis fios que conectam todas as coisas. Esses fios dão cor e vida ao mundo. – Com a cabeça, ele indica o quarto a nossa volta. – Agora mesmo, de um modo imperceptível, você está conectada a tudo aqui. Ao espelho, às paredes, ao ar. Tudo. Até aos deuses.

Suas palavras despertam minha lembrança. Penso na noite da morte de meu pai. Quando paralisei tudo a meu redor, os pingos de chuva e o vento, o mundo se tornou preto e branco, e fios translúcidos brilharam no ar. Durante minha execução, vi a cor ser sugada da plataforma e depois voltar depressa.

– A maioria das pessoas não tem energia suficiente para manipular suas conexões com o mundo. Não deveríamos ter. Mas, quando a febre afetou você e a mim, algo em nós mudou. Em um instante, ela nos ligou ao mundo de um jeito que nossos corpos não deveriam ser ligados. – Raffaele vira a palma de minha mão para cima, então corre os dedos delicados pela parte de dentro do pulso até as pontas dos dedos. Minha pele formiga ao seu toque. Prendo a respiração, corando. – Cada Jovem de Elite é diferente, e cada modo de puxar os fios vai criar algo específico. A Caminhante do Vento, por exemplo, pode puxar no ar os fios que geram o vento. Enzo puxa os fios do calor, dele mesmo, do sol, do fogo e de outros seres vivos. Há registros de um Jovem de Elite nas Terras do Sol que pode transformar metal em ouro. Outro Jovem de quem falam bastante, Magiano, já escapou da Inquisição tantas vezes que seu nome deu origem à palavra *magia*. A energia se manifesta em nós de incontáveis formas. Só posso imaginar o que os Jovens de Elite que estão por aí e os que ainda não foram descobertos podem fazer, aqueles além da Sociedade dos Punhais e dos que sei que existem. Há até rumores de um que pode trazer as pessoas de volta do mundo dos mortos.

Por um momento, me pergunto quantos outros existem fora da Sociedade dos Punhais. Há sociedades rivais?

– E você? – indago.

– Posso ver e sentir toda a energia do mundo – responde ele. – Cada fio que conecta todas as coisas umas às outras. Não posso fazer muita coisa, exceto puxá-los bem de leve... mas posso sentir todos eles.

Ele para e me olha no olho. Sinto um súbito puxão no coração, como se a visão dele tivesse soltado borboletas em meu peito. Meu olho se arregala, compreendendo. Foi por isso que seu toque em meu pulso me fez formigar.

– Não é de espantar que seus clientes se apaixonem, já que você tem essa aparência *e* pode, literalmente, puxar os fios de seus corações.

Raffaele solta sua bela risada.

– Algum dia eu lhe ensino, se quiser.

Meu coração estremece de novo, e me pergunto se dessa vez teve algo a ver com a energia de Raffaele.

– E quanto a mim? – pergunto, depois de uma pausa. – Qual é meu poder?

– De todos os membros da Sociedade, você e eu somos os mais parecidos. Sentimos o intangível. – Raffaele volta os olhos para mim, e o sol captura as cores brilhantes e inconstantes de suas íris. – Pense nos deuses menores. Formidite, anjo do Medo, ou Caldora, anjo da Fúria. Laetes, anjo da Alegria. Denarius, anjo da Ambição. Os fios de energia não conectam apenas coisas físicas, mas também emoções, pensamentos e sentimentos. Medo, ódio, amor, alegria, tristeza. Você tem a habilidade de puxar os fios do medo e do ódio. Um talento poderoso, se puder dominá-lo. Portanto, quanto mais medo e ódio houver no ambiente, mais forte você fica. O medo cria as ilusões mais fortes. Todos têm a escuridão dentro de si, por mais escondida que seja.

Seus olhos ficam sérios e estremeço, imaginando que pequena escuridão pode haver dentro da alma *dele*, tão gentil.

– Enzo foi o primeiro Jovem de Elite que você conheceu? – sussurro.

– Sim.

De repente fico curiosa.

– Como se conheceram?

Raffaele começa a arrumar os pós na mesa.

– Ele pagou o preço da minha virgindade.

Viro-me depressa na cadeira e olho para ele.

– O... preço da sua virgindade? Quer dizer que você e Enzo...

– Não é o que você está pensando. – Ele abre um sorriso brincalhão. – Quando completei dezessete anos e passei a ter idade, me tornei um acompanhante oficial da Corte Fortunata. Então a corte ofereceu um caríssimo baile de máscaras para minha estreia.

Tento imaginar a cena: Raffaele com a minha idade, jovem e inocente, mais bonito que qualquer pessoa no mundo, de pé diante de um mar de nobres mascarados, preparando-se para se entregar.

– Toda a cidade deve ter vindo por você.

Raffaele não nega, o que é confirmação suficiente.

– Enzo veio em segredo para minha primeira noite, à procura de outros como ele. – Raffaele hesita por um momento, como se estivesse lembrando. – Eu o senti no instante em que chegou, mesmo que tenha se mantido escondido e fora de vista. Nunca havia encontrado outra pessoa com o tipo de energia que eu tinha. Foi a primeira vez que pude ver os fios da energia dele a sua volta como um halo, unindo-se e se separando. Ele deve ter notado meu estranho interesse nele. Seu criado fez a oferta em nome dele e me ganhou.

– Quanto? – pergunto, curiosa.

– Um valor obsceno. – Ele baixa os olhos. – Eu estava assustado. Tinha ouvido histórias dos outros acompanhantes sobre noites de estreia. Mas, quando ele foi ao meu quarto, tudo o que quis fazer foi conversar. Então conversamos. Ele me mostrou suas habilidades com o fogo. Confessei minha habilidade de sentir os outros. Ambos sabíamos que estávamos arriscando a vida, falando abertamente sobre nossos poderes.

De repente percebo que há só uma pessoa com quem Raffaele nunca usa seus talentos. Enzo.

– Por que você confia nele?

Minha pergunta soa desconfiada e prejudicial, e na mesma hora desejo que não a tivesse feito. Mas Raffaele, sempre gracioso, apenas me encara com um olhar equilibrado.

– Se Enzo se tornar rei – diz –, poderei largar esta vida.

Penso no momento de tristeza que vi nele antes, e no interminável desfile de aristocratas que ele é pago para entreter, tanto dentro quanto fora do quarto. A falta de liberdade. Ninguém *escolhe* a vida de acompanhante, não importa quanto seja lucrativa.

– Desculpe-me – digo por fim.

Raffaele para e olha para o lado ferido de meu rosto. Fico tensa. Um traço de simpatia invade seu olhar, e ele toca minha face com uma das mãos. Sinto um leve puxão no coração. Minha ansiedade diminui, meu peito se aquece com a confiança. Tudo em seu toque tranquiliza e acaricia. Há algo estranhamente reconfortante neste momento. Não somos tão diferentes, nós dois.

A criada volta trazendo uma braçada de seda, e então nosso momento termina. Raffaele nos dá privacidade enquanto ela me ajuda a colocar as roupas novas – um lindo vestido dourado, cortado ao estilo de Tamoura. A sensação das sedas frouxas contra minha pele é deliciosamente gelada. As roupas das Terras do Sol sempre foram mais confortáveis que os espartilhos rígidos e as rendas usadas em Kenettra.

Antes de partir, a criada deixa uma caixa de veludo em cima da penteadeira. Raffaele volta. Ele assente para o vestido, aprovando-o.

– Amouteru – diz, demorando-se na exótica pronúncia de meu sobrenome. – Posso ver o sangue tamourano em você.

Olho para a frente, maravilhada, enquanto Raffaele escova meu cabelo até que caia pelas minhas costas como uma cortina prateada. Ele torce os fios em um coque liso e brilhoso atrás da minha cabeça, no jeito típico de Tamoura, pega dois longos lenços, um branco e um dourado, e, com cuidado, envolve minha cabeça com eles, até que todo meu cabelo esteja escondido sob a seda elaboradamente entrelaçada, o tecido caindo atrás de mim como um lençol de sol e neve. Ele prende joias nos lenços. Amarra a faixa de cabeça de Tamoura com habilidade muito maior que a minha. Por fim, põe na minha cabeça uma fina corrente de prata da qual um único diamante em forma de lágrima pende sobre minha testa.

– Pronto – diz ele. – De agora em diante, você vai esconder suas marcas assim.

Olho meu reflexo, impressionada. Meus malares e meu nariz, a curva elegante de meu olho, tudo enfatizado. Em toda minha vida, nunca pareci tanto uma tamourana. É um disfarce convincente.

Raffaele sorri diante de minha expressão.

– Tenho um presente para você. – Ele se vira e abre a caixa de veludo na penteadeira.

Meu coração para por um momento.

É uma meia máscara branca, feita de porcelana e fria ao toque. Diamantes a contornam e brilham à luz, e traços brilhantes pintam padrões elaborados sobre a superfície pálida da máscara. Minúsculas plumas brancas enfeitam o ponto em que ela se curva sobre a têmpora. Só consigo ficar olhando. Nunca usei algo tão bonito.

– Encomendei isto para você – diz Raffaele. – Quer experimentar?

Assinto, sem palavras.

Raffaele posiciona a máscara em meu rosto. Ela serve confortavelmente, como um bem há muito perdido, algo que sempre foi parte de meu corpo. Agora, porcelana branca como a neve e linhas brilhantes escondem o ponto onde uma vez esteve meu olho. A máscara cobre tudo. Sem a distração de minha marca, a beleza natural do meu rosto se realça.

– Mi Adelinetta – suspira Raffaele. Ele se inclina, perto o bastante para que sua respiração aqueça a pele do meu pescoço. – Você foi mesmo beijada pela lua e pela água.

Olho para ele em silêncio, e sinto algo poderoso se agitar dentro de mim – um fogo enterrado, abafado durante a infância e há muito esquecido. Passei a vida inteira à sombra de papai e minha irmã. Agora que estou ao sol pela primeira vez, ouso pensar diferente.

A borboleta partida se tornou inteira.

Vozes fracas vêm do corredor lá fora. Antes que qualquer um de nós possa reagir, a porta se abre e Enzo entra a passos largos. Não consigo evitar que minhas bochechas assumam um tom vermelho-vivo e viro parcialmente o rosto, esperando que ele não perceba. Seus olhos recaem primeiro sobre Raffaele.

– Ela está pronta?

Então ele me nota. Quaisquer que fossem as palavras que pretendia dizer, ficam presas em sua garganta. Pela primeira vez desde que o conheci, uma estranha emoção atravessa seu rosto, dando sinal de algo.

Raffaele o observa.

– Sem palavras, Alteza? Vou tomar isso como um elogio.

Enzo se recupera em um instante. Troca um olhar silencioso com Raffaele. Olho de um para outro, incerta de que tipo de conversa acabou de acontecer. Por fim, ele me dá as costas. E parece evitar meu olhar de propósito.

– Ela começa amanhã – diz, antes de sair.

Teren Santoro

Quando o sol se põe sobre Estenzia, Teren se tranca em seus aposentos. Seu queixo está comprimido de frustração.

Várias semanas já haviam se passado desde que Adelina escapara da execução. Ele não encontrara sequer um sinal dela. Havia boatos de que viera para Estenzia – ou ao menos foi o que os patrulheiros da Inquisição conseguiram descobrir. Mas Estenzia era uma cidade grande. Ele precisava de mais informações.

Teren abre os botões dourados de seu uniforme, tira a túnica e remove a armadura por baixo dela. Puxa a roupa de baixo, de linho fino, pela cabeça, deixando o peito nu. O brilho alaranjado do pôr do sol entrando pela janela destaca seus ombros, o contorno forte e musculoso das costas.

Também ilumina o labirinto de cicatrizes cruzadas que cobre seu corpo.

Teren suspira, fecha os olhos e gira o pescoço. Seus pensamentos vagam até a rainha. O rei estava caindo de bêbado na reunião do conselho, zombando do temor de que seu povo faminto se revolte contra os impostos, impaciente para voltar para suas caçadas vespertinas e para os bordéis. Durante todo o encontro, a Rainha Giulietta observou em silêncio. Seus olhos estavam frios, calmos e sombrios. Se o marido a irritava, ela não demonstrou. E certamente não deixou transparecer nenhum sinal de que convidara Teren a seus aposentos na noite anterior.

Teren fecha os olhos com a lembrança dela em seus braços e estremece de desejo.

Ele baixa o olhar para o chicote sobre a cama. Caminha até ele. A arma, feita por encomenda, consiste de nove tiras diferentes, cada uma com uma longa lâmina na ponta – uma rara platina importada para dar peso, com ponta de aço –, e é tão afiada que poderia cortar a pele ao mais leve toque.

Uma arma como essa teria fatiado a carne de qualquer homem normal com um único golpe. Mesmo em alguém como Teren, com a pele e a carne endurecidas por uma magia demoníaca, o chicote de metal causa danos.

Ele se ajoelha no chão. Ergue o chicote. Prende a respiração. Então estala a arma por cima da cabeça. As lâminas se cravam fundo nas costas, abrindo linhas irregulares na pele. Ele deixa escapar um arquejo abafado quando a dor o invade, deixando-o sem fôlego. Quase imediatamente os cortes começam a cicatrizar.

Sou uma criatura deformada, ele articula as palavras com a boca, mas não as pronuncia. São as mesmas que dissera quando era um garoto de doze anos, um Inquisidor em treinamento, ajoelhando-se diante da Princesa Giulietta, que tinha, então, dezesseis anos.

Lembra-se muito bem daquele dia. Ela estava recém-casada com o poderoso Duque de Estenzia. O jovem Enzo, ainda príncipe da coroa e herdeiro do trono, repousava na enfermaria, tendo a sorte de ter sobrevivido depois de tomar uma sopa envenenada. E o velho rei já estava morrendo.

Giulietta se curvou, observou Teren, pensativa, e pôs o dedo sob seu queixo. Ergueu a cabeça dele para trás gentilmente, até que seus olhos claros, sem cor, encontrassem os dela, escuros e frios.

– Por que tem medo de olhar para mim? – perguntou ela.

– Você é a escolhida dos deuses, Alteza – disse ele, envergonhado. – Eu sou um *malfetto*, valho menos que um cão. Não sou digno de sua presença. – Ele tinha esperança de que ela não pudesse adivinhar seu segredo sombrio. Aqueles poderes estranhos, demoníacos, tinham aparecido recentemente.

Giulietta sorriu.

– Se perdoá-lo por ser um *malfetto*, garotinho, você me juraria devoção eterna? Faria qualquer coisa por mim?

Teren ergueu os olhos para os dela, com desejo e desespero. Ela era tão linda. Delicada, o rosto em forma de coração emoldurado por cachos escuros. Sangue real. Nem um traço de marca. Perfeição.

– Eu lhe juraria qualquer coisa, Alteza. Minha vida. Minha espada. Sou seu.

– Ótimo. – Ela inclinou a cabeça na direção dele. – Diga-me. Quem você acha que deveria governar o país depois de meu pai?

Teren se curvou ao toque dela. A pergunta o confundia.

– O príncipe herdeiro – disse. – É seu direito de nascença.

Os olhos dela endureceram. Resposta errada.

– Você disse que é um *malfetto*, que vale menos que um cão. Quer mesmo um *malfetto* como seu rei?

Teren não tinha pensado por esse ângulo. Ele costumava treinar esgrima com Enzo nos jardins do palácio, quando seu pai estava ocupado liderando a Inquisição. Os dois garotos eram amigos, até, ou ao menos *colegas*, sempre formavam dupla nos treinos vespertinos de espada. Teren hesitou, dividido entre o fato de que Enzo tinha o sangue puro da realeza e o de que fora manchado pelas marcas da febre do sangue. Por fim, balançou a cabeça.

– Não, Alteza. Não quero.

Os olhos de Giulietta suavizaram, e ela voltou a sorrir. Resposta certa.

– Sou a primogênita. É *meu* direito de nascença governar.

Por um breve momento, Teren se perguntou se ela envenenara a sopa de Enzo.

Ela se inclinou para mais perto. E então disse as palavras que o prenderiam para sempre:

– Faça o que digo, jovem Teren. Ajude-me a livrar este mundo de todos os *malfettos*. E vou garantir que os deuses o perdoem por sua aberração.

A lembrança some. Teren ergue o chicote várias vezes.

Para expiar a magia maldita, eu me devoto à Inquisição por todos os dias de minha vida. Servirei à rainha, governadora de Kenettra por direito. Não só livrarei este mundo dos Jovens de Elite, mas de todos os malfettos.

O sangue escorre pela carne esmagada de suas costas, enquanto seu corpo tenta desesperadamente continuar se curando. Ele oscila no mesmo lugar, tonto com a agonia. Lágrimas caem dos olhos muito claros. Sua marca. Mas Teren apenas trinca os dentes e sorri. Seus pensamentos voltam a Adelina. Ela não poderia desaparecer no ar. Estava *aqui*, em algum lugar. Apenas precisava procurar melhor. *Suborne todas as crianças de rua e mendigos da cidade. Por uma refeição barata, dirão qualquer coisa.* Seus olhos vibram de animação. *Sim. Milhares de espiões. Tenho planos para você, Adelina.* Se Teren pudesse fazer as coisas do seu jeito, mataria todo Jovem de Elite que encontrasse. Depois jogaria todos os *malfettos* da cidade – do *país* – nas masmorras. Queimaria cada um deles no poste. Aberrações. Se ao menos pudesse fazê-los entender...

Vou encontrar todos vocês. Usarei tudo o que estiver ao meu alcance para salvar suas almas. Nasci para destruí-los.

> Nos anos bons, eles comem, bebem, riem e amam.
> Nos anos ruins, empunham suas espadas e
> cortam as gargantas uns dos outros.
> – Trecho de *Relações entre Kenettra e Beldain*,
> *As viagens de Elaida Eleanore*

Adelina Amouteru

Minha vida na Corte Fortunata logo começa a fluir.

Por duas longas semanas, Raffaele me ensina as sutilezas de me locomover pela corte. A arte de andar. De sorrir. De evitar avanços indesejados de clientes, como uma acompanhante em treinamento, ainda menor de idade. Simples na teoria – mas a elegância relaxada de Raffaele é a combinação de milhares de gestos quase imperceptíveis que são impressionantemente difíceis de imitar.

– Você está comparando duas semanas de treinamento a muito anos de experiência – diz ele, rindo, quando reclamo de como meu caminhar parece desajeitado perto do dele. – Não se preocupe tanto. Você sabe o suficiente para uma novata, e isso fará com que se saia bem.

E faz mesmo. Eu me acostumo a enrolar o cabelo com seda todas as manhãs, a pôr a máscara brilhante e a vagar pelos corredores da corte. Seguindo os conselhos de Raffaele, poucas pessoas prestam atenção em mim. *Você não tem idade. Não tem nome, pelo menos que a corte saiba, e não tem permissão para falar com ninguém que queira ser seu cliente. Isso vai protegê-la se alguma vez achar que precisa se livrar de investidas indesejadas.*

A liberdade é boa. Passo as manhãs lá embaixo, na caverna, observando os outros Jovens de Elite sempre que se reúnem. Aos poucos, aprendo mais sobre cada um deles. Depois de Enzo e Raffaele, por exemplo, a Ladra de Estrelas foi a seguinte a ser recrutada. Enzo lhe deu esse nome em homenagem às *Histórias da ladra de estrelas*, de Tristan Chirsley, uma heroína popular que podia roubar qualquer coisa porque era capaz de invadir a mente dos animais. Sua marca é uma mancha púrpura que se estende por parte de seu rosto.

Depois dela veio Aranha, que era um aprendiz de ferreiro. As marcas negras e irregulares em seu pescoço descem até o peito. A Caminhante do Vento se exilou aqui vinda da nação nevada de Beldain, nas Terras do Céu. Não conheço a história por trás de seu exílio. Um de seus braços é coberto de linhas escuras. O último, o Arquiteto, é um garoto que se tornou aprendiz de um mestre pintor na Universidade de Estenzia. Ele é capaz de tocar qualquer coisa – uma rocha, uma espada, um ser humano –, desmaterializá-la e então reformulá-la em um lugar diferente. Enzo lhe deu seu nome de Elite depois que o garoto projetou o trinco de gemas da porta da caverna. Suas unhas têm listras descoloridas, linhas de um preto e azul profundos.

Ao todo, eles são seis. Espero sobreviver para ser a sétima.

Faço as refeições sozinha, em meu quarto, e caminho pelos corredores e pátios quando fico inquieta. Os outros ainda não falam muito comigo. Quase nunca vejo Enzo. Mesmo um príncipe banido deve ter deveres reais, suponho, mas a cada vez que não vejo seu rosto na caverna saio decepcionada. Alguns dias, sinto que sou a única nos corredores secretos da corte.

Começo a esperar ansiosamente pelas apresentações que acontecem quase todas as noites, danças elaboradas desempenhadas pelos acompanhantes, que atraem clientes em potencial de todos os cantos da cidade. Quase todos os outros acompanhantes são marcados. Usam máscaras decorativas como eu – muitos usam os cabelos também enrolados em elaborados adornos de cabeça. Obras de arte.

Meu único objetivo agora é dominar meu poder, ser incluída nas missões da Sociedade dos Punhais, em suas idas e vindas secretas.

Começo a esquecer que a Inquisição está atrás de mim. Começo a esquecer que um dia tive uma irmã.

Só penso nessas coisas tarde da noite, quando tudo está em silêncio. Talvez ela tenha mesmo seguido em frente, sem mim.

Teren Santoro

— Mestre Santoro.
— Pois não, o que foi?
— É um menino de rua que esmola perto dos limites do Bairro Vermelho. Ele diz ter visto na Corte Fortunata algo que pode interessar ao senhor.
— Ah, é? Fale, garoto... Se eu gostar do que ouvir, você terá um jantar quente e um lugar para dormir.
— S-Sim, senhor. Hum. Foi ontem. Ouvi outros meninos dizerem que a Inquisição está... procurando uma garota com uma cicatriz sobre o olho esquerdo.
— Estamos. E?
— Bem... Não tenho certeza... mas vi...
— Ou tem certeza ou não. O que viu?
— Sinto muito, Mestre Santoro. Eu... tenho *certeza*. Tenho *certeza* de que vi essa garota andando sozinha pelos pátios elevados da Corte Fortunata. Aquele prédio pomposo... no alto da colina...
— Sim, sei qual é. Continue.

– S-Sim, sinto muito, senhor. Mas o cabelo da garota estava enrolado em tecido, então não sei de que cor era.

– Enrolado? À moda de Tamoura?

– Não sei. Imagino que sim.

Teren se senta em sua cadeira. Por um longo momento, observa o garoto sujo e trêmulo ajoelhado à sua frente. Por fim, sorri.

– Obrigado.

Ele acena para os Inquisidores que levaram o garoto até ele.

– Um talento de ouro, uma refeição quente e um quarto em uma hospedaria. – Teren assente uma vez quando o rosto do garoto se ilumina. – Que nunca digam que não sou generoso.

> Uma vez no inverno
> Conheci um homem na floresta
> O homem me chamou
> E um saquinho de moedas mostrou
> Concedeu-me três desejos
> Pedi beleza, amor, riqueza
> E em pedra ele me transformou.
> – "O fantasma avarento de Cypress Pass", canção popular

Adelina Amouteru

Mais uma noite na Corte Fortunata. Mais uma noite de túnicas brilhantes e danças sensuais.

Raffaele me ajuda a me preparar até que eu esteja estonteante em sedas e joias, e depois me conduz pelos corredores secretos em direção à sala de estar principal. O recinto está exageradamente decorado esta noite, cheio de divãs de veludo, pratos de jasmim sobre mesas baixas e redondas, cortinas de seda penduradas nas janelas altas. Há vasos de lírios-da-noite em cada canto da sala, suas pétalas roxo-escuras abertas, o aroma forte e almiscarado enchendo o ar. Acompanhantes vestidos com suas melhores roupas se reúnem em grupos. Alguns já estão com clientes, enquanto outros riem entre si.

No centro da sala foi erguido um palco baixo, circular, cercado por grossas almofadas escarlate para os convidados se sentarem. Metade já está ocupada.

– Vou deixá-la aqui – diz Raffaele quando paramos atrás do véu de seda que leva à sala principal. – Você conhece a rotina.

– Vai se apresentar esta noite? – pergunto.

Raffaele me dá um sorrisinho. Depois beija minhas bochechas.

– Preste atenção em mim. – Ele sai sem mais uma palavra.

No instante em que passo pelo véu e entro na sala, sigo até onde acompanhantes em treinamento já estão reclinados nas almofadas, mais para o fundo. Enquanto caminho, vários clientes me observam, seus olhos se demorando antes de deslizarem para os acompanhantes disponíveis. Um homem em particular, vestido da cabeça aos pés em veludo preto brilhante, todo o rosto escondido atrás de uma máscara, me olha por um longo tempo, apenas parcialmente interessado na conversa com seus companheiros. Determinada, mantenho o olhar fixo à frente. Sempre demoro um pouco a baixar a guarda nesses eventos.

Os outros acompanhantes em treinamento trocam olhares comigo, mas nenhum de nós fala. Escolho uma almofada em uma das pontas e observo, e mais clientes mascarados e acompanhantes entram na sala, até lotá-la.

Por fim, criados apagam várias das lanternas nas paredes. A sala fica mais escura e as conversas silenciam. Outros criados acendem as lanternas ao redor do palco. Eu me endireito, perguntando-me como Raffaele estará. Após alguns minutos, a gerente da corte desliza pela multidão e para na beira do palco. Ela é alta e régia, ainda bonita em seus anos dourados, com mechas grisalhas no cabelo. Ela abre bem os braços. Da próxima vez que estiver com Raffaele, perguntarei se ela é um dos patronos da Sociedade dos Punhais. Deve ser.

– Bem-vindos à Corte Fortunata, meus convidados – diz ela. Sua voz é profunda e calorosa, e todos na plateia se inclinam para a frente, atraídos. – É uma noite fria e tranquila, um momento adorável para nos reunirmos. E sei por que todos vocês vieram. – Ela faz uma pausa e sorri. – Querem ver a apresentação de nossa grande joia.

A plateia responde com aplausos baixos.

– Então não vou atrasar mais o show – continua. – Entreguem-se a uma noite de desejo, meus convidados, e sonhem conosco hoje.

Com isso, o restante das lanternas na parede se apaga, deixando apenas o palco iluminado. Batidas profundas de tambores ecoam, uma após outra. Elas me provocam um tremor, despertando meu alinhamento com a paixão, e sinto minha energia se agitar. Um jovem acompanhante desliza pela escuridão, em meio ao público. Quando chega ao palco e entra no círculo iluminado pelas lanternas, contenho um arquejo.

A vestimenta em seda clara realça a beleza de Raffaele, e uma linha dourada cintilante foi pintada no meio de seu peito nu. Ele para no centro do palco, os olhos baixos, e então se ajoelha com um movimento fluido, os braços cruzados, mangas largas pendendo. Sua túnica se espalha em um círculo ao seu redor. Fica assim por um momento, enquanto a batida dos tambores se torna mais pesada. Em seguida, volta a ficar de pé e caminha lentamente em um círculo hipnótico. Nunca vi uma dança tão serena e delicada como essa, acompanhada de uma música que não é nada além de tambores – e talvez nunca volte a ver algo assim. Olho para os clientes que enchem a sala. Estão em silêncio, estupefatos. Aos poucos, conforme o ritmo aumenta, dois outros acompanhantes se reúnem a Raffaele no palco, uma garota e um rapaz, e, juntos, eles deslizam em círculos um em volta do outro, os olhos ao mesmo tempo tímidos e penetrantes, os movimentos fluindo como água. Os dois são bonitos, mas ficam apagados ao lado de Raffaele. Não resta a menor dúvida quanto a quem os olhos da plateia seguem. Observo, hipnotizada. E então me lembro do momento em que vi a profunda tristeza de Raffaele, e a apresentação faz meus ossos gelarem.

Alguém se senta a meu lado. Não dou muita atenção a princípio – a sala está lotada de patronos, todos focados no palco. Só quando a pessoa fala é que meu coração para.

– Não vou machucá-la, Adelina. Apenas ouça.

A voz está muito próxima de meu ouvido, o bastante para que eu sinta em minha pele a respiração suave do interlocutor. Ele é tão silencioso que mal o escuto por sobre os tambores. Mas escuto. Só ouvi essa voz uma vez em toda a minha vida, mas a reconheceria em qualquer lugar.

Teren.

A energia em meu coração estaca, e sinto uma súbita necessidade de gritar no meio da apresentação. *Ele me encontrou*. Pelo canto do olho, posso ver que não está com a armadura e as vestes da Inquisição, mas de veludo preto, o rosto escondido atrás de uma máscara, assim como o de todos aqui. Ele era o homem que vi antes, o que manteve o olhar fixo em mim. Como me encontrou? *Fui muito descuidada.* Ele me viu vagando pela corte? Ou me reconheceu nas sacadas? Está sozinho? Há outros Inquisidores na plateia? Meu coração bate, frenético. Estão esperando para atacar?

– Sei que você não tem motivo para confiar em mim – murmura ele, enquanto a apresentação continua. – Mas não a rastreei para prendê--la. Vim para fazer um acordo. Pode ser muito positivo para você, se quiser.

Fico em silêncio. Minhas mãos tremem violentamente em meu colo, e as entrelaço com força para que ninguém perceba. Mantenho o olhar fixo à frente, na apresentação de Raffaele. Mais alguém o nota? Raffaele, talvez? *Alguém me ajude*, penso, correndo o olho pela sala. Se eu fizer uma cena agora, Teren será descoberto – mas o que o impediria de me arrastar de volta à Torre da Inquisição ou de me matar aqui mesmo? Os outros Punhais não estão aqui para me proteger, e Raffaele não conseguiria. Estou por minha conta.

– Diga-me – sussurra Teren. – Os Jovens de Elite a puseram sob sua proteção?

As batidas dos tambores golpeiam meus ouvidos. Fico paralisada, incapaz de responder à pergunta dele.

– Vendo que está viva e bem, suponho que sim. – Nem preciso ver o rosto de Teren para saber que está sorrindo. – Você está tão certa assim quanto às intenções deles? Confia tão tranquilamente em seus salvadores?

Se eu não estivesse apavorada, riria de suas palavras. Como se eu tivesse motivo para pensar que os Inquisidores seriam mais confiáveis.

– Fale, Adelina – alerta-me Teren. – Eu detestaria fazer uma cena e prendê-la.

Minha voz ganha vida em um sobressalto. Viro a cabeça devagar e então sussurro, em voz fraca e engasgada, abafada pelos tambores.

– O que você quer? – gaguejo.

A batida dos tambores muda. Teren sussurra para mim por entre o ritmo estrondoso.

– Sei que você é nova entre eles. Provavelmente não sabe tudo sobre seu funcionamento. Mas suspeito de que saberá, e em breve. – Ele chega mais perto quando os tambores se tornam mais frenéticos. – Então é assim que podemos ajudar um ao outro.

Por que eu ajudaria você? Respiro fundo em uma tentativa inútil de me acalmar, e nos cantos escuros da sala vejo lembranças do dia de minha execução, o dia em que os olhos pálidos de Teren caíram sobre mim.

– Observe tudo – sussurra ele em meu ouvido. – Olhe, ouça e memorize. Sei onde você está agora. Virei lhe fazer uma visita de tempos em tempos. E espero que divida comigo o que descobrir.

Meu coração bate no ritmo acelerado dos tambores. Não consigo respirar.

– Se fizer isso, não vou apenas poupar sua vida, mas cobri-la de riquezas. Posso lhe garantir tudo o que desejar. – Ele sorri. – Apenas pense nisso. Você pode se redimir, se você se transformar de uma aberração em uma salvadora aos olhos dos deuses. – Ele faz uma pausa e sua voz se torna mais profunda. No palco, Raffaele puxa a jovem acompanhante para si. Os dois rodopiam. Ele gira para longe dela e faz o mesmo com o rapaz. – Se não fizer, não vou apenas destruí-la, mas tudo o que é importante para você.

Ondas de medo e raiva crescem em meu peito, fundindo-se, enchendo minha mente de sussurros.

– O que você sabe sobre o que é importante para mim? – murmuro, ríspida.

– Já se esqueceu de sua irmãzinha? Que coração mais frio!

Violetta. Uma garra gelada aperta meu coração. De repente, estou de volta ao meu pesadelo, passando o braço em torno de minha frágil irmã enquanto uma tempestade cai lá fora, e então a viro e descubro que nunca esteve ali.

Não. Ele só está tentando enganar você.

– O que você poderia saber sobre minha irmã? – disparo.

– O bastante. Na manhã de sua execução, ela veio a mim e implorou por sua vida. *Você* sabia disso? Agora é sua vez de retribuir o favor.
Ele está mentindo.
– Você não está com ela – murmuro.
A resposta de Teren é cheia de diversão:
– Quer mesmo fazer esse jogo comigo?
Minha resolução estremece. *Ela foi até ele?* E se Teren estiver dizendo a verdade? E se ela tivesse ido mesmo, e ele mandara prendê-la? Sussurros giram em minha mente, as palavras incompreensíveis, enchendo-me com o zumbido do pavor. E achei que ela tivesse seguido em frente, talvez prometida a algum homem rico. E se, em vez disso, estiver há semanas com a Inquisição?
Por que você faria isso por mim, Violetta?
– Não acredito em você – sussurro.
Teren não responde, e por um longo momento apenas ouvimos os tambores. Quando já me pergunto se ele foi embora, Teren fala:
– Estou com sua irmã, acredite ou não. E ficarei feliz em torturá-la até que você possa ouvir os gritos dela das lindas sacadas da Corte Fortunata.
Ele está mentindo. Ele está mentindo. Tem que estar. Imagino o rosto apavorado de Violetta, as lágrimas escorrendo por suas faces. Imagino sangue.
– Me dê um tempo – sussurro por fim. Não sei o que mais dizer.
– Claro – responde Teren, de modo tranquilizador. – Estamos do mesmo lado. Logo perceberá que está lutando pela causa certa. – Seu tom se torna estranhamente reverente. Sério e grave. – Você pode me ajudar a consertar este mundo, Adelina.
Estou presa no meio de uma rede que se aperta.
– Semana que vem – sussurra ele. – Quero vê-la na Torre da Inquisição. Leve-me alguma informação útil.
– Como posso saber que você não vai simplesmente me prender quando eu chegar?
– Garota estúpida! – dispara Teren. – Se eu quisesse prendê-la, faria isso agora mesmo. Por que eu a prenderia quando você pode

ser minha ajudantezinha? – Ele chega muito perto, o hálito quente contra minha orelha. – Se eu gostar do que você me disser quando for à Torre, sua irmã será bem tratada e alimentada até a próxima vez que nos encontrarmos. Se você não for... – Ele faz uma pausa. Pelo canto do olho, posso ver seu sutil dar de ombros. – Então não cumprirei minha parte do acordo.

Ele vai matá-la. Não tenho escolha. Apenas assinto.

Nenhuma resposta. O sopro de sua respiração em minha orelha desaparece, e o ar frio espeta minha pele. As batidas dos tambores enfim param. No palco, Raffaele e os outros dois acompanhantes se curvam em agradecimento à plateia. Os clientes se põem de pé, gritando seu entusiasmo, aplaudindo estrondosamente. Em meio ao caos, olho em volta, em uma tentativa frenética de ver o rosto de Teren.

Mas ele já sumiu no mar de mascarados, como se nunca houvesse estado ali. Restam apenas suas palavras, ecoando em minha mente, me assombrando.

Fui transformada em espiã contra minha vontade.

> Que seja de conhecimento de todos, para que os deuses me ajudem.
> Não sou um traidor. Não sou um espião.
> – Inscrição em pedra na parede de uma cela de prisão de Estenzia,
> feita por um prisioneiro desconhecido

Adelina Amouteru

Nessa noite, volto para meu quarto sem dizer uma palavra a ninguém. Raffaele me observa com a testa franzida quando saio, os olhos me seguindo do outro lado da sala principal, mas forço um sorriso rápido e me apresso em ir embora. Só quando ele me alcança nos corredores secretos me viro para encará-lo.

Raffaele parece preocupado comigo de verdade, e isso aperta meu coração. Ele passa os dedos suavemente pelo meu rosto. Seus olhos ainda estão destacados com pó de ouro, os cílios longos e pretos.

– Você parecia assustada durante a apresentação – murmura ele. – Está tudo bem?

Forço o sorriso de volta e tento manter a distância entre nós. A última coisa de que preciso é que ele sinta o quanto estou tremendo.

– Sim, eu estava assustada – minto, esperando que ele não perceba. – Eu me senti muito exposta aos clientes esta noite. Talvez seja apenas nervosismo. – Tento sorrir. – Eu nunca tinha visto você se apresentar.

Raffaele me observa com atenção. Tento me confortar com a ideia de que ele só pode sentir a mudança em minha energia, não ler meus pensamentos. Se ele acha que estou agindo de forma estranha, melhor acreditar que seja por causa de sua apresentação, ou por estar em público.

Ou eu poderia contar a ele o que aconteceu. Poderia deixá-lo saber que Teren me encontrou e confessar a tarefa de que me incumbiu. Afinal, Enzo salvou minha vida, não foi?

Mas o alerta de Raffaele durante meu teste com as gemas me assombra. *E se os Punhais me matarem?* Eles não me conhecem há tempo suficiente para confiar em mim. E se isso for o bastante para convencê-los de que é arriscado demais me manter por perto? *Não.* Não posso contar a eles. Se fizer isso, talvez esteja morta amanhã. E Violetta continuará nas garras da Inquisição.

Por fim, Raffaele decide ceder. Põe a mão em meu ombro.

– Descanse bem hoje à noite – diz. Beija meu rosto, com confiança, e então se vira para deixar o corredor.

Eu o observo ir. Não tenho a menor ideia se ele acredita mesmo em mim ou não.

Nessa noite, fico olhando para o teto, sem conseguir dormir. Tento imaginar minha irmã tremendo na mesma cela escura da Inquisição onde fiquei. Ela realmente implorara por minha vida? *Estou disposta a me arriscar para salvá-la? Como posso saber se ele está com Violetta? Terei coragem de duvidar?*

Na próxima semana. O que vou fazer? Como vou conseguir sair daqui sem que ninguém veja?

No dia seguinte, quando Raffaele me pergunta como me sinto, digo apenas que estou muito melhor. Ele me olha de esguelha, mas não me pressiona para dizer mais nada.

Mais um dia se passa. Meu pânico inicial se torna apenas uma inquietação constante. Talvez tudo tenha sido um sonho, e Teren nunca sequer tenha aparecido. É uma ideia tão tentadora que quase me permito acreditar nela.

No terceiro dia, consigo pensar. Para sobreviver, tenho que entrar nesse jogo. E preciso jogá-lo bem.

Cinco dias depois do baile de máscaras.

Raffaele e eu estamos de volta à caverna. Ele me observa enquanto assisto Enzo lutando com Aranha, tentando descobrir como funciona a energia deles. As palavras de Teren estão gravadas em minha mente, lembretes do que espera de mim. A semana está quase acabando. Como conseguirei me esgueirar até a Torre da Inquisição?

Tento me concentrar.

– Onde ele aprendeu a lutar desse jeito? – pergunto a Raffaele enquanto observamos Enzo cercar Aranha.

– Ele ia ser rei – lembra-me Raffaele, enquanto toma notas em um papel. Faz uma pausa para mergulhar a pena em um tinteiro no chão. – Treinou com os Inquisidores quando era criança.

Enzo espera o adversário atacar primeiro. Por um minuto, nada acontece. Os outros soltam palavras de encorajamento à beira do círculo. De repente... Aranha avança para Enzo, sua espada de madeira empunhada à frente, em direção ao lado esquerdo do corpo do príncipe. Meu lado mais fraco. O movimento é tão rápido que não vejo nada além de um borrão no ar... mas, de alguma forma, Enzo consegue prever o golpe e pula para longe no último segundo. Saem faíscas de suas mãos, envolvendo-o em um cilindro apertado. Aranha pula para trás. Mesmo com sua velocidade, sei que o calor queimou as bordas de suas roupas. Enzo reprime as chamas ao mesmo tempo em que corre na direção de Aranha, como se tivesse acabado de se materializar de trás de um véu laranja e dourado. Ele ataca três vezes, em rápida sucessão. Aranha se desvia dos golpes, um após outro, e contra-ataca. Os dois continuam uma batalha tensa. A força de seus golpes ecoa na caverna.

Por fim, Aranha está cansado, e Enzo o pega desprevenido. Ele chuta a espada de Aranha para longe de seu alcance, agarra o punho de madeira e a aponta contra o pescoço do adversário. Os outros Punhais vibram, enquanto Aranha solta um grunhido de frustração. O duelo acabou. Deixo escapar um suspiro trêmulo quando ambos abaixam as armas e se afastam um do outro.

Enzo está pingando de suor, os cabelos despenteados e soltos, os músculos retesados. Até onde vejo, Aranha é o único que parece capaz de dar tanto trabalho ao príncipe. A camisa de linho branco de Enzo está molhada e transparente, colada às costas. Enquanto ajusta as luvas, me olha pelo canto dos olhos e percebe que o estou observando. Tento desviar o olhar. Imagino o que Enzo faria comigo se descobrisse sobre meu encontro com Teren. *Ele me envolveria em chamas.*

Enzo assente educadamente para mim, sem sorrir, e se aproxima de Aranha para verificar se não está ferido. A Ladra de Estrelas – hoje acompanhada de dois coiotes no lugar da águia – aplaude. O Arquiteto passa as mãos grandes e finas pelo cabelo, maravilhado com a rapidez de Enzo. A Caminhante do Vento pergunta ao príncipe como fez aquele último movimento. Até mesmo Aranha se curva a ele agora, enquanto trocam palavras que não consigo ouvir.

Pigarreio e volto minha atenção para Raffaele, que parece estar terminando pacientemente suas anotações.

– Espero que tenha se concentrado no duelo – diz, em tom casual.

Coro com a provocação. Este é o modo de Raffaele me apresentar ao conceito de energia – tentando me ensinar a ver os fios no ar. Afasto Enzo da cabeça, foco em meu centro e procuro meu alinhamento com a escuridão e a ambição, a curiosidade e o medo. Eu me imagino deixando o corpo, voando pelo ar, procurando no fundo da alma dos Punhais que lutam, treinando a análise de seus movimentos sutis, buscando vislumbres de sua energia em ação, abrindo meu caminho por entre eles para ver os fios cintilantes de energia que compõem seu coração e sua mente. Aperto a mandíbula.

Nada.

Suspiro. Não posso enfrentar Teren assim. Impotente.

– Primeiro você disse que devo dominar minhas habilidades, antes de ser aceita na Sociedade – digo, me virando para Raffaele. – Como vou aprender o que quer que seja se ficar separada dos outros?

Por trás do rosto sereno de Raffaele, vislumbro um pensamento calculista.

– A ambição está agitada em você hoje. Mas o modo mais certo de retardar seu progresso é se metendo em situações para as quais ainda não está preparada. – Um tom firme se pronuncia em sua voz: – Paciência.

Cuidado, Adelina. Não vai querer que Raffaele suspeite de você.

– Por que só posso invocar meus poderes quando estou ameaçada? – sussurro. Pelo canto do olho, vejo Enzo deixar a caverna. O desapontamento faz meus ombros se curvarem ligeiramente.

– Considere o seguinte cenário – começa Raffaele. – Há cem anos, quando os beldaínos tentaram invadir nossas ilhas do norte, um condenado exército de quarenta soldados kenettranos conseguiu derrotar quatrocentos beldaínos, ganhando tempo para que enviássemos reforços. Às vezes seu corpo demonstra uma força que normalmente não teria. Certo?

Assinto. A Batalha da Ilha de Cordonna é uma parte da história bastante conhecida.

– Seu poder específico também funciona assim. Quando *você* é levada a sentir medo ou raiva extremos, seu corpo produz dez vezes mais energia, ou até cem vezes mais. Não é assim para todo mundo. Certamente não para mim, nem para a Ladra de Estrelas, cujo alinhamento com a alegria faz sua força diminuir quando ela está com medo ou raiva. Mas você? – Raffaele se recosta e me olha, pensativo. – Agora só temos que descobrir como pode usar essa força sem as garras da morte em volta do pescoço. Enzo prefere que você não arrisque a vida sempre que invocar suas habilidades.

Recosto-me na coluna. Quase tenho vontade de rir. Se minha vida tem que estar ameaçada para que eu possa usar as habilidades, então eu deveria estar nadando em poder agora.

Raffaele me olha com um sorrisinho nos lábios, e isso faz meu coração disparar. Hoje ele está vestido em seda dourado-clara, e seu rosto liso não tem maquiagem, exceto por um pouco de pó cintilante delineando seus olhos. Como é possível que coisas tão pequenas acentuem tanto sua beleza? Noto que ninguém é imune a seus encantos. Com uma inclinação de cabeça, ele é capaz de fazer até a sarcástica Caminhante do Vento corar e, quando brinca com Aranha, o garoto enorme tosse, constrangido, mesmo contra sua vontade. Nos últimos dias, vi Raffaele algumas vezes lá embaixo, na entrada da corte, com clientes. Ontem, estava com uma linda jovem. No dia anterior, com um nobre bonito. Não importava quem era o cliente. Eu o vi enredá-los com nada mais que um sorriso e um olhar. O rosto do cliente sempre parecia tomado de desejo. E a cada vez eu seria capaz de acreditar, do fundo do coração, que Raffaele era apaixonado por eles.

Raffaele pega várias pedras lisas do chão e as dispõe em fila na minha frente.

– Vamos começar pelo mais simples – diz. – Use a escuridão dentro de você antes de procurá-la no mundo ao seu redor. – Ele indica as pedras com a cabeça. – Essas pedras são cinza-claras. Quero que me convença de que são pretas.

Volto minha atenção para elas. *Use a escuridão dentro de você.* Digo a mim mesma para me concentrar no medo e no ódio, trazendo à tona pensamentos e lembranças mais sombrios. Tento alcançar os fios de energia dentro de mim. Posso senti-los, mas não os alcanço. Ao meu lado, Raffaele faz algumas anotações no papel. Sem dúvida está registrando meu progresso e as variações em minha energia.

Tento por vários minutos antes de suspirar e erguer o olhar. Raffaele apenas assente.

– Alegre-se, mi Adelinetta – diz. – Você conseguiu conjurar sua energia no primeiro teste. Não tenha pressa e continue tentando.

Volto a me concentrar nas pedras. Dessa vez, fecho o olho. No escuro, me desligo do barulho dos outros treinando e, em vez disso, volto à noite da morte de meu pai. Depois meus pensamentos se voltam para minha irmã. Surge uma lembrança de nossos dias ainda pequenas, o modo como ela prendia meu cabelo atrás das orelhas, como ela dormia encostada em meu ombro à luz morna e oblíqua da tarde. A imagem desaparece, substituída por outra dela agachada no canto de uma cela escura. Teren está atrás de mim, sussurrando em meu ouvido. Estou caindo em uma armadilha. A raiva se agita dolorosamente na boca do estômago, e deixo que se inflame, ganhando peso e pressionando meu coração até eu sentir a conhecida guinada no peito.

Abro o olho e busco dentro de mim. Desta vez, sinto fios de energia esticados em meu interior, e minha mente os toca como mãos em uma harpa. Eu os puxo, ainda de modo instável, e tenho que me esforçar para manter o controle. Franzo as sobrancelhas por causa do esforço de me prender a eles. Diante de mim, as pedras continuam cinza como nunca... mas, a poucos metros delas, uma pequena faixa de escuridão rasteja pelo chão. Eu suspiro com a visão.

– Raffaele, olhe! – sussurro.

No instante em que digo isso, minha concentração se quebra e os fios de energia escapam de meu controle. A ilusão que criei volta para dentro do chão. Solto a respiração enquanto o medo que se acumulava em minha barriga treme. Raffaele me observa em silêncio. Tento outra vez. Minha mão roça os fios de energia. Eu os agarro.

De repente, uma lâmina prateada cintila a minha frente. Eu me encolho por instinto. Alguém ri de mim e percebo que é Aranha. Ele corre em minha direção, do outro lado da caverna.

– Uma pequena faixa de escuridão – diz, com desdém. – Estou apavorado.

Raffaele lança um olhar de advertência ao garoto enorme.

– Não – avisa.

– Ou o quê, acompanhante? – Aranha zomba de mim enquanto guarda seu punhal. – Isso assusta a cordeirinha?

Raffaele arqueia uma sobrancelha.

– Você gostaria de discutir isso com Enzo? Eu não testaria a paciência dele poucas semanas antes do Torneio das Tormentas.

Torneio das Tormentas? O que eles planejaram para o maior festival do ano?

A dúvida cruza o rosto de Aranha por um instante, mas ele logo a esconde.

– Diga a Enzo o que bem entender – resmunga. Então nos dá as costas.

A irritação me invade, uma libertação de todo medo e ansiedade que vinha reprimindo. Antes que eu possa pensar no que estou fazendo, levanto-me e estendo a mão. Desta vez, vejo os fios de energia que me conectam a Aranha. Eu os puxo. Uma silhueta escura salta do chão na frente dele, paralisando-o. O vulto é fino e translúcido, muito pouco ameaçador. Mas está ali. O fantasma disforme mostra os dentes para ele e assobia. Aranha saca seu punhal.

Não consigo continuar – a ilusão desaparece. Fico parada, incapaz de acreditar que acabei de fazer com que aquilo saísse do chão. Os outros Jovens de Elite param e observam o que está acontecendo. A Ladra de Estrelas me olha de testa franzida, preocupada.

– Deixe-a em paz – grita para Aranha, mas ele a ignora.

Ele se vira para mim e sorri. Em um instante, está com a lâmina apontada para o meu pescoço. O metal frio pressiona minha pele.

– Cuidado para não dar um passo grande demais – murmura ele. – Você e suas silhuetas.

– Em breve vou saber fazer mais do que apenas silhuetas – sussurro de volta. A ilusão que criei de repente me torna ousada, e trinco os dentes, ávida por violência. – Aguarde e verá.

Os lábios dele se curvam ao desafio, mas apenas o encaro, sem medo.

– Não, não vai. – Ele sorri, então se inclina e sussurra em meu ouvido. – Quando isso ficar óbvio para todos os outros, vou adorar ver Enzo cortar sua garganta.

Sua lâmina afunda em meu pescoço de novo. Fantasio virar seu punhal e cortá-lo devagar, de orelha a orelha, vendo o sangue borbulhar de sua boca. A imagem passa pela minha mente como um raio e me deixa boiando em um instante de terror e puro deleite. O deleite de meu pai. *Vá em frente. Quero ver você tentar.* Talvez eu deva dar a Teren o nome *dele*, quando for à Torre da Inquisição.

– *Já chega!* – dispara Raffaele. O tom ríspido de sua voz me assusta. Acho que ninguém nunca me defendeu tão duramente.

Aranha se afasta com uma risada.

– Eu só estava brincando – diz, em tom indiferente. – Ninguém se feriu.

Estremeço. Acho que Raffaele não ouviu o que Aranha sussurrou para mim. *Espero* que ele não tenha sentido a imagem que fantasiei. Do outro lado da caverna, a Ladra de Estrelas me lança um olhar simpático e revira os olhos para Aranha.

– Você está bem? – pergunta-me Raffaele. Consigo assentir, e ele suspira. – Peço desculpas. Ele se ressente do interesse de Enzo por você. Sempre se considerou o melhor lutador de Enzo, e não gosta do fato de os olhos do príncipe terem se voltado em outra direção. Dê tempo a ele.

Em silêncio, agradeço pela preocupação. Meu coração se contrai de modo constrangedor à ideia de que Enzo está interessado em mim. *Nos meus poderes potenciais*, corrijo-me. As palavras de Aranha ficam em minha mente, me ridicularizando, e ainda sinto o frio do punhal em meu pescoço. Enzo seria mesmo capaz de cortar minha garganta?

Como se aproveitasse a deixa, a porta da caverna se abre. Viro a cabeça em sua direção.

Enzo entra de novo, arrastando sua túnica longa atrás de si. Ele para um momento à porta, olha silenciosamente ao redor da caverna e assobia para a Ladra de Estrelas.

– Está na hora – anuncia. – Como está se sentindo hoje?

A Ladra de Estrelas sussurra para que seus coiotes fiquem onde estão, em seguida corre e para deslizando. Lança um olhar audacioso para Enzo.

– Muito bem – responde, com uma reverência rápida. – Como sempre.

Um sorriso fraco brinca nos cantos dos lábios de Enzo.

– Ótimo. Vamos.

O rosto da Ladra da Noite se ilumina, e não tenho dificuldade para acreditar em Raffaele, que disse que ela se alinha com a alegria. Ela acena para os outros. Raffaele se levanta em um gesto fluido, então acena com a cabeça para mim.

– Fique um pouco mais, se quiser treinar – diz. – Vamos voltar à noite.

Eles deixam a caverna sem uma palavra. Resta somente eu. Enzo não olha para mim.

Percebo que estava prendendo a respiração. A escuridão se agita em mim, e permito que se agite. Não tenho ideia sobre o que falavam. Claro que saíram em mais uma missão sem mim.

Esta é minha chance de encontrar Teren.

O choque desse pensamento deixa meus joelhos fracos. O prazo de uma semana está quase esgotado. Se os Punhais passarão um tempo fora, ocupados com o que quer que tenham planejado, então preciso aproveitar esse momento. De repente, olho em volta, apavorada com a ideia de que um deles ouça meus pensamentos. Lembro-me do assassinato do *malfetto* que testemunhei alguns dias antes. E depois da ameaça de Aranha.

Penso em minha irmã.

Só vou até perto da torre. Se algo parecer suspeito, vou embora. Não entrarei. Só vou... Meus pensamentos desaparecem, sugados pelas batidas de meu coração.

Levanto-me. Começo a caminhar. Não tenho nem certeza se ainda estou no controle de mim mesma ou se meu corpo decidiu se deixar dominar pelos instintos. Subo as escadas e passo pelo pátio principal. De lá, olho para as ruas, fervilhantes com as festividades. O céu parece escuro e ameaçador. Algo importante está acontecendo na cidade hoje.

Os Punhais estão a caminho. E eu também.

Dê ouro a um kenettrano e ele fará negócios com você.

Dê-lhe um garanhão puro-sangue e ele matará por você.

– Citação sobre o julgamento de Maran e cúmplice, *Alta Corte de Beldain*

Adelina Amouteru

No instante em que me esgueiro para fora da Corte Fortunata e chego à rua principal, sinto que algo está errado.

Claro – pessoas vestidas com sedas coloridas enchem a estrada, e há comerciantes vendendo máscaras por toda parte, obstruindo a passagem e anunciando seus produtos como se estivessem em um baile de máscaras de primavera em Dalia. As pessoas riem e aplaudem. Trepadeiras floridas crescem, fartas e exuberantes, pelos prédios da rua, e cavalos puxando carroças e caixotes sobem e descem as ruas largas. Gôndolas se enfileiram nos canais, carregadas de passageiros. Um homem empurrando um carrinho de tortas de frutas entoa uma canção popular, enquanto um pequeno grupo de crianças dança atrás dele. O cheiro de manteiga e temperos se mistura com o odor pungente da multidão.

Mas nuvens negras cobrem o céu, ainda mais escuras do que quando olhei para elas mais cedo do pátio. Há uma umidade no ar, uma quietude tensa e fria que contrasta fortemente com as faixas coloridas penduradas nas sacadas e com os festejos na rua. As pessoas sorridentes e mascaradas me parecem ameaçadoras. Como se todos soubessem o que estou prestes a fazer e para onde estou indo. Mantenho a cabeça baixa.

Há cartazes colados pela Inquisição em cada cruzamento, pedindo ao povo que relate quaisquer *malfettos* suspeitos. Por instinto, me misturo à multidão, tentando ficar escondida. Todos parecem caminhar na mesma direção. Sigo o fluxo, perdida entre suas roupas e máscaras brilhantes. Minhas sandálias batem nos paralelepípedos. *Que celebração é essa em Estenzia?*, pergunto-me ao passar por uma rua estreita com videiras baixas penduradas.

– Para o Bairro Vermelho! – grita alguém a meu lado, agitando um pedaço de seda vermelha acima da cabeça. Levo um tempo para perceber que todos na multidão estão agitando sedas coloridas: vermelha, verde, dourada e azul.

Ao longe, perto do porto, o telhado da Torre da Inquisição brilha ao sol.

A multidão me empurra. Por fim, consigo me espremer para fora das grandes massas e desço um beco estreito e mais tranquilo. Tomo o cuidado de ficar nas sombras. Se eu soubesse como usar meus poderes, talvez pudesse conjurar um vulto escuro para me esconder ainda mais. Tento invocá-lo de novo, mas os fios de energia apenas me provocam, fora do meu alcance.

Quando chego à Torre da Inquisição, estou encharcada de suor e tremendo da cabeça aos pés. Por sorte, parece que há poucas pessoas nesta parte da cidade – todo mundo está nas festividades. Encaro a entrada, onde Inquisidores montam guarda, e tento imaginar Violetta no interior dessas paredes de pedra. Hesito, torcendo as mãos.

E se Teren não estiver realmente com Violetta? Que tipo de armadilha isso pode ser? Mordo o lábio, lembrando como Teren não me prendeu na corte e ameaçou matar minha irmã se eu não viesse. Olho por tanto tempo para a Torre que minha visão começa a ficar embaçada. Por fim, quando a rua está vazia, corro silenciosamente até a entrada.

Os Inquisidores de guarda me barram.

– O que você quer? – rosna um deles.

– Por favor – consigo dizer em um sussurro rouco. Já me sinto exposta aqui. Se um dos Jovens de Elite me vir... – Vim falar com Mestre Teren Santoro. Ele está me esperando.

O Inquisidor me observa com desconfiança e troca um olhar com o segundo homem de guarda na entrada. Balança a cabeça para mim.

– Vou informar ao Mestre Santoro – diz. – Mas você vai ter que esperar aqui fora.

– Não – falo depressa, olhando mais uma vez a rua ao redor. O suor brota em minha testa. – Tenho que falar com ele agora – acrescento em um tom de voz mais baixo e urgente. – Não posso ser vista aqui. *Por favor.*

O Inquisidor me dispensa com um olhar irritado.

– Você *vai* esperar aqui! – dispara. – Pelo tempo que...

Suas palavras são cortadas quando a porta atrás dele se abre devagar. Ali, parado casualmente à entrada, com as mãos entrelaçadas às costas, está Teren. Ele sorri ao me ver.

– Qual é o problema? – pergunta aos guardas.

O Inquisidor que me dispensou se vira, desconcertado. Todo o aborrecimento desaparece de seu rosto. Ele se apressa em fazer uma reverência a Teren.

– Senhor – começa –, esta garota diz estar aqui para vê-lo. Nós...

– E ela está mesmo – interrompe-o Teren, seus olhos pálidos focados em mim. – Vi você caminhando até a Torre. – Ele faz um gesto para que eu me aproxime.

Engulo em seco, passando depressa pelos dois Inquisidores, com a cabeça baixa. Quando entro na Torre, Teren fecha a porta atrás de mim. Sou tomada pelo alívio de saber que não estou mais exposta do lado de fora.

Mas logo estremeço diante da visão do salão principal, decorado com as mesmas peles, as mesmas tapeçarias e os mesmos símbolos do sol eterno usados na torre de Dalia, onde fiquei presa.

Teren me conduz a um corredor mais estreito e depois a uma câmara com uma mesa comprida e cadeiras. Ali, puxa uma cadeira e me convida a sentar. Obedeço, trêmula. Minha garganta está seca. Teren se senta ao meu lado e se recosta, em uma postura relaxada.

– Você manteve sua promessa – diz ele, depois de um tempo. – Gosto disso. Poupa-nos de vários problemas.

Não quero perguntar o que ele teria feito se eu não tivesse aparecido. Em vez disso, sustento seu olhar.

– Minha irmã está em segurança? – sussurro.

Teren assente.

– Em segurança e sem ferimentos, por enquanto.

– Deixe-me vê-la.

Ele ri um pouco disso. No entanto, a diversão não chega a seus olhos, e sua expressão fria faz meus ossos gelarem.

– Que tal primeiro você me contar algo que eu queira saber? – diz.

Fico em silêncio, sem saber o que dizer. Meus pensamentos são como um borrão, correm em um rio frenético. Qual o mínimo que posso dizer a ele para manter Violetta em segurança? O que o satisfará? Respiro fundo, depois reúno toda a minha coragem.

– Não vou lhe dizer nada se não provar que está com ela.

O sorriso de Teren se alarga, e ele me olha com mais interesse.

– Uma barganha – murmura. Ele espera um longo momento antes de voltar a se recostar na cadeira. Depois, leva a mão entre sua manga e sua armadura. – Imaginei que fosse acontecer.

Enquanto aguardo, ele puxa algo de lá e joga sobre a mesa. O objeto cai com um tinido.

Olho mais de perto. É um colar de safira que Violetta gosta de usar. Só que há mais do que isso – amarrado à corrente prateada do colar, vejo um cacho grosso e escuro dos cabelos de Violetta.

Meu coração parece querer sair pela boca.

– Antes de você começar – diz Teren, interrompendo meus pensamentos –, quero deixar algo bem claro. – Ele se inclina para a frente. Seus olhos me penetram. – Sempre falo a verdade, então não crie o hábito de ficar testando minha palavra. Você também vai querer falar a verdade. Tenho muitos, muitos olhos nesta cidade. Se mentir, vou descobrir. Se me negar o que quero, *vou* machucá-la. Entendeu?

Ele está com ela aqui. Aperto as mãos no vestido com força, para impedir que tremam.

– Sim – sussurro. Não ouso questioná-lo mais.

– Agora, como parece não saber muito bem por onde começar, deixe-me ajudá-la com algumas perguntas. – Ele apoia os cotovelos nos joelhos e junta as mãos. – O que tem feito com os Jovens de Elite até agora?

Respiro fundo. *Preciso protelar isso o máximo que puder.*

– Tenho descansado, basicamente – respondo. Fico surpresa de como minhas palavras soam equilibradas. – Fiquei inconsciente por muitos dias.

– Sim, claro. – Teren parece quase simpático. – Você teve muitos ferimentos.

Assinto em silêncio.

– Eles ainda não confiam em mim – decido falar. – Eles... usam aquelas máscaras prateadas. Não sei seus nomes nem identidades.

Teren não se intimida com tanta facilidade.

– O que você *sabe*?

Engulo em seco. O ar parece pesado. *Tenho que lhe dizer alguma coisa.* Como em um sonho, sinto as palavras surgirem.

– Eles me visitam de vez em quando na Corte Fortunata – sussurro.

Teren sorri.

– Eles agem de lá?

– Não tenho certeza.

Posso ouvir as batidas de meu coração. A escuridão que cresce em meu peito me deixa tonta. Eu me remexo na cadeira, ávida por usar o poder. *Gostaria de ter as habilidades de Enzo*, penso de repente, e o desejo faz surgir a ambição dentro de mim. *Queria ter o poder de queimar essa Torre inteira.*

– Diga-me, Adelina – ordena Teren, me observando com curiosidade. – O que planejam?

Com muito esforço, afasto a escuridão crescente. Não posso usar meus poderes com ele. Sou muito fraca. Além disso, o que algumas sombras poderiam fazer? Pigarreio. O que posso dizer a ele que causará o menor prejuízo?

– Estão planejando algo para o Torneio das Tormentas – consigo dizer. – Não sei o quê.

Teren pondera minhas palavras. Então bate as mãos uma vez e, um momento depois, um Inquisidor abre a porta.

– Senhor?

Teren faz um gesto para que se aproxime. Sussurra no ouvido do homem algo que não consigo ouvir. O homem me lança um olhar desconfiado. Por fim, Teren se afasta.

– Comunique ao rei imediatamente – ordena.

O Inquisidor se curva.

– É claro, senhor. – E sai depressa.

– É só isso? – pergunta-me Teren.

O rosto gentil de Raffaele surge em meus pensamentos e, com ele, vem uma pontada de culpa. Eu disse tão pouco a Teren. *Por favor, que isso seja o suficiente para satisfazê-lo.*

– É tudo o que sei – murmuro. – Preciso de mais tempo.

Por um momento longo, Teren não se mexe.

Quando começo a achar que exigirá mais de mim nesta visita, ele relaxa e desvia o olhar.

– Você veio me ver hoje – diz. – E isso é um bom começo. Agradeço pela informação. Como manteve sua palavra, devo manter a minha. Sua irmã está em segurança.

Lágrimas brotam de meus olhos, e desmorono, aliviada.

– Ela estará segura... desde que você continue me deixando satisfeito. – Seus olhos se voltam outra vez para mim. – Quando vou vê-la de novo?

– Duas semanas – digo, rouca. – Me dê mais duas semanas. – Como ele fica em silêncio, baixo o olhar. – Por favor.

Por fim, ele assente.

– Muito bem. – Teren se levanta. – Você pode ir.

E é só isso.

Teren me conduz para fora da Torre por uma pequena porta nos fundos, escondida atrás de um portão e de um beco. Antes de me deixar partir, pega minhas mãos e se inclina para roçar os lábios em minha face.

— Você fez bem – sussurra e beija minha bochecha. – Continue assim.

Quando me deixa ir, vago de volta pelas ruas da cidade, com as pernas trêmulas. *Sou uma traidora. O que fiz?*

Caminho, entorpecida, até perceber que fiz o caminho de volta até onde as festividades estavam acontecendo. Aqui, ruas silenciosas voltam a dar lugar a foliões barulhentos e, antes que eu me dê conta, viro em uma esquina e me vejo engolida pela multidão, que aplaude. Meu medo e minha exaustão cedem espaço a certa curiosidade. O que é toda essa comoção? Não há nenhum modo de eu voltar à Corte Fortunata sem passar por toda essa gente.

Viro em outra esquina com a multidão e chegamos à maior praça pública que já vi.

Três lados da praça são cercados por canais. As pessoas ocupam todos os espaços que podem, mas a maior parte do lugar está fechada com cordas grossas. Um caminho de terra contorna a praça, e vários Inquisidores o inspecionam. Uma fila de pessoas vestidas com trajes elaborados de seda e usando máscaras decoradas desfila pelo caminho, porta-estandartes, trombeteiros e *arlecchinos*, aristocratas e seus criados, todos acenando e cumprimentando os espectadores. Corro o olho pela multidão, que agora parece mais ou menos dividida em grupos de pessoas acenando com as sedas vermelhas, azuis, douradas ou verdes. Pessoas se amontoam nas sacadas ao redor da praça, todas com bandeiras coloridas penduradas, silenciadas pelo céu escuro.

Uma corrida de cavalos. Já assisti a várias em Dalia, embora nenhuma fosse um espetáculo tão grandioso assim. Olho ao redor da praça, à procura de um bom caminho de volta para a corte. A missão de hoje dos Punhais deve ter a ver com isso.

Olho para as sacadas e vejo os assentos reais – em um prédio situado de frente para a pista, há uma sacada com vista perfeita, suas grades de ferro decoradas com ouro e sedas brancas. Mas o rei e a rainha não estão lá. Talvez os assentos reais sejam apenas para constar.

O estrondo baixo de um trovão ecoa pela cidade.

— Senhoras e senhores! Prezados espectadores!

Um dos homens fantasiados na pista ergue os braços. O trompetista da corrida, o locutor oficial. Sua voz retumbante silencia o rugido da multidão. O desfile de trajes coloridos para e a cena muda de caos alegre para uma expectativa silenciosa. Inquisidores se posicionam ao redor da praça, prontos para manter a ordem, se necessário. Trovões rugem no alto, como se fossem um aviso.

– Bem-vindos às corridas de qualificação para Estenzia! – anuncia o trompetista. Ele gira, para que todos possam vê-lo, e depois para de frente para a sacada real vazia. Faz uma reverência com um grande floreio. – Que elas sejam uma homenagem à Sua Majestade e à prosperidade que traz para Kenettra.

Fico surpresa com a resposta – nada de aplausos ou gritos da multidão. Apenas um rumor de agitação e alguns *Vida longa ao rei* aqui e ali. Quando eu morava em Dalia, as pessoas reclamavam do rei. Agora estou ouvindo esse ressentimento em primeira mão. Imagino Enzo sentado no trono em seu lugar, o príncipe herdeiro e legítimo governante. Quão natural ele pareceria! Quantos desses espectadores são leais a Enzo? Quantos apoiam os Jovens de Elite?

Por um instante, ouso me imaginar lá em cima na sacada. A ideia de tanto poder me faz tremer.

O locutor volta sua atenção para a multidão.

– Hoje vocês vão selecionar os cavaleiros mais rápidos que Estenzia mandará para o Torneio das Tormentas neste verão. Três corredores foram selecionados em cada um dos bairros da nossa cidade. Como manda a tradição, os três melhores cavaleiros entre os doze da corrida de hoje seguirão em frente. – Ele dá um sorriso largo, seus dentes brancos brilhando sob a meia máscara cintilante. Ele leva a mão à orelha em um gesto exagerado. – Que bairro vai se sair melhor?

A multidão explode de entusiasmo. Eles berram os nomes de seus bairros. Sedas coloridas ondulam furiosamente no ar.

– Estou ouvindo Bairro Vermelho! – provoca o locutor, criando uma nova rodada de aplausos e de gritos roucos dos outros três bairros. – Espere... agora estou ouvindo o Bairro Azul. Mas o Bairro Verde tem uma forte criação de potros de três anos, assim como o Bairro Dourado. Qual vai vencer? – Ele faz um floreio com a mão. – Vamos conhecer nossos corredores?

A multidão grita. Fico congelada no lugar. *O Torneio das Tormentas*. Era disso que Raffaele estava falando mais cedo. É por isso que os Punhais estão aqui – *esta* é a missão deles. Vão tentar fazer com que um deles se classifique para a corrida de cavalos do Torneio das Tormentas, provavelmente para ter a chance de atingir o rei no meio de uma arena pública. Minha cabeça está confusa com o choque. *E agora alertei Teren para isso.*

Em meio ao caos das torcidas, os primeiros três garanhões se apresentam. Moradores do Bairro Vermelho agitam sedas no ar, atingindo os flancos dos cavalos que trotam pela multidão em direção à pista. Distraio-me por um momento. Preciso de apenas um olhar para saber que esses garanhões são superiores aos cavalos da propriedade de meu pai. São puros-sangues das Terras do Sol, com o pescoço perfeitamente arqueado e as narinas infladas, seus olhos ainda brilham com o temperamento selvagem que meus cavalos tinham perdido havia muito tempo. As crinas estão ornadas com seda vermelha, enquanto seus cavaleiros, enfeitados de modo parecido, acenam em suas selas.

Os corredores do Bairro Verde e seus cavalos entram trotando. É quando deixo escapar um pequeno arquejo. Entre eles está a Ladra de Estrelas. A marca púrpura em seu rosto está visível e destacada.

– Lady Gemma, da casa Salvatore, montando Souvenir, o glorioso garanhão de Mestre Aquino!

Ele lista as vitórias passadas do garanhão, mas já não ouço. Em meio à multidão barulhenta, percebo que a família de Gemma deve ser rica e poderosa para que uma *malfetto* como ela seja autorizada a competir.

Eu deveria voltar para a Corte Fortunata, antes que percebam minha ausência. Mas é impossível resistir ao espetáculo, e meus pés permanecem colados no chão, o olho fixo na garota que conheço como Ladra de Estrelas.

A presença de Gemma cria um tumulto na multidão. Ouço um grito de *"Malfetto!"*, misturado a vaias altas, e, quando dou uma boa olhada ao redor, vejo que as pessoas fizeram marcas falsas em si mesmas, zombando e insultando Gemma com exageradas manchas roxas pintadas em seus rostos. Alguém joga uma fruta podre nela e grita, com uma careta cruel:

– Bastarda!

Gemma ignora o homem e mantém a cabeça erguida enquanto seu cavalo segue a trote. Outras agressões voam, rápidas e pesadas.

Uma dama da nobreza também é insultada desse jeito? Mordo a parte de dentro das bochechas quando uma pontada aguda de raiva me atravessa – até que percebo, com surpresa, que também há pessoas a defendendo. Bem alto.

Na verdade, inúmeras pessoas agitam suas bandeiras apoiando-a, a maioria do Bairro Verde, algumas até de outros bairros. Prendo a respiração e minha raiva se transforma em confusão e depois em empolgação. Observo, admirada, Gemma acenar para elas. Nunca vi nada igual. A tensão entre os defensores e os inimigos de Gemma crepita no ar, um gostinho de uma possível guerra civil, e respiro fundo, como se para absorver o poder que isso me dá. *Nem todo mundo odeia* malfettos, dissera Enzo. Meu olho dispara nervosamente para os Inquisidores, que parecem prontos para agir.

Gemma explora toda essa atenção. Ela joga o cabelo escuro e sorri para os espectadores, concentrando-se naqueles que gritam seu apoio a ela. Com um gesto fluido, pula e fica de pé nas costas do garanhão. Equilibra-se ali sobre os dois pés, ágil e pequena, os braços cruzados em satisfação. Gemma acena, então pula de novo e volta a se sentar. Durante todo o tempo, o garanhão permanece muito calmo. De todos os competidores, até agora ela é a única *malfetto*.

Os concorrentes dos próximos dois bairros enfim se apresentam, e os doze se alinham em uma das extremidades da pista. O barulho do público é estrondoso agora. Gemma acaricia o pescoço de seu cavalo, que bate as patas no chão, cheio de ansiedade.

– Corredores, preparem seus cavalos! – anuncia o locutor.

O barulho da multidão morre por um segundo, quando todos se calam para ver a largada.

O trompetista levanta uma seda amarela brilhante com uma pedra amarrada na ponta, para fazer peso. Ele a joga para o alto.

– *Já!* – grita.

Os cavalos disparam. A multidão explode.

Uma nuvem de poeira se ergue da pista enquanto os corredores dão a primeira volta. Estreito o olho por trás da névoa e enfim vejo a seda verde das roupas de Gemma voando no meio do grupo. Ela está na metade de trás, mas seu sorriso poderia partir seu rosto em dois.

Primeira volta. Um cavaleiro do Bairro Vermelho está na frente. Gemma é a nona. Pego-me torcendo por ela em silêncio.

Ao meu redor, ouço os gritos, cada pessoa chamando os nomes de seus favoritos. A confusão faz com que eu me lembre do dia da minha execução, sinto a escuridão surgindo dentro de mim. Raffaele me dissera para observar o vazio, para procurar fios de energia no ar.

Os cavalos fazem a curva e passam por mim com um estrondo. A cabeça de Gemma está jogada para trás, em uma risada selvagem, o cabelo escuro flutuando atrás dela como uma cortina. Concentro-me no espaço entre ela e os outros cavaleiros. Pelo canto do olho, tenho um vislumbre de algo brilhante, que desaparece quando tento olhar diretamente.

Os cavalos disparam pela pista de novo, quase terminando a segunda volta. Só falta mais uma. Gemma ainda está em nono. Então, de repente, ela entra em ação – puxa a crina do garanhão, inclina-se sobre seu pescoço e sussurra para ele. No mesmo instante, uma rajada de vento sopra pela praça. *A Caminhante do Vento.* Ela deve estar assistindo de um ponto privilegiado.

Gemma começa a avançar. Depressa. De nono para sétimo, depois para sexto. E então quinto. Em seguida, quarto e terceiro. Os gritos da torcida do Bairro Verde se tornam febris. Meu coração bate furiosamente. Com a ajuda da Caminhante do Vento e suas próprias habilidades, Gemma chega ao segundo lugar. Prendo a respiração. *Concentre-se.* Fixo o olhar em Gemma.

Por uma fração de segundo, penso ver fios cintilando no ar, de mil cores diferentes, movendo-se e mudando, como lã em um tear.

Os cavaleiros do Bairro Vermelho, que ocupam o primeiro e o terceiro lugares, tentam bloquear o caminho dela, forçando-a a ficar entre eles. Porém Gemma se esforça ainda mais – os outros dois cavalos agitam a cabeça, assustados, quando a poeira se ergue perto de seus cascos. A Caminhante do Vento deve ter enviado uma cortina de vento para as pernas deles, empurrando-os para trás.

Falta um quarto de volta. De repente, o cavalo de Gemma dispara na frente, em uma explosão de velocidade – direto para o primeiro lugar. Os outros tentam alcançá-la, mas já é tarde. Ela cruza a linha de chegada. O trompetista agita a faixa de seda amarela outra vez, e gritos enchem o ar. O Bairro Verde é um mar de seda dançante.

Ela venceu.

Não consigo conter um sorriso de alívio, mesmo fingindo estar tão desanimada quanto o restante das pessoas do Bairro Azul, com quem estou. Talvez tudo o que Teren possa fazer com as informações que lhe dei seja designar mais Inquisidores para o Torneio. Talvez eu não tenha prejudicado os planos dos Punhais. A praça irrompe em vaias e gritos furiosos de "Desclassifique-a!" e *Malfetto*, acusações de que ela é uma Jovem de Elite. Ainda assim, não tem discussão. Nós a vimos vencer.

O trompetista se aproxima de Gemma, que faz uma reverência, equilibrada de pé nas costas do cavalo, e lhe entrega a seda amarela com um floreio cerimonioso. Mesmo que ele mantenha o ar alegre, percebo que evita o contato com ela, retirando depressa a mão para não ser contaminado por seu toque. O sorriso de Gemma vacila, o primeiro sinal de que se incomoda com esse tratamento – mas ainda assim ela ergue a cabeça e esconde o desconforto por trás de um sorriso largo. Em seguida, o trompetista vai até os outros corredores, entregando a cada um deles um pedaço de seda verde. A tradição é a mesma de Dalia: os corredores derrotados devem usar a cor do bairro vencedor em seus braços pelos próximos três dias, para mostrar espírito esportivo.

– Lady Gemma, da casa Salvatore! – grita o trompetista.

– Ordem! Ordem! – exige um dos Inquisidores que participam do cerco às pessoas, mas poucas parecem dispostas a ouvi-lo.

O Bairro Verde está em um frenesi de cor e barulho. Os outros murmuram entre si, indignados. Começo a abrir caminho para longe da multidão, na mesma direção de onde vim. Se as corridas acabaram, é melhor eu voltar, antes que alguém perceba que saí.

– Ordem, já disse! – explode o Inquisidor.

Paro onde estou. Mais Inquisidores bloqueiam as saídas da praça, obrigando-me a ficar ali. Um Inquisidor chama o trompetista em um canto, diz algo que a multidão não pode ouvir e, em seguida, para minha surpresa, chama outros dois Inquisidores para forçar Gemma a descer do cavalo. Os outros corredores se apressam em sair da pista para o meio da multidão. As pessoas se agitam quando um Inquisidor leva seu cavalo até o meio da praça.

Ele ergue as mãos pedindo silêncio.

– Senhoras e senhores – começa –, parabenizo o Bairro Verde e sua *malfetto* pela vitória espetacular.

Gemma está de pé na praça, sozinha e desconfortável, sentindo-se infeliz com toda aquela atenção. *Tenho que sair daqui. Agora.*

– Entretanto, trago notícias do palácio. Vossa Majestade decretou que *malfettos* não podem mais participar do Torneio das Tormentas.

Imediatamente, os Bairros Vermelho e Azul comemoram – enquanto o Verde irrompe em gritos zangados. Na praça, Gemma continua na pista, desconfortável e tensa.

Engulo em seco. Uma onda de culpa me invade. *Fui eu que provoquei isso.*

O trompetista troca mais algumas palavras perplexas com os Inquisidores. Ele vai até cada um dos outros corredores, recolhe suas faixas verdes e lhes entrega faixas vermelhas, silenciosamente reconhecendo que o segundo lugar é o vencedor. O Bairro Verde exprime toda a sua fúria. Brigas já estão começando no meio da multidão.

Meu olhar se detém na figura solitária de Gemma na praça, perplexa e impotente, e, por um momento, lembro-me de Violetta. Os Inquisidores a seguram ali, como se pensassem que ela pudesse dar um ataque. O trompetista lhe entrega uma faixa vermelha. Minhas mãos apertam com tanta força a seda da roupa que posso jurar que minhas unhas cortam a pele das palmas. Fios de energia brilham no ar, sinais do crescente medo da multidão – e meu também. As pontas de meus dedos formigam, zumbindo com o poder cada vez maior. No meio da multidão, o fantasma de meu pai aparece e some. Ele desliza por entre as pessoas, seu sorriso assombrado fixo em mim.

As bochechas de Gemma queimam de vergonha. A multidão cai em um silêncio absoluto. Um dos Inquisidores amarra a faixa vermelha em seu braço direito. Ela morde o lábio, mantendo os olhos voltados para baixo. O Inquisidor enrola a faixa três vezes e depois a amarra, apertando cruelmente. Gemma dá um suspiro alto e estremece.

– Sir Barra, do Bairro Vermelho! – anuncia o trompetista, enquanto o novo vencedor ergue os braços.

Os olhos de Gemma continuam baixos. *Saia daí*, penso de repente, me dirigindo a ela, desejando que pudesse me ouvir. Um milhão de fios pairam sobre a praça.

De repente, alguém na multidão joga uma pedra na cabeça do Inquisidor.

Ele a bloqueia com a espada antes que possa atingi-lo, e a pedra faz barulho ao bater no metal e cair no chão, inócua. Ele corre os olhos pela multidão à procura do agressor, mas tudo o que vê é um mar de rostos chocados, mudos e pálidos. Fico tão tensa quanto os demais. Em Dalia, a punição para o ataque a um Inquisidor é a morte.

O Inquisidor acena para seus companheiros. Gemma deixa escapar um grito de protesto quando a forçam a ficar de joelhos. A multidão suspira. Até os desordeiros, os que insultaram Gemma de modo tão aberto, agora parecem em dúvida. Para minha vergonha, é empolgação e não terror que se acumula em meu peito, e as pontas dos meus dedos formigam. A escuridão dentro de mim é uma tempestade em crescimento, sombria como o céu, os fios apertando com a tensão e preenchendo todos os espaços em minha mente. Os Punhais devem estar se preparando para agir. *Devem* estar prontos para salvá-la. Certo? Raffaele disse que os poderes de Gemma diminuem quando ela está assustada.

– Talvez seja preciso dar ao público um lembrete mais duro sobre o que é espírito esportivo – dispara o Inquisidor. Ele aperta a espada contra o pescoço de Gemma com força suficiente para fazê-la sangrar.

Onde está você, Enzo?

Não aguento mais. Tenho que fazer alguma coisa. Antes que eu possa me deter, concentro-me e puxo os fios de energia dentro de mim. A facilidade com que faço isso me atinge com espanto. Há tanta tensão para me alimentar aqui – tanta raiva e desconforto, tantos sentimentos sombrios. As palavras de Raffaele me ocorrem. Concentro-me, focando toda a minha atenção nos fios específicos que estou puxando, consciente do que quero fazer. Os fios resistem, protestando contra a mudança, mas os forço a ceder à minha vontade.

Nos telhados, surgem vultos sombrios.

O suor brota em minha testa, mas me obrigo a manter o foco. Esforço-me para continuar segurando os fios, mas são muitos. Trincando os dentes, faço os vultos mudarem de forma. E, pela primeira vez, eles me obedecem. As silhuetas assumem as formas dos Punhais, seus capuzes escuros e máscaras prateadas intactos, agachando-se aos montes nos telhados, como sentinelas silenciosas, negras contra o céu tempestuoso. Eu os mantenho posicionados ali. Minha respiração está irregular. Parece que corri por horas. Alguns dos vultos tremem, quase sem conseguir manter a forma. *Aguente firme.* Eles se estabilizam. Prendo a respiração ao ver como parecem reais.

Os Inquisidores olham para os telhados. A espada se afasta de Gemma.

– Os Jovens de Elite! – gritam várias pessoas, apontando para minhas ilusões. – Eles estão aqui!

Gritos explodem na multidão. Os cavalos se assustam. Gemma fica de pé com um salto, os olhos arregalados, e aproveita o momento para fugir para o meio das pessoas. O avanço da escuridão dentro de mim é inebriante e irresistível, e me pego acolhendo-a, permitindo que cubra minhas entranhas como tinta. *Um poder tão grande sobre as massas.* Adoro isso.

Não sou forte o bastante para sustentar a ilusão. Os vultos se dispersam e desaparecem assim que os empurro de volta para a linha dos telhados. Abro caminho freneticamente para longe da praça com os outros. Minha súbita ousadia é substituída por raiva de mim mesma. Agora Enzo vai ter certeza de que eu estava aqui – eles podem descobrir o verdadeiro motivo para eu estar na rua. *Podem ficar sabendo sobre meu encontro com Teren e o que contei a ele.* Sinto náuseas. Preciso sair daqui.

À minha volta, todas as pessoas tentam deixar a praça. Alguns Inquisidores bloqueiam as saídas, mas somos muitos e eles não estão em número suficiente. Tomo o cuidado de ficar perto das paredes enquanto as pessoas passam por mim. Tudo ao meu redor é um borrão de caos e cores, rostos mascarados e a sensação do medo dos outros. Fios de energia brilham no ar.

Vinda do nada, uma flecha voa pelo céu e acerta um Inquisidor no peito. Atinge-o com tanta força que o derruba do cavalo.

As pessoas perto dele gritam, espalhando-se em todas as direções. Outra flecha vem voando, e depois outra. Os Inquisidores voltam sua atenção para seus atacantes invisíveis – e, ao fazerem isso, as pessoas enfim passam pelo bloqueio e se libertam da praça. Meu coração martela no peito com a visão do sangue.

Os Punhais.

Cambaleio para fora da praça e refaço meus passos, correndo com os outros. Atrás de mim, ouço Inquisidores exigindo ordem – os barulhos de brigas me informam que estão prendendo as pessoas. Corro. A energia pulsa por mim em ondas implacáveis, me alimentando enquanto tento ignorar seu fluxo nas veias. Apesar de tudo, sinto uma estranha alegria.

Fui eu quem criou todo esse caos.

Quando chego à corte, estou encharcada de suor. Respiro com dificuldade. Contorno o muro lateral do edifício, de frente para uma rua estreita, e, em seguida, escalo o muro baixo coberto por hera. Caio dentro do pátio. Levanto-me, bato a poeira das mãos e abro um portão lateral que leva aos cômodos internos. Finalmente, chego à parede secreta. Eu a empurro, atravesso e corro em direção ao meu quarto. *Pronto. Consegui voltar antes dos outros. Vou para meu quarto e...*

Mas alguém já está me esperando no corredor. É Enzo.

A súbita visão dele me pega de surpresa. Qualquer esperança de ser poupada de sua fúria desaparece quando vejo sua expressão. Seus olhos estão ardentes, o traço escarlate neles mais brilhante do que de costume.

– Você deveria ter ficado aqui – diz ele. A voz mortalmente tranquila. – Por que saiu?

O pânico aperta minha garganta. *Ele sabe.*

Algo se agita atrás dele. Olho por cima de seu ombro e vejo a Caminhante do Vento, sem máscara. Aranha espreita mais no fim do corredor, apoiado na parede, de braços cruzados. Tem um ar presunçoso, ansioso para ver minha punição.

– Hum – diz. – A cordeirinha está em apuros.

Mantenho-me focada em Enzo e tento pensar em uma resposta inteligente. Qualquer coisa que me proteja.

– Eu... – começo. – Eu queria ajudar...

– Você causou uma grande confusão lá fora – interrompe-me Aranha. – Já pensou no que poderia ter acontecido se perdesse o controle de seus poderes?

– Eu intercedi por Gemma – respondo, subitamente irritada. – Não ia ficar ali esperando para vê-la morrer.

Os lábios de Aranha se curvam.

– Talvez seja hora de você manter suas palavras trancadas dentro dessa sua boquinha, que é o lugar delas.

Minha voz se torna mais baixa:

– Cuidado. Para que eu não machuque você. – Não tenho nem ideia de onde vêm as palavras até elas já terem saído.

Enzo nos faz calar com um aceno de cabeça.

– Dante – diz, sem se incomodar em olhar por sobre o ombro. Levo um segundo para notar que Enzo acabou de me revelar o nome verdadeiro de Aranha. – Você está dispensado.

A raiva dele se transforma em descrença – por seu nome ter sido usado na minha frente, ou pela dispensa, talvez pelos dois.

– Você vai deixar essa garota se safar? – dispara. – Ela poderia ter matado um de nós. Poderia ter arruinado toda a missão...

– A Inquisição arruinou a missão – interrompe-o Enzo. Ele mantém os olhos em mim, e sinto um tremor familiar pulsar em meu coração. – Você está dispensado. Não me obrigue a repetir.

Dante hesita por um momento. Em seguida se afasta da parede.

– Fique atenta, cordeirinha – dispara para mim antes de seguir pelo corredor.

A Caminhante do Vento o vê partir, dá de ombros e me lança um olhar desconfiado.

– E agora, Ceifador? – pergunta. – Um plano novo para o Torneio das Tormentas?

– Não há necessidade.

Ela bufa.

– Mas eles desclassificaram Gemma – argumenta. – Ela não vai conseguir chegar perto do rei e da rainha se não puder correr.

Enzo me observa com um olhar tão intenso que faz meu rosto ficar vermelho.

– A menos que se disfarce – responde.

Pisco, minha mente girando com as novas informações que estão me fornecendo. Primeiro, o verdadeiro nome de Aranha. Agora, isso. Será que ele está... *satisfeito* comigo? Permitindo-me participar dos planos dos Punhais? *Eu poderia aprender a disfarçar Gemma. Eu poderia disfarçar qualquer um deles para participar da corrida.*

Enzo chega mais perto de mim, até estar a poucos centímetros de distância. O calor que emana dele queima minha pele por baixo das roupas. Ele estende uma das mãos e toca o fecho que prende o manto a meu pescoço. O metal fica muito quente. Quando olho para baixo, vejo o tecido se desfiar, as pontas escurecidas e chamuscadas. O medo aperta minha garganta.

– Você quer aprender mais rápido – diz ele.

Mantenho o queixo erguido, recusando-me a permitir que veja minha ansiedade.

– Sim.

Ele fica em silêncio. Um segundo depois, tira a mão do fecho do manto, e o calor se esvai do metal derretido, como se nunca houvesse existido. Estou surpresa que não tenha queimado minha pele. Quando volto a olhar para Enzo, noto uma pequena centelha de algo mais por trás da raiva. Alguma coisa em seus olhos envia um tipo diferente de calor, que faz meu corpo formigar.

– Então que seja – responde ele.

Meu coração pula.

– Mas devo avisá-la, Adelina. Dante está certo. Há um limite que você não deve ultrapassar. – Seus olhos se estreitam quando ele cruza as mãos às costas. – Ninguém fica impune se colocar meus Jovens de Elite em risco.

Suas palavras me ferem, pois claramente me isola deles. *Estou isolada deles. Sou uma espiã e uma traidora.* Além disso, e se as coisas tivessem dado errado quando usei meus poderes? Se eu não estivesse lá, os outros Punhais sem dúvida teriam agido para proteger Gemma, e é óbvio que são mais habilidosos do que eu. E se ela tivesse se ferido por causa de minha travessura, porque eu não sabia o que estava fazendo? E se a Inquisição tivesse decidido culpá-la pelos falsos Jovens de Elite nos telhados?

E se Teren tivesse me visto?

– Sinto muito – murmuro para o chão, esperando que ele não possa ouvir em minha voz todos os motivos.

Enzo não demonstra ter aceitado minhas desculpas. Seu olhar parece capaz de queimar minha pele.

– Esta é a última vez que você me desobedece – diz ele, sem um traço sequer de hesitação, e percebo, com um arrepio terrível, que é exatamente isso que ele quer dizer. *Se descobrir sobre Teren, vai mesmo me matar.* – Amanhã. – Sua voz soa tão dura quanto diamante. – Esteja na caverna ao amanhecer. Vamos ver quão depressa você pode aprender. – Ele para de me encarar, se afasta e desce o corredor.

A Caminhante do Vento fica por mais um instante. Ela me dá um empurrãozinho e um sorriso relutante, então estende a mão.

– Eu sou Lucent – diz.

Pego a mão dela, sem saber o que responder. Outra barreira entre mim e os Punhais se desfaz. Não sei se sinto alegria ou culpa.

– A propósito, esse é o jeito dele de agradecer pela sua ajuda – diz ela antes de se afastar. – Parabéns. Ele vai treiná-la pessoalmente.

Teren Santoro

— Você tem alguma ideia de quem é Lady Gemma?
Teren permanece curvado diante do rei.
– Sim, Majestade.
– Percebe que o Barão Salvatore é o pai dela?
– Peço desculpas, Majestade.
– Você é uma droga de um Líder Inquisidor idiota. Não posso bancar a fúria de um nobre como o Barão Salvatore. E ele está *furioso*. Você não deve permitir que seus Inquisidores ameacem a filha dele em público e me causem constrangimento. Mesmo que ela seja uma *malfetto*. Entendido?
– Mas seu decreto, Majestade...
O rei faz um som de desgosto.
– Cumpra meu decreto com *discrição*. – Ele se recosta no trono. – Os Jovens de Elite atacaram as corridas classificatórias. E você ainda não pegou nenhum deles.
Teren controla sua crescente frustração.
– Não, Majestade.
– Eu deveria jogar *você* na masmorra.

Teren mantém os olhos no piso de mármore da sala do trono. Seus dentes estão trincados.

– Sim, Majestade – diz, mas pensamentos furiosos invadem sua mente.

Que rei idiota. Quer que os Jovens de Elite sejam capturados, mas é covarde demais para arriscar suas relações políticas. É covarde demais para travar uma guerra de verdade contra os malfettos. Teren não diz em voz alta que seus Inquisidores ameaçaram Lady Gemma de propósito. Que fora ideia da rainha. Que o jogo está se acirrando. *Faça com que os nobres se voltem contra o rei, e ele ficará fraco.*

E assim que Adelina lhe der as informações...

Ao lado do rei, a Rainha Giulietta inclina-se para sussurrar algo no ouvido do marido. O rei apenas a dispensa, aborrecido. Os ânimos de Teren se agitam. Giulietta olha rapidamente para ele.

Paciência, meu Teren, seus olhos parecem dizer. *Tudo vai ficar bem.*

– Da próxima vez que você me constranger – prossegue o rei –, vou cortar sua cabeça.

Teren se curva mais.

– Não haverá próxima vez, Majestade – responde, firme.

O rei parece convencido e satisfeito. Não entende a ambiguidade nas palavras de Teren.

> Prometo servir à Sociedade dos Punhais, levar o medo aos corações daqueles que governam Kenettra, tomar com morte o que nos pertence e tornar o poder de nossos Jovens de Elite conhecido por cada homem, mulher e criança. Se eu quebrar meu juramento, que o punhal tire de mim o que tirei do punhal.
> – *Juramento de Iniciação da Sociedade dos Punhais*, de Enzo Valenciano

Adelina Amouteru

Na manhã seguinte, quando sigo para encontrar Enzo na caverna, o céu está cheio de nuvens escuras, e gotas de chuva gigantes respingam em mim enquanto atravesso correndo o pátio principal em direção à entrada secreta. Desço as escadas sozinha, tentando não pensar na última vez em que vi uma tempestade como esta.

Não uso nenhum disfarce. Meu cabelo assumiu um brilho escuro, azul-acinzentado sob o céu chuvoso, os fios presos com força para trás, longe do rosto, e meus cílios são uma sombra opaca. Deixei para trás até a máscara de porcelana. Estou vestida com a túnica simples de Kenettra em vez das sedas de Tamoura, um azul profundo sobre linho branco, calças escuras, botas escuras alinhadas com ornamento de prata. Balanço o cabelo para tirar o excesso de água ao caminhar.

Quando chego à caverna, Enzo já está me esperando. Não há mais ninguém no local.

Ele usa um gibão escuro e sua capa da Sociedade está com o capuz abaixado, revelando o cabelo escarlate. A raiva que ardia em seus olhos na noite passada foi substituída por uma severidade fria. Não tenho certeza do que ele espera que eu faça, então paro a alguns metros e curvo a cabeça uma vez. Aqui, sozinha, de repente me sinto pequena – não tinha me dado conta de quão mais alto do que eu ele é.

– Bom dia – digo. – Vossa Alteza me chamou, então estou aqui.

Enzo me observa. Pergunto-me se ele vai fazer algum comentário a respeito de como controlei as ilusões ontem. A lembrança me faz inflar um pouco de orgulho. *Sem dúvida* ele deve estar orgulhoso disso, independentemente de como o fiz.

– Você quer um desafio – observa ele, depois de uma pausa. Sua voz reverbera no espaço vazio.

Ergo o queixo.

– Sim. – Certifico-me de que minha resposta seja firme.

Uma fraca centelha vermelha brilha em seus olhos.

– Isso a empolga, sentir medo?

Não respondo. Mas as palavras me fazem lembrar do caos à minha volta ontem, na corrida, e não consigo negar o prazer que a onda de poder traz.

– O que você quer tanto aprender, Adelina? – pergunta Enzo.

Eu o olho de igual para igual.

– Tudo – respondo, surpresa com minha tranquilidade.

Ele estende as mãos enluvadas. Espirais de fumaça saem de suas palmas.

– Não sou Raffaele – avisa. – Prepare-se.

De repente, duas colunas de fogo explodem de cada lado meu – elas se erguem para o teto e disparam em longas linhas, aprisionando-me em um corredor de fogo. Cambaleio para trás e tento me concentrar em Enzo. *Você conseguiu ontem; pode conseguir de novo agora.* Puxo os fios de energia que vejo. Um vulto descomunal começa a se erguer do chão.

Mas não faz nem dois segundos que estou concentrada quando Enzo já avança na minha direção. Metal brilha nas mãos dele – seus punhais estão desembainhados. Ele me ataca. Perco a concentração, e a ilusão que criei desaparece. Jogo-me no chão e rolo para longe dele.

As pontas das minhas botas batem na parede de fogo. Estremeço com o calor e me afasto freneticamente.

Antes que eu possa piscar, Enzo está sobre mim de novo. O metal cintila ao meu olhar. Ergo a mão para me proteger, e a lâmina abre um corte fino e superficial na minha palma. A ferida dói.

Ele não tem piedade de mim. Não é apenas um treinamento acelerado, é uma lição.

– Espere... – grito.

– Levante-se, lobinha – rebate ele. O calor do fogo se reflete em seu cabelo vermelho.

Luto para ficar de pé. Minha mão deixa uma marca ensanguentada no chão. A dor e o medo se fundem, dando-me o combustível que tanto desejo. Reagrupo minha energia e desta vez conjuro um lobo de névoa escura, seus olhos dourados e a boca aberta em um esgar. Ele avança para Enzo.

O príncipe corre direto para ele, dissipando o lobo e minha concentração em um sopro de fumaça preta. Os fios deslizam da minha mão de volta para o mundo. Eu os pego de novo – a fumaça preta começa a tomar a forma de um demônio encapuzado. Enzo faz um gesto cortante com a mão em minha direção. O fogo explode diante de meu rosto. Perco o equilíbrio e caio, batendo as costas com força no chão. Meus pulmões lutam por ar.

As roupas escuras de Enzo param ao meu lado. Ergo o olhar e encontro sua expressão fria e cruel.

– De novo – ordena.

Lembro-me das palavras de Dante, mas sua voz soa como a de meu pai. *Você nunca vai dominar suas habilidades*. Tudo o que consigo conjurar é uma bagunça de vultos negros e formas que parecem criaturas? A raiva e o medo correm dentro de mim outra vez. Ponho-me de pé. Já não me resta nenhuma pretensão – às cegas, procuro a escuridão, ergo a mão sobre a cabeça.

Enzo me ataca outra vez antes que eu consiga concentrar meus poderes. Seus punhais refletem a luz do fogo. Outro corte, desta vez um pequeno talho em meu braço. A pontada na carne me faz ver estrelas. Eu me abaixo e saio de seu caminho, indignada. O medo nubla minha mente – os fios de energia estão todos ali, cintilantes, dentro de mim e a minha volta, mas não consigo me concentrar por tempo o bastante para pegá-los.

Tento de novo. Vultos aparecem no ar. Mais uma vez, perco a concentração. O ataque de Enzo é implacável – um borrão de movimento, que me derruba sempre que consigo ficar de pé. Meu cabelo se solta do coque e alguns fios se colam em meu rosto.

– De novo – ordena Enzo a cada vez que caio.

De novo.

De novo.

De novo.

Tento, de verdade. Mas falho todas as vezes.

Por fim, grito e disparo para longe de suas lâminas. Em seguida, me viro e avanço pelo corredor de fogo. Minha mente se dispersa. Desisto de tentar usar energia. À minha frente, estão as portas da caverna, fechadas. No entanto, antes que eu consiga alcançá-las, uma parede de fogo surge diante de mim. Tropeço e caio no chão. Agora estou cercada pelas chamas por três lados. Eu me viro e vejo Enzo vindo até mim, suas vestes ondulando atrás dele, o rosto um retrato de alguém que não tem compaixão. O calor ao redor queima as bordas de minhas mangas, escurecendo-as. Desta vez, me contraio em posição fetal, tremendo, desnorteada. Não consigo me concentrar o bastante para fazer nada. Ele sempre me detém. Como é que vou aprender se não tenho chance de me concentrar?

Mas é claro que ele está me dando uma lição. *Isto não é um jogo. Isto é a realidade.* E quando eu estiver no meio de uma luta, vai ser assim. Gemo, fecho o olho e me enrosco mais, tentando me afastar das colunas de fogo que rugem ao redor. Lágrimas escorrem pelo meu rosto.

Sinto uma figura ali perto. Quando abro o olho, vejo Enzo ajoelhado diante de mim, estudando meu rosto manchado de lágrimas com um olhar de amarga decepção. Mais do que qualquer outra coisa, é esse olhar que dói.

– Tão facilmente derrotada – diz ele, com desdém. – Você não está mesmo pronta. – As colunas de fogo desaparecem. Ele se levanta e passa por mim, suas vestes roçando meu corpo.

Fico sozinha no chão da caverna, encolhida, incapaz de controlar as lágrimas. Fios de cabelo cobrem meu rosto. *Não. Não sou facilmente derrotada. Nunca serei derrotada.* Vou encontrar um modo de sair da bagunça em que me meti – *vou* me desvencilhar das garras da Inquisição e, enfim, ser livre. Olho para Enzo, que se afasta, por trás de um véu de raiva lacrimosa. A raiva me preenche, derramando a escuridão em meu peito até que posso senti-la respingando de todas as fibras do corpo, cada fio de energia tão repuxado que poderia se partir. Minha força começa a crescer. Pelo canto do olho, vejo meu cabelo mudar para um tom prateado brilhante. Estremeço; espalmo as mãos no chão, depois as enterro nele como garras. A dor dispara pelo dedo torto.

Terríveis linhas pretas começam a rastejar pelo chão da caverna. Transformam-se em dezenas, depois centenas e então milhares de linhas que cobrem todo o piso e começam a subir pelas paredes. Entre as linhas escuras, goteja sangue, imitando as linhas vermelhas da palma da minha mão ferida. Uma enorme sombra me cobre. Não preciso erguer o olhar para saber o que criei – asas pretas, tão grandes que parecem cobrir toda a extensão da caverna, crescendo de minhas costas como um par de fantasmas. Um chiado baixo enche a caverna, ecoando nas paredes.

Enzo para e se vira para mim, os olhos ainda duros. Sorrio para ele. Minhas asas gigantes se quebram em um milhão de pedaços – e cada um deles se transforma em um caco de vidro escuro. Arremesso-os na direção de Enzo. Eles o atravessam, batem na parede e criam uma explosão de centelhas.

Enzo não se assusta, mas *pisca*. Os cacos pareceram reais o bastante para fazê-lo reagir. Ele cruza as mãos nas costas e me olha.

– Melhor.

Caminha novamente em minha direção. A cada pisada sua, as linhas pretas se erguem do solo, transformadas em mãos esqueléticas que tentam agarrar suas pernas. Eu me regozijo com tudo isso, os milhões de fios cintilando diante de mim, prontos para obedecer meu comando.

– Entrelace os fios! – ordena Enzo enquanto se aproxima.

Chamas aparecem atrás dele. Fico de pé e me afasto até que minhas costas se apoiem na parede da caverna.

– Continue. Faça algo que seja mais do que uma silhueta escura. Faça algo com *cor*.

Ainda afundando na raiva e no medo, pego os fios que vejo e os cruzo, pintando o que aparece na mente. E assim – de modo lento e doloroso – uma nova criação emerge diante de mim. Enzo está quase me alcançando. Entre nós, pinto algo de vermelho, um vermelho tão intenso que quase me cega. A cor se transforma em pétalas, uma camada sobre outra, cobertas de orvalho escuro. Embaixo dessa espiral, um caule verde coberto de espinhos. Enzo para diante da ilusão que flutua. Observa-a por um momento e em seguida estende a mão para tocá-la. Puxo os fios no ar. O sangue brota de suas luvas, pingando das palmas de suas mãos para o chão, imitando o sangue de verdade na palma da minha mão ferida. Isso me faz lembrar do dia em que fechei a mão em volta dos espinhos das rosas no jardim de papai.

Estou aprendendo a imitar a realidade.

Enzo avança, passa pela ilusão da rosa e para a poucos centímetros de mim. O sangue some de suas luvas. Encaro-o, desafiadora. Mantenho o coração aberto, saboreando a enxurrada de emoções sombrias que me preenchem. O calor do fogo dele faz meu rosto ficar vermelho.

Enzo assente uma vez.

– Muito bem – murmura. Pela primeira vez, parece impressionado.

– Eu *estou* pronta – respondo, zangada. Para meu horror, as lágrimas ainda estão úmidas no rosto. – Não tenho medo de você. E, se me der uma chance, posso mostrar do que sou capaz.

Enzo apenas me observa. Perscruto seus olhos e mais uma vez vejo a estranha expressão espreitando por trás de suas feições frias, algo que vai além do desejo de explorar meus poderes. Algo que parece quase... familiaridade. Nós nos encaramos por um longo momento. Por fim, ele estende a mão e seca uma de minhas lágrimas com gentileza.

– Não chore – diz em voz firme. – Você é mais forte do que isso.

> Quando o mundo era jovem, os deuses e deusas deram à luz
> os anjos, Alegria e Ambição, Beleza, Empatia e Tristeza,
> Medo e Fúria, centelhas de humanidade. Sentir emoções,
> portanto, ser *humano*, é ser filho dos deuses.
> – *O nascimento dos anjos*, diversos autores

Adelina Amouteru

A tempestade enfim passa, deixando uma Estenzia devastada em seu caminho – telhas quebradas, templos inundados, navios destruídos, mortos e moribundos. Enquanto algumas pessoas correm para os templos, outras se reúnem nas praças. Teren lidera o maior desses encontros. Posso ver tudo das sacadas da Corte Fortunata.

– Deixamos uma *malfetto* vencer as corridas classificatórias – grita ele – e vejam como os deuses nos puniram. Eles estão zangados por causa das aberrações que permitimos que andem entre nós.

Algumas pessoas ouvem em um silêncio sombrio. Outras começam a gritar junto, erguendo os punhos em resposta. Atrás de Teren há três jovens *malfettos* – um deles quase uma criança. Provavelmente foram tirados dos guetos da cidade. Eles estão amarrados a um poste erguido no centro da praça, amordaçados. Seus pés estão escondidos no meio de uma pilha de madeira. Dois sacerdotes os cercam, dando sua aprovação silenciosa.

Teren ergue a tocha. A luz do fogo lança um tom laranja em seus olhos pálidos.

– Esses *malfettos* são acusados de serem Jovens de Elite, pois estavam entre aqueles que atacaram os Inquisidores durante as corridas. A Inquisição os julgou culpados. É nosso dever enviá-los de volta ao Submundo e manter a cidade em segurança.

Ele joga a tocha na pilha de madeira. Os *malfettos* desaparecem, berrando, por trás da cortina de fogo.

– De hoje em diante – brada Teren, mais alto que o rugido das chamas –, todas as famílias e lojas de *malfettos* pagarão impostos dobrados à coroa, como compensação ao azar que trazem para nossa sociedade. A recusa será vista como motivo razoável para que se suspeite de que estejam envolvidos com os Jovens de Elite. Criminosos serão detidos imediatamente.

Não consigo ver os Punhais daqui, mas sei que estão assistindo à execução dos telhados. Sei que neste exato momento Dante está prendendo flechas ao seu arco, preparando-se para livrar cada um dos *malfettos* de seu sofrimento. Tento não me perguntar por que eles não se arriscam a salvá-los.

No dia seguinte, uma multidão enraivecida destrói o negócio da família de um *malfetto*. Cacos de vidro se espalham pelas ruas.

Minhas lições estão mais rápidas.

Enzo assume minha tutela, vindo à corte tarde da noite ou de manhã bem cedo. Só quando Gemma me conta em segredo é que fico sabendo que ele nunca treinou ninguém assim antes. Sua intenção era me incentivar, mas tudo o que consigo fazer é ficar deitada a noite inteira, acordada, temendo o momento em que verei Teren de novo.

Para aprimorar minhas habilidades de ilusão, Enzo chama Michel, o Arquiteto.

– Ridículo – diz Michel em nossa primeira sessão juntos. Ele traz sua visão de pintor, e seu olhar crítico desdenha meu trabalho. – Você chama isso de rosa? As sombras estão todas erradas. As pétalas são grossas demais, e a textura é muito áspera. Onde está a essência? O delicado toque de vida?

Michel me obriga a criar pequenas ilusões, tão minúsculas quanto sou capaz. Isso ajuda a melhorar minha concentração sem drenar minha energia, e requer que eu preste atenção a tudo em uma escala mínima, a detalhes com os quais não costumo me importar. Aprendo a criar ilusões de pequenas flores, chaves, penas, a textura de uma farpa, as rugas na articulação de um dedo. Ele me lembra de que, quando quero recriar um objeto, preciso pensar como um pintor: uma pedra lisa não é nem um pouco lisa, mas coberta de minúsculas imperfeições; branco não é branco, mas uma dezena de diferentes tons de amarelo, púrpura, cinza e azul; a cor da pele muda de acordo com a luz que incide sobre ela; um rosto nunca está completamente imóvel, mas tem infinitos e imperceptíveis movimentos sobre os quais nunca pensamos duas vezes. Os rostos são o mais difícil. O menor deslize e não parecem naturais, mas estranhos e falsos. Conjurar a centelha de vida nos olhos de uma pessoa é quase impossível.

As palavras de Michel são as mesmas de Raffaele. Aprendo a *ver*. Começo a notar todas as coisas que não estavam lá antes. Com isso, vem outro pensamento: se conseguir dominar meus poderes, talvez possa enfrentar Teren da próxima vez com algo além de informação traidora. Talvez possa atacá-lo. A ideia me incentiva com uma intensidade febril.

Passo cada minuto acordada treinando. Às vezes, treino sozinha. Outras, observo Enzo treinar com Lucent e Dante. De vez em quando, Gemma me puxa de lado e trabalha comigo enquanto os outros duelam. É ela que me ensina como acalmar a mente para sentir melhor as mentes dos outros.

– Por que não lutamos com eles? – pergunto. Hoje ela está com um gato, enorme e feroz, com um ronronado baixo.

Ela sorri para mim e baixa os olhos para o gato. Ele se desvencilha das pernas dela e vem caminhando devagar para mim. Eu me afasto de sua cara selvagem, mas ele esfrega a cabeça na minha perna e se acomoda a meus pés.

– Não sou uma lutadora – responde Gemma, cruzando os braços. – Papai acha que tenho mãos bonitas e não quer que as estrague, pois sou um ótimo partido.

Ela ergue as mãos para enfatizar o que diz e, sem dúvida, são mesmo bonitas e delicadas. Por um momento me esqueci de que Gemma, ao contrário de Lucent e do ex-soldado Dante, nasceu uma dama. E isso foi a única coisa que a poupou da ira da Inquisição depois do incidente na corrida de cavalos. Também sinto uma pontada de ciúme por sua família parecer gentil e encorajadora. Nunca me ocorreu que alguém pudesse amar de verdade seus filhos *malfettos*.

O gato enrolado em minhas pernas mia para mim antes de voltar para Gemma. *Criatura estúpida*, penso, mal-humorada. Olho para Gemma.

– Por que você está sempre com animais diferentes?

– Eles me seguem. Às vezes tenho facilidade de me ligar a certos animais, a ponto de fazer isso sem querer. Este rapazinho me seguiu por todo o caminho desde a propriedade de meu pai. – Ela coça a cabeça do animal com carinho, e ele ronrona em resposta. – Ele não vai ficar para sempre. Mas vou aproveitar sua companhia por enquanto.

Volto minha atenção para o duelo. Assistimos à luta por um tempo, até que Gemma pigarreia e olho para ela de novo. Desta vez, sua expressão despreocupada dá lugar a outra mais séria.

– Nunca agradeci direito pelo que você fez na praça da corrida – diz. – Aquilo foi impulsivo, corajoso e de tirar o fôlego. Meu pai e eu estamos muito gratos.

Seu pai deve ser um patrono dos Punhais, pelo modo como fala dele. As palavras gentis agitam um calor em mim, e me pego retribuindo seu sorriso. A escuridão em mim enfraquece por um momento.

– Fico feliz por ajudar – respondo. – Você pareceu um pouco infeliz lá.

Gemma franze o nariz.

– Não foi meu melhor momento. – Ela ri. Um som envolvente e luminoso, a risada de alguém que é amado. Apesar de tudo, não consigo evitar rir com ela.

– Você está se apegando a Gemma – comenta Raffaele no dia seguinte, enquanto caminhamos juntos pelas catacumbas subterrâneas.

Seu cabelo está amarrado no alto da cabeça com um nó elegante e escuro, deixando à mostra seu pescoço fino. Ele usa uma túnica azul-escura com debruns em prata. Só consigo ver o lado dele que está iluminado pela luz da lanterna, e isso me deixa nervosa, fazendo-me sentir que a escuridão está tentando nos engolir inteiros.

— É fácil gostar dela — digo após um instante. Não gosto de admitir isso. Eu não deveria estar me tornando próxima de nenhum dos Punhais.

Raffaele se vira e me dá um breve sorriso, depois volta a desviar o olhar.

— Os túneis se dividem mais uma vez aqui. Está vendo? — Ele para e ergue a lanterna e, na penumbra, vejo o caminho a nossa frente se dividir em dois, fileiras intermináveis de urnas junto às paredes. Raffaele escolhe o caminho da direita. — Agora estamos andando debaixo da Praça das Doze Divindades, o maior mercado da cidade. Se prestar atenção, poderá ouvir um pouco do burburinho. É um ponto superficial.

Nós dois paramos a fim de ouvir e, sem dúvida, posso distinguir os gritos fracos de pessoas anunciando suas mercadorias: meias e doces, dentifrícios e sacos de nozes carameladas. Assinto. Meus últimos tempos com Raffaele foram todos gastos aprendendo sobre as catacumbas. A caverna principal é conectada a um labirinto ainda maior de túneis. Muito maior.

Continuamos andando, memorizando uma bifurcação após outra, uma colmeia de caminhos silenciosos que correm paralelos ao mundo agitado da superfície. Vejo os afrescos nas paredes mudarem de acordo com o tempo. As paredes parecem se fechar a minha volta, prontas para me enterrarem com as cinzas das gerações passadas. Tenho certeza de que, sem a ajuda de Raffaele, eu morreria aqui, perdida no labirinto.

— Este caminho leva a uma porta escondida sob os templos — diz Raffaele, quando passamos por outra bifurcação. — O caminho oposto vai levá-la à propriedade de Enzo no norte. — Ele inclina a cabeça para o túnel escuro à frente. — Havia até um caminho usado para chegar à Torre da Inquisição, embora esteja fechado há muitas décadas.

Fico em silêncio diante da menção à torre. Raffaele percebe meu desconforto. Caminhamos um bom tempo no escuro, sem dizer nada.

Por fim, paramos em um beco sem saída. Raffaele passa os dedos delicadamente pela beirada da parede. Encontra uma pequena ranhura na pedra e dá um empurrão. A parede gira devagar, e a luz invade o espaço. Estreito o olhar.

– E este – diz Raffaele – é meu caminho favorito.

Passamos pela parede aberta e nos encontramos à entrada de um túnel, os antigos degraus de pedra afundando nas águas dos canais, um lugar silencioso e escondido com vista para o porto principal e o início do Mar do Sol. Gôndolas distantes deslizam na água dourada.

– Ah – suspiro. Por um instante, esqueço meus problemas. – É lindo.

Raffaele se senta em um degrau logo acima da água, e eu o imito. Por um tempo, não dizemos nada, apenas ouvimos a água bater gentilmente contra a pedra.

– Você vem sempre aqui? – pergunto, após um momento.

Ele assente. Seus olhos coloridos se focam em um píer ao longe, onde se ergue a silhueta indistinta de um palácio. A luz delineia seus cílios longos.

– Nos dias tranquilos. Isso me ajuda a pensar.

Ficamos sentados em um silêncio confortável. As canções dos gondoleiros ao longe flutuam até nós. Pego-me cantarolando junto, a melodia da canção de ninar de minha mãe me vindo aos lábios por instinto.

Raffaele me olha com um sorrisinho, os olhos brilhantes de interesse.

– Você canta essa música com frequência – comenta, após um momento. – 'A canção de ninar do rio Maiden'. Eu a conheço. É adorável.

Assinto.

– Minha mãe costumava cantar para mim quando eu era muito pequena.

– Gosto quando você canta. Acalma sua energia.

Faço uma pausa, envergonhada. Ele deve ser capaz de sentir meu acentuado desconforto dos últimos dias, à medida que meu encontro com Teren se aproxima.

– Não sou muito boa. Não tenho a voz dela.

Quase falo sobre minha irmã, como a voz de Violetta é mais parecida com a de mamãe – mas então me lembro de onde minha irmã está agora. Engulo as palavras.

Raffaele não faz nenhum comentário sobre minha energia dessa vez. Talvez ele ache que pensar em minha mãe me entristeça.

– Pode cantá-la para mim? – peço, para me distrair. – Nunca o ouvi cantar.

Ele inclina a cabeça para mim de um jeito que me faz corar. Meu alinhamento com a paixão se agita. Seus olhos voltam para a água. Ele cantarola um pouco, depois entoa os primeiros versos da canção de ninar. Meus lábios se abrem ao som de sua voz, a doçura da melodia, o modo como a letra paira no ar, leve, clara e cheia de saudade. Quando canto, a música sai como notas separadas, mas, na voz de Raffaele, as notas se transformam em *música*. Posso ouvir minha mãe naquelas palavras. Lembro-me de uma tarde quente em nosso jardim banhado pelo sol, quando minha mãe dançou comigo enquanto cantava. Quando ela me pegou, eu me virei para abraçá-la e me enterrei em seu vestido.

Mamãe, mamãe, chamei. *Você vai ficar muito triste quando eu crescer?*

Minha mãe se abaixou e tocou meu rosto. Suas bochechas estavam molhadas. *Sim, querida,* respondeu. *Vou ficar muito triste.*

A música termina, e Raffaele deixa a última nota desaparecer no ar. Olha para mim. Percebo que as lágrimas estão borrando minha visão e me apresso em secá-las.

– Obrigada – murmuro.

– De nada. – Ele sorri, e há um afeto genuíno em sua expressão.

Por um momento, sinto algo que nunca experimentei fora da Sociedade dos Punhais. Algo que só estou descobrindo agora, cercada por jovens estranhos que me fazem lembrar de mim mesma. Bondade. Sem amarras.

Posso vislumbrar uma vida para mim aqui, como parte do grupo.

Esse é um pensamento muito, muito perigoso. Como posso ser amiga deles, fazendo o que estou fazendo? Quanto mais me aproximar, mais difícil será a próxima vez que tiver que entregar a Teren o que lhe prometi. Porém, quanto mais tempo o mantenho longe e mais forte me torno, mais ousada fico. Volto a olhar a paisagem com Raffaele, mas minha mente gira. *Preciso encontrar um modo de escapar, de encontrar Violetta sem dar informações a Teren.* E o único modo é criar coragem para contar a verdade aos Punhais.

As sessões de Raffaele comigo despertam uma paixão sutil – mas nada do que eu faça com quem quer que seja chega perto de meus treinos com Enzo.

Ele leva minhas emoções ao extremo. Ensina-me a criar uma ilusão convincente de fogo, mostra como uma chama tremula, como sua cor muda do vermelho para o dourado, o azul e o branco. Eu crio e crio, até ficar exausta.

– Seus golpes não estão focados – dispara ele certa noite, enquanto me ensina os fundamentos da luta com uma espada de madeira. – Concentre-se.

O barulho de nosso duelo ecoa na caverna vazia. Ele tira a arma de minha mão com um golpe, sem esforço, a joga para o alto com um chute e a entrega de volta para mim. Luto para pegá-la, mas minha visão prejudicada faz com que eu erre por uns bons centímetros. A madeira bate em meu pulso. Estremeço. Nessa hora, tudo o que quero fazer é ir para a cama.

– Peço desculpas, Alteza – digo, ignorando a dor. Amaldiçoo-o para o Submundo: ele sempre ataca no meu lado cego. Sei que tenta me irritar de propósito, para aumentar meu poder, mas não me importo. – Sou filha de um comerciante. Não fui treinada para duelar.

– Você não está duelando. Está aprendendo defesa básica. Jovens de Elite têm inimigos. – Enzo aponta a espada para mim. – De novo.

Ataco. Conjuro a silhueta escura de um lobo e a atiro contra Enzo, na esperança de desequilibrá-lo. Não funciona. Ele se desvia de meu golpe com facilidade e contra-ataca, batendo sua espada contra a minha duas vezes até estarmos perto da parede da caverna. Ele gira e puxa um punhal de sua bota. Essa segunda arma para a um milímetro de meu pescoço.

Minha raiva aumenta. Qual é o sentido de fazer um cordeiro confrontar um assassino experiente? Crio uma ilusão de fumaça que explode em torno de nós. Faço um movimento que ele me ensinou – pegar o punhal e apontá-lo para sua garganta.

Sua mão se fecha com força em meu pulso antes que eu consiga tocá-lo. O calor me percorre. Sinto algo afiado contra o peito. Quando olho para baixo, vejo a ponta da espada sobre minhas costelas.

– Não se esqueça de uma arma por causa de outra – diz ele. Um lampejo de aprovação brilha em seus olhos. – Ou logo será espetada.

– E talvez você devesse saber quais armas são reais – respondo.

O punhal que estou segurando perto de sua garganta desaparece em uma nuvem de fumaça. O verdadeiro, que tirei dele, está na minha outra mão, pressionado contra seu flanco.

Enzo me olha com uma expressão pensativa. Em seguida, sorri – um sorriso sincero, cheio de surpresa e diversão, que aquece seu rosto. Meu medo é repentinamente substituído pela alegria, a satisfação de enfim agradá-lo. Com cuidado, ele deixa cair a espada de madeira, afasta minha mão de seu corpo e ajeita minha pegada no cabo do punhal. O calor me percorre mais uma vez. Seu peito está pressionado contra o meu ombro e a lateral de meu corpo; sua mão enluvada cobre a minha. Uma onda de paixão atravessa a escuridão dentro de mim, e a cor da fumaça a nossa volta muda de preto para vermelho.

– Assim – murmura ele, moldando minha mão na pegada correta. Não diz nada sobre a mudança de cor da fumaça.

Fico em silêncio e faço o que ele manda. O calor que passa dos dedos dele para os meus é tão delicioso quanto água quente sobre um corpo dolorido.

– Crie um punhal de novo – sussurra Enzo. – Quero dar uma boa olhada nele.

Com a raiva ainda se agitando em mim e seu toque me causando calafrios, eu me concentro. É mais fácil agora. Diante de nossos olhos, surge o esboço de um punhal. Ele estremece e brilha, não está inteiro, então o preencho com detalhes: a pintura escarlate e as ranhuras no cabo, o brilho suave da lâmina e da linha central que o atravessa. Solidifico-o. A lâmina adquire uma ponta afiada. Giro o punhal no ar até estar apontado para nós.

Quase não há diferença entre a ilusão e a realidade.

Olho para o lado e vejo Enzo fixado no punhal falso. Seu coração bate através do tecido de suas roupas, ritmado contra minha pele.

– Espetacular – murmura. De alguma forma, acredito ter ouvido um duplo sentido por trás da palavra.

Ele me solta, então embainha seu punhal com um floreio. O sorriso se foi.

– Chega por hoje – diz. Não sustenta o olhar, mas sua voz está diferente. Mais suave. – Vamos continuar amanhã.

Sou tomada por um impulso repentino. O rosto de Teren dança em meus pensamentos, e então se transforma em uma visão de minha irmã. Não sei de onde vem o impulso, se é de meu alinhamento com a paixão ou com a ambição, mas, antes que possa me deter, uso toda a minha energia para alcançá-lo. Enzo para e se vira para mim com a sobrancelha erguida.

– O que foi? – diz simplesmente.

Silêncio. Toda a tensão reprimida nas duas últimas semanas agora explode, e me pego lutando para encontrar as palavras. *Conte a ele. Esta é sua chance.*

Conte a verdade.

Enzo me lança um olhar paciente e penetrante.

As palavras estão bem ali, na ponta da minha língua. *A Inquisição me obrigou a espionar vocês. Mestre Teren Santoro está fazendo minha irmã refém. Você tem que me ajudar.*

E então, quando olho nos olhos de Enzo, lembro-me do calor de seu poder. Tento falar mais uma vez. E de novo as palavras ficam presas.

Por fim, consigo dizer alguma coisa. Mas o que sai é:

– Quando vou sair em uma missão?

Enzo estreita os olhos. Dá vários passos lentos para a frente, até estarmos separados por apenas alguns centímetros. Meu coração bate furiosamente. Sou uma idiota. *Por que falei isso?*

– Se precisa perguntar – responde Enzo –, então não está pronta.

– Eu... – O momento se foi. A verdade que estivera tão perto de meus lábios agora se recolhe de novo, enterrada sob os medos. Minhas bochechas queimam de vergonha. – Achei que você quisesse que eu fosse – consigo concluir.

– Por que eu ia querer você comigo em uma missão, lobinha? – pergunta ele, em voz baixa.

Uma onda de paixões me atravessa, cortando a tensão que luta em meu peito.

– Porque eu impressiono você – respondo.

Enzo fica em silêncio. Em seguida, uma de suas mãos enluvadas toca meu queixo, erguendo-o de leve, enquanto a outra se apoia na parede de pedra ao lado da minha cabeça. Estremeço com seu toque. O que é essa luz estranha em seus olhos? Ele me olha como se tivesse me conhecido antes. Luto contra a vontade de encobrir o horrível lado de meu rosto com a cicatriz.

– É mesmo? – sussurra de volta.

Ele se inclina, tão perto que seus lábios agora pairam bem acima dos meus, suspensos no espaço antes de um beijo, me provocando. Talvez ele esteja me testando outra vez. Se eu me mover, vamos nos tocar. O calor atravessa suas mãos e percorre meu corpo, inundando cada veia e enchendo meus pulmões com fogo. A energia ruge em meus ouvidos. Estou no meio do oceano, fustigada por todos os lados por correntes quentes. Ao mesmo tempo, sinto uma onda de algo novo, algo que só senti superficialmente durante meu primeiro teste com os Punhais. A parte de mim que respondeu à roseta, à paixão e ao desejo desperta agora. A energia dela sobe pelo meu peito, ameaçando explodir para fora da pele, tornando instável o domínio de meus poderes. Ilusões aleatórias surgem a nossa volta, vislumbres de floresta, de noite e de oceano escuro. Sinto-me grata pela parede atrás de mim. Se eu não tivesse onde me encostar, tenho certeza de que cairia de joelhos.

Há algo que eu precise saber?, imagino Enzo perguntando.

E, por um momento, estou tão convencida de que ele diz isso em voz alta que quase confesso tudo.

Então Enzo se afasta. O calor que me atravessa se dissipa quando ele puxa sua energia de volta, deixando-me fria e dolorida. Minhas ilusões desaparecem. Pela primeira vez desde que o conheci, ele não é o frio, confiante e mortal Ceifador... Há um lampejo de vulnerabilidade nele, talvez até de culpa. Eu o encaro com a mesma confusão. Minhas bochechas ainda estão quentes. O que aconteceu entre nós? Ele é o líder da Sociedade dos Punhais, o príncipe herdeiro, um assassino famoso, o potencial futuro rei. E ainda assim, de alguma forma, consegui perturbá-lo. Ele *me* perturbou. O segredo não revelado pesa entre nós, um abismo escuro.

Seu momento de vulnerabilidade passa e ele retoma o distanciamento que conheço tão bem.

– Vamos pensar em suas missões – diz, como se nada tivesse acontecido.

Talvez não tenha mesmo, talvez nosso pequeno momento não tenha sido nada além de uma ilusão que criei sem querer, como tudo o mais que apareceu a nossa volta. Como o fantasma de meu pai.

Meus ombros se afundam diante da quase tragédia. Não respondo. Talvez eu tenha escapado por pouco da morte.

Enzo me dá um aceno cortês, em seguida vira-se de costas e sai da caverna, deixando-me sozinha com meu coração disparado. Quando olho para o lado, noto que a parede onde ele se apoiava agora está escurecida e carbonizada com a marca de sua mão.

Raffaele Laurent Bessette

— Alguma mudança em sua opinião sobre ela? – pergunta Enzo em voz baixa.

Raffaele se vira para outro lado. Os dois estão parados na entrada da caverna, observando o treinamento dos outros Punhais. Ambos têm os olhares focados na mesma pessoa: Adelina, que está sentada a um canto com Michel e pratica tecer os fios de sua energia para formar pequenos objetos familiares. Um anel de ouro. Uma faca. Um pedaço de renda. A cada gesto, Raffaele sente a energia dela mudar. Observá-la aprendendo a criar ilusões o lembra da energia que sente quando vê Michel em ação. Tentando imitar a vida. À medida que ela cria, Michel critica seu trabalho com uma série de insultos desanimados, mas Raffaele sabe que o jovem pintor está impressionado. Perto dali, Lucent interrompe seu treinamento de vez em quando para gritar desafios para Adelina. *Faça um talento de ouro! Faça um pássaro! Faça uma estátua!* Adelina atende, suas ilusões se tornando mais complexas. Lucent assente, admirada.

— Adelina estava certa – responde Raffaele, enfim, observando os laços de amizade se estreitarem. Talvez ele a tivesse julgado mal no começo. – Eu a estava treinando em um ritmo lento demais para seus poderes.

Enzo assente uma vez, concordando.

– Ela está aprendendo em um ritmo que nunca vi.

As palavras deixam Raffaele inquieto. Ele volta a pensar em como ela reagiu ao âmbar e à pedra da noite, como ele alertou Enzo para que se livrasse dela. Pensa nas alarmantes mudanças pelas quais a escuridão de Adelina tem passado nos últimos tempos, em como o novo ritmo de seu treinamento vem afetando sua energia, e em como parece frequentemente ansiosa, com medo e solitária. As emoções transbordam dela. Algo em Adelina... há uma fragilidade sob a concha escura que ela começou a construir em torno de si mesma, uma pequena luz que ainda resiste. Uma luz precária que vacila mais a cada dia.

– Sabe, há um motivo para eu tê-la treinado tão devagar – diz Raffaele, após um momento.

Enzo olha para ele.

– Você a estava atrasando de propósito.

– Eu a estava atrasando para nos proteger. – Raffaele escolhe as próximas palavras com cuidado. – É verdade, ela pode se tornar a mais poderosa de todos nós. Ela já é capaz de criar ilusões que enganam os olhos e ouvidos. Um dia, vai perceber que também pode enganar o paladar, o olfato e o tato. – Ele olha de esguelha para Enzo. – Você sabe o que isso significa, não sabe?

– Ela será capaz de enganar um homem sedento e fazê-lo beber metal líquido. Será capaz de fazer alguém sentir uma dor que não existe.

Raffaele estremece diante das possibilidades.

– Certifique-se de que o controle dela sobre suas habilidades não seja maior que a lealdade a você. Adelina pode ter um alinhamento mais forte com o medo e a raiva, mas também se alinha com a paixão e a ambição. Tal combinação a torna imprudente, pouco confiável e sedenta por poder.

Enzo observa enquanto Adelina cria, sem pressa, a ilusão detalhada de um lobo, tão realista que é como se o animal de fato estivesse ali no chão da caverna. Michel aplaude em aprovação.

– Ela será magnífica – responde Enzo.

Dessa vez, Raffaele sente a mudança da energia do príncipe ao mencionar Adelina, vislumbres de uma emoção que normalmente não associa ao Ceifador. Pelo menos, há anos. *Algo aconteceu entre eles*, percebe. Algo perigoso.

– Ela não é Daphne – lembra-o Raffaele, com gentileza.

Enzo o encara, e naquele momento Raffaele sente uma pontada de profunda simpatia pelo jovem príncipe. Ele se lembra da tarde em que acompanhou Enzo à loja do boticário para ver sua jovem assistente. Quando testemunhou o pedido de casamento de Enzo. Mesmo com a chuva suave caindo do lado de fora da loja, o sol ainda brilhava, pintando o mundo com uma névoa brilhante de luz. Daphne rira da afeição nos olhos de Enzo, brincara com a gentileza em sua voz, e ele rira com ela. Raffaele a vira tocando o rosto de Enzo e o puxando para perto.

Case-se comigo, Enzo dissera a ela. Daphne o beijara em resposta.

Após a morte de Daphne, Raffaele nunca mais sentira essa emoção no coração de Enzo.

Até agora.

Finalmente, Enzo acena com uma breve despedida e se vira para sair.

– Prepare-a – diz a Raffaele antes de ir. – Ela virá conosco para as Luas de Primavera.

Pela primeira vez participei das festividades das Luas de Primavera, e foi como se tivesse entrado em uma terra estranha.
As pessoas haviam se transformado em visões de fadas e demônios.
Eu não conseguia decidir se queria ficar ou ir embora.
– Carta de Amendar de Orange para sua irmã,
em sua segunda viagem para Estenzia

Adelina Amouteru

Houve um tempo, durante minha infância, um tempo curto, em que meu pai foi bondoso comigo. Sonhei com isso esta noite.

Estou com treze anos. Meu pai acorda de bom humor, vai até meu quarto e abre as cortinas para deixar a luz entrar. Eu o observo com desconfiança, sem saber o que causou essa mudança repentina. Teria Violetta dito algo a ele?

– Vista-se, Adelina – diz ele, sorrindo para mim. – Hoje vou levá-la ao porto comigo.

Em seguida, ele sai, cantarolando baixinho.

Meu coração dá uma guinada de emoção. É possível que isso esteja mesmo acontecendo? Meu pai sempre leva Violetta ao porto, para ver os navios e lhe comprar presentes. Sempre fiquei em casa. Fico mais um momento sentada na cama, ainda incerta, mas depois pulo para o chão e corro para a penteadeira. Escolho minha roupa favorita, um vestido de seda tamourano azul e creme, e amarro duas longas tiras de tecido azul nos cabelos, prendendo-os no alto da cabeça. Talvez Violetta vá conosco, penso. Vou até o quarto dela, esperando encontrá-la pronta também.

Violetta ainda está na cama. Quando digo aonde vamos, parece surpresa e depois preocupada.

– Tome cuidado – alerta.

Mas estou tão feliz que apenas zombo dela. Violetta *parece* estar sendo gentil, mas é só porque está com ciúmes, já que não vai conosco. Dou-lhe as costas. O aviso de minha irmã some de meus pensamentos.

Faz um dia maravilhoso, de cores brilhantes. Meu pai me leva em um passeio pelo canal e me ajuda a sair da gôndola. O porto está apinhado de gente, os comerciantes pedem que seus produtos sejam enviados para os endereços certos, os vendedores estão de pé atrás de suas barracas, gritando para os transeuntes curiosos, crianças correm atrás de cães. Meu pai *segura minha mão*. Corro ao lado dele, rindo de suas piadas, sorrindo quando sei que devo. No fundo, estou com medo. Isso não é normal. Meu pai compra tigelas de raspadinha aromatizada com leite e mel para nós e, juntos, nos sentamos para ver os lenhadores e calafates trabalharem em um novo navio. Ele conversa animado, dizendo quão rigorosa Estenzia é quanto à qualidade de seus navios, como cada corda, vela e bobina é marcada com rótulos e cores que identificam o artesão responsável. Não entendo tudo o que diz, mas não me atrevo a interrompê-lo. Espero o momento em que vai ficar violento. Mas meu pai parece tão despreocupado que me deixo enfeitiçar, permitindo-me acreditar totalmente que ele, enfim, está feliz comigo.

Talvez as coisas passem a ser diferentes a partir de agora. Talvez eu só tenha cometido erros até o momento.

Por fim, quando o sol começa a descer no céu, voltamos para a gôndola e seguimos para casa.

– Adelina – diz ele quando nos sentamos juntos, balançando com a corrente. Ele segura meu rosto entre as mãos. – Eu sei quem você realmente é. Não precisa ter medo.

Mantenho o sorriso, apesar de meu coração vacilante. O que ele quer dizer?

– Mostre-me o que pode fazer, Adelina. Sei que deve haver algo dentro de você.

Olho para ele em silêncio, confusa, o sorriso bobo ainda plantado em meus lábios. Quando não respondo, a expressão gentil de meu pai começa a desaparecer.

– Vá em frente – insiste ele. – Não precisa ter medo, filha. – Ele baixa a voz: – Mostre-me que não é uma *malfetto* comum. Vamos.

Aos poucos, começo a perceber que ele usou a bondade para tentar despertar meu poder. Talvez tenha até feito uma aposta com alguém, uma pessoa que pagaria por mim, se eu demonstrasse alguma habilidade estranha. Meu sorriso estremece junto com meu coração. Ele tentou usar de violência, mas não conseguiu despertar um poder em mim. Agora, ele quer tentar com afeto. *Tome cuidado*, Violetta dissera. Está vendo como sou idiota?

Ainda assim, eu tento. Quero muito agradá-lo.

No dia seguinte, a mesma coisa se repete. Meu pai está estranhamente gentil e atencioso, me tratando como se visse Violetta diante dele, e não eu. Minha irmã não diz mais nada, e fico aliviada. Sei o que ele quer de mim. E estou tão ávida por sua falsa bondade que tento todos os dias, o máximo que posso, evocar algo para agradar meu pai.

Mas nunca acontece.

Por fim, semanas mais tarde, o bom humor de meu pai esmorece. Ele segura meu rosto entre as mãos uma última vez na carruagem de volta para casa. Pede que eu lhe mostre o que eu posso fazer. Mais uma vez, não consigo. A carruagem segue viagem em um silêncio estranho e desconfortável.

Depois de um tempo, ele tira as mãos do meu rosto. Afasta-se de mim, suspira e olha a paisagem que passa pela janela.

– Inútil – murmura, a voz tão baixa que mal posso ouvi-lo.

Na manhã seguinte, eu me deito na cama e espero meu pai entrar outra vez com um sorriso no rosto. *Hoje é o dia*, digo a mim mesma. Desta vez, estou determinada a agradá-lo, e sua bondade será capaz de tirar algo de útil de mim. Mas ele não vem. Quando enfim saio da cama e o encontro, ele me ignora. Ele desistiu de me tornar útil. Violetta me vê no corredor. A distância entre nós parece esmagadora. Seus olhos estão arregalados e sombrios, com pena. Seu rosto, como sempre, é perfeito. Desvio o olhar em silêncio.

❦

Minhas duas semanas se passaram.

Em meio a tudo isso, não encontrei uma oportunidade sequer de ir me encontrar com Teren na Torre da Inquisição. Talvez eu tenha evitado ir de propósito. Não sei. Tudo o que sei é que agora meu tempo se esgotou e ele está me esperando. Sei o que vai acontecer se eu não aparecer em breve.

E esta noite é minha primeira missão oficial com os Punhais.

O plano deles para hoje, até onde entendo, é mais ou menos o seguinte:

As Luas de Primavera, a celebração anual da estação, que acontece em Kenettra, são compostas de três noites de festa, uma noite em homenagem a cada uma de nossas três luas. A cada noite, um grande baile de máscaras acontecerá à beira d'água no maior porto de Estenzia. À meia-noite, seis navios carregados com fogos de artifício fazem um deslumbrante espetáculo de luzes sobre a água.

Mas os Punhais incendiarão os navios antes que isso aconteça, destruindo a frota em uma memorável exibição de fogos. Será uma demonstração de poder, um desafio ao rei, para mostrar a fraqueza dele. E vou ajudá-los.

— A cidade está se transformando em um barril de pólvora muito rapidamente — explica-me Raffaele, quando deixamos seu quarto. Hoje à noite ele está maravilhoso em roupas verdes e douradas, parte do rosto escondida por trás de uma meia máscara de ouro intricada, os malares e as sobrancelhas salpicados com brilho. — Se o rei quer nos queimar na fogueira, então os Punhais vão retaliar. — Ele sorri para mim. Tem uma expressão experiente: secreta, tímida, treinada. — As pessoas estão fartas de um rei fraco. Quando Enzo tomar o trono, elas estarão prontas para a mudança.

Escuto, distraída pelos meus pensamentos. Por um momento, fantasio que eu mesma ocupo essa posição – em vez de estar submissa aos caprichos dos outros, como seria a sensação de ter os outros se curvando diante *de mim*, obedecendo a todas as *minhas* ordens? Como deve ser ter esse tipo de poder?

É a primeira vez que saio à noite em Estenzia. Em pouco tempo, gôndolas chegam ao canal que ladeia a rua da corte, e os acompanhantes se dividem em grupos enquanto entramos em nossas embarcações. Vou com Raffaele e outros dois, e os assentos rangem quando me acomodo com cuidado. Meu movimento provoca ondulações na água. Nós partimos, deslizando para longe do porto. Fico boquiaberta com a cidade.

Nenhuma noite é tão adorável quanto as noites das Luas de Primavera, e nenhuma cidade é tão deslumbrante quanto Estenzia, que as luzes transformam em um país das maravilhas.

Há lanternas penduradas ao longo de todas as pontes, seu brilho se refletindo na superfície da água em ondas de laranja e dourado. Gôndolas deslizam pelos canais, e música e risos se erguem das multidões mascaradas reunidas ao ar quente da noite. No céu, as três luas pairam, grandes e luminosas, em um triângulo quase perfeito. Baliras deslizam por elas, suas asas translúcidas e cintilantes iluminadas pelo luar. Vê-las tão de perto ainda é um contraste surpreendente com as figuras distantes que eu tinha visto antes de chegar a Estenzia, e observar seus longos corpos parecidos com o de arraias passando na frente das luas me deixa sem fôlego.

Mais adiante, no porto, as silhuetas de seis navios repletos de fogos de artifício flutuam na água.

Inquisidores, alguns a cavalo e outros a pé, patrulham as pontes. São os únicos que não usam cores vibrantes e máscaras cintilantes, e suas figuras brancas e douradas parecem severas em contraste com as festividades. Esta noite, estão por toda parte, acrescentando uma tensão ao ar. Mantenho o rosto cuidadosamente fora da vista deles. *A cidade é um barril de pólvora*, dissera Raffaele, e estamos indo acendê-lo.

Quando chegamos ao porto principal, as comemorações já estão a todo vapor. As estátuas de anjos e deuses que circundam a praça estão cobertas de flores da cabeça aos pés. Alguns foliões mascarados, já bêbados no início da noite, escalaram as estátuas e acenam para a multidão, que aplaude. Respiro fundo, sentindo o cheiro do mar, dos doces e bolos saborosos, de porco assado e peixe.

Raffaele espera até que os outros saiam de nossa gôndola, depois salta graciosamente e estende a mão para mim. Eu me junto a ele em terra firme. Os outros acompanhantes acabam se espalhando, cada um indo se juntar a clientes que os aguardam à beira do cais. Raffaele me conduz pela multidão e aperta minha mão uma vez:

– Vá – sussurra. – Lembre-se dos caminhos pelas catacumbas, caso se perca durante a missão.

Então ele se vai, abrindo espaço entre as pessoas. Por um instante, estou sozinha, perdida em um redemoinho de cores. Olho ao redor; meu coração martela. Tornei-me tão dependente da orientação de Raffaele que sua ausência sempre me deixa sem fôlego.

De repente, sinto alguém pôr a mão em minha cintura e olho para o lado. É Enzo.

Se eu não soubesse que deveria encontrá-lo aqui, não o teria reconhecido. Seu cabelo está escondido sob uma máscara que o transforma de um jovem príncipe em uma fada da floresta, com brilhantes chifres retorcidos no alto de sua cabeça, enfeitados com fios de prata que cintilam à luz. Tudo o que posso ver de seu rosto são os lábios e, se eu olhar através das sombras da máscara, os olhos. Apesar de seu disfarce, posso senti-lo observando minha nova aparência, minha elaborada faixa de cabelo de Tamoura e as sedas douradas de minha fantasia, a porcelana branca cintilante escondendo o lado do rosto com a cicatriz. Seus lábios se abrem ligeiramente, prontos para dizer alguma coisa.

Em seguida, ele faz uma reverência para mim.

– Uma noite muito agradável – diz.

Retribuo seu sorriso quando ele me dá um beijo suave na bochecha e me oferece o braço. Engasgo com a breve onda de calor que o toque dos lábios dele provoca na minha pele.

Ele nos conduz pela multidão. Mantém uma distância respeitosa entre nós – nosso único contato é meu braço entrelaçado ao dele... mas mesmo assim posso sentir o calor emanando de suas roupas, uma sensação suave e agradável que me alcança. Forço-me a manter a calma. Através da máscara, concentro-me nas silhuetas dos navios no porto.

Entramos em uma área cheia de pessoas dançando. Aqui e ali há outros acompanhantes, girando com seus clientes, patronos e curiosos em um mar de brilho, rindo alto enquanto se movem ao ritmo da batida dos tambores e da serenata de cordas. Tenho um vislumbre de Raffaele segurando nos braços uma nobre ricamente vestida, mas nem ele nem Enzo demonstram se reconhecer. Inquisidores observam a cena do alto de seus corcéis.

Enzo me olha de esguelha e me puxa para mais perto, apoiando a mão na base de minhas costas. À nossa volta, o mundo se transforma em um frenesi de alegria e cores vibrantes. Ele abre um sorriso caloroso e genuíno – uma linda expressão que o Ceifador quase nunca usa.

– Dance comigo – murmura.

Tudo faz parte de nossa encenação. Tudo parte do disfarce. Repito para mim mesma, mas isso não muda o modo como me inclino a seu toque, como suas palavras agitam o desejo em meu peito. Se ele percebe, não demonstra... mas parece estar mais perto do que é necessário, e me olha com uma intensidade que eu não me lembro de ter visto antes.

Giramos com os outros em um grande círculo. Mais pessoas se juntam a nós, até nos tornarmos um bloco de corpos que rodopiam. Os minutos voam. Os movimentos de Enzo são impecáveis e, de alguma forma, me vejo movendo-me em sincronia com ele, meus passos tão precisos quanto os seus. Enzo me solta e dançamos com outros pares. Em seguida, trocamos de novo e de novo, em um círculo cada vez maior. Os tambores ditam o ritmo de meu coração. Giro até formar par com Enzo outra vez. Ele sorri para mim por trás da máscara. Quero erguer a mão e tocar seu rosto. Então me lembro de que estou disfarçada de sua acompanhante e que esse gesto não seria estranho. E é o que faço. Rio, me aproximo dele e acaricio seu rosto. Pode ser imaginação minha, mas seus olhos se suavizam ao meu toque. Ele não me faz parar. *Ele está apenas encenando.* Não me importo.

Levo um momento para perceber que a dança terminou. A nossa volta, todos os outros dão um beijo rápido em seus parceiros, o gesto de harmonia entre o amor e a prosperidade. Risos e assobios se erguem da multidão. *Tudo isso é parte da tradição.* Olho para Enzo, subitamente tímida – sou o amor ou a prosperidade?

Ele sorri, me puxa para mais perto e se inclina. Os entalhes elaborados de sua máscara roçam minha pele, e me pergunto se vão deixar um rastro de glitter. Fecho o olho. Um momento depois, os lábios dele tocam os meus. Apenas um toque.

Deve ter sido breve – um segundo, não mais –, mas para mim parece uma eternidade, como se nos mantivesse unidos por um instante a mais do que o necessário. A familiar onda de calor me percorre, a sensação luxuriosa de um banho quente em uma noite fria. Retribuo o beijo, apoiando-me nele, saboreando seu calor.

E então acaba. Pego-me fitando seus olhos e vejo neles as finas linhas escarlate brilhando em suas íris. Seus lábios ainda estão muito, muito perto.

Ele dá um passo para trás e nos conduz para fora da área de dança quando uma nova canção começa. Agora estamos mais perto do cais do que antes, e uma grade de madeira nos separa do píer rochoso perto de onde os navios esperam. Posição perfeita. Estou sem ar, ainda tonta e rindo. Enzo ri junto, sua voz baixa e aveludada se misturando à minha, mais aguda. Acho que nunca o ouvi rir antes. É um som suave, ao mesmo tempo delicado e incerto, vestígios de alguém que costumava rir mais. Seu braço está firme em volta da minha cintura. Meus lábios formigam. Mesmo que ele só esteja mantendo nosso disfarce, está fazendo um excelente trabalho.

A multidão se dispersa à medida que nos aproximamos do ponto com vista para a praia; apenas algumas figuras se espalham pelas rochas e pela areia, admirando o trio de luas no horizonte. Vários Inquisidores montam guarda em cada um dos píeres que levam até os seis navios. Longas sombras envolvem os píeres na penumbra.

Minha energia se agita sem parar. Está quase na hora da estreia. Olho de relance para os telhados mais próximos. Não vejo ninguém, mas sei que há vários Punhais à espreita, observando-nos à espera do primeiro sinal.

Descemos para os píeres. As luzes das festas cedem lugar às sombras projetadas pelas construções mais próximas da costa, e tremo quando o ar fresco da noite nos envolve. Enzo me puxa para perto e sussurra em meu ouvido. Posso sentir que seus lábios estão curvados em um pequeno sorriso.

– O primeiro píer – murmura. – Observe.

Rio com estardalhaço, como se ele tivesse acabado de sussurrar alguma bobagem romântica em meu ouvido. Um dos Inquisidores postados ali nos lança um olhar entediado e depois se vira.

Estamos cada vez mais perto do píer, mantendo nossa pequena farsa de romance durante todo o caminho. Pelo menos, parece ser uma farsa para Enzo. Longe de mim me queixar – as risadas que ele arranca de mim são reais, assim como o rubor em minha face. Sua mão está quente em minha cintura, as ondas de calor são deliciosas em uma noite tão fria.

Por fim, tropeço em uma pedra e caio em seus braços, rindo. Estamos na extremidade do píer agora, e os dois Inquisidores de guarda estão a poucos metros de distância. Um deles ergue a mão enluvada.

– Ninguém pode passar deste ponto – anuncia, balançando a cabeça em nossa direção.

Enzo dá um suspiro decepcionado. Põe a mão no ombro do Inquisidor. Toda a alegria fingida desaparece de seu rosto – em um piscar de olhos, ele se transforma de um rapaz sorridente em um predador.

O Inquisidor olha surpreso para a mão de Enzo. Mas antes que possa retirá-la, seus olhos se arregalam. Ele lança para Enzo um olhar aflito. Ao lado dele, seu parceiro vacila e pergunta ao primeiro Inquisidor:

– Você está bem? – Pega a espada, mas, antes que possa fazer qualquer outra coisa, ela se desfaz bem diante de seus olhos horrorizados. Ela reaparece a uns dez metros dali, caindo na areia, inútil. *Michel está aqui na escuridão.*

Enzo põe a outra mão no braço do segundo Inquisidor. Ambos abrem a boca para gritar, mas não emitem som.

Ele os está derretendo por dentro. Mesmo sabendo que esse era o plano, a visão me pega desprevenida. Vejo, horrorizada, seus rostos ficarem vermelhos e se contorcerem em agonia. Sangue escorre de sua boca. Eles estremecem.

– Agora – sussurra Enzo para mim.

Puxo a energia de dentro de mim bem na hora em que os joelhos dos dois Inquisidores cedem, derrubando-os no chão. À nossa volta, crio a ilusão de um píer vazio – placas de madeira aparecem no lugar onde os Inquisidores estão caídos –, e Enzo e eu sumimos atrás de uma visão de ondas e ar noturno, que nos torna, e os homens mortos, invisíveis. A escuridão e o desconforto em mim crescem, estimulando meu coração, e experimento o êxtase. Por cima dessa ilusão, crio a imagem de dois Inquisidores de manto branco de pé, como se nada tivesse acontecido. De perto, é fácil dizer que os dois falsos Inquisidores não passam de ar e fumaça, os rostos simples demais para serem reais. Mas, para qualquer um que olhe nessa direção de longe, são bastante convincentes.

Toda a cena faz parecer que nunca estivemos aqui. Como se eu não estivesse de pé diante de dois cadáveres.

Tanto poder. Giro no meio de tudo isso, o queixo contraído, os lábios curvados em um sorriso triunfante, mesmo que outra parte de mim esteja horrorizada com o que acabamos de fazer. Eu me sinto entorpecida – no controle e, ainda assim, completamente indefesa.

Através de meu escudo de invisibilidade, sinto que Enzo assente para mim uma única vez. Assinto de volta, sinalizando que estou pronta. Ele salta do píer. O fogo explode de suas duas mãos – ele as estende e, nas sombras, vejo uma figura mascarada que deve ser Michel levantar os braços. Ele desfaz as chamas de Enzo e depois as reconstrói ao longe no cais, no convés do primeiro navio, perto das caixas de fogos de artifício. Os dois desaparecem na escuridão. Segundos mais tarde, ouço gritos assustados vindos do navio.

Minhas mãos tremem. Vejo flashes da noite em que matei meu pai, nublando minhas ilusões. De repente, o fantasma dele sorri para mim em meus pensamentos. Acho até que posso vê-lo parado no píer. *Você é uma assassina, Adelina. Bom ver que está se tornando quem realmente é.*

Vê-lo atrapalha minha concentração – a coberta que pus sobre os dois Inquisidores mortos a meus pés desaparece de repente, mostrando-os ao mundo. Começo a correr para o segundo píer. Minha mente está entorpecida; a imagem dos homens mortos está gravada em meus olhos. *Continue. Você não pode se dar ao luxo de parar.* Minha atenção se volta para as construções que margeiam o cais e para os outros Inquisidores de guarda nos outros cinco píeres. Respirando fundo, invoco mais energia. Os fios se tencionam em minha mente, protestando.

Eu os obrigo a ceder e depois os entrelaço.

Contra as paredes dos edifícios, vejo vultos correndo. Ilusões de capuz azul-escuro. De repente, os Punhais parecem estar espalhados por todo o cais. Inquisidores nos outros píeres dão o alarme – projeto Punhais em volta deles todos e volto a correr. Meu medo aumenta e, junto com ele, crescem também as ilusões mais próximas a mim. Inquisidores pedem ajuda enquanto investem contra meus Punhais fantasmas. Chego ao segundo píer, onde estou invisível outra vez, justo no momento em que as chamas explodem no segundo navio.

– São todos falsos! – grita um dos Inquisidores quando sua espada passa direto por uma das ilusões. Ele berra para que os outros soldados parem, mas todos estão muito distraídos, cegos de medo.

– Parem... encontrem o criminoso que...

Ele não termina a frase. Um dos Punhais investe contra ele com a velocidade de uma víbora – torce o braço do homem e o apunhala direto no peito com sua própria espada. Um Punhal de verdade. Dante.

Os outros Inquisidores se viram ao ouvir seu grito, em seguida, atacam Aranha, mas ele é rápido demais. Derruba dois Inquisidores em rápida sucessão. Seus movimentos não passam de um borrão na noite, de modo que, mesmo depois que faço sumir os falsos Punhais, parece que há mais de um dele. O último Inquisidor no píer tenta correr para salvar sua vida. Dante o alcança e desliza o punhal por sua garganta.

Na festa, alguns foliões enfim notam o que está acontecendo.

Gritos começam – então é o caos completo.

Minha mente acelera. Sigo para o terceiro píer, depois para o quarto. Matamos os Inquisidores enquanto mais patrulhas saem às pressas da festa, vindo em nossa direção. Tantas mortes.

Meu olho corre novamente para os telhados mais próximos dos píeres – e, desta vez, vejo movimento. Os outros Punhais, de carne e osso, com os rostos escondidos atrás das máscaras e dos capuzes das túnicas cor de safira. Um deles se levanta, prende uma flecha no arco com cuidado e mira nos Inquisidores. Gemma. Acima dela, corvos voam em círculo – quando ela dispara a flecha, os corvos mergulham na mesma direção, voando todos para o inimigo. Minha ilusão dos Punhais fantasmas se deslocando ao longo das paredes vacila por um momento, mas cerro os dentes e me concentro mais. As silhuetas voltam a ficar sólidas. Mais Inquisidores correm na direção delas.

Agora eles estão na mira das flechas. De repente, um deles é puxado para o alto. Solta um grito estrangulado quando é alçado à altura dos prédios e, em seguida, mergulha para a morte. Eu me encolho, minhas ilusões estremecem de novo. Isso foi obra da Lucent. Lá de cima chovem mais flechas, e uma delas atinge um segundo Inquisidor.

Depressa, Enzo. Enquanto os outros Punhais matam os Inquisidores com eficiência implacável, trinco os dentes em desespero. *Quero sair daqui.* Olho para o navio atracado no primeiro píer.

E lá está ele – Enzo, desta vez com o rosto totalmente coberto por um capuz e uma máscara prateada. Ele brilha na escuridão da noite. Em um momento está ali, no seguinte se foi. Minha deixa para ir embora.

Dante pega meu braço e dispara a correr. O vento sopra em nós. Em questão de segundos, cruzamos a areia e a grama e estamos correndo às sombras das festividades com vista para o porto. Há gritos por toda parte. Abro mão das ilusões que vinha sustentando. Os fios de energia voltam todos a seus lugares, e engasgo com o vazio repentino.

O primeiro navio explode.

A explosão me tira do chão. A terra treme; todos ao redor gritam. Cubro o olho, protegendo-o do brilho ofuscante. Quando olho pelo espaço entre os dedos, vejo um arco-íris de fogos de artifício iluminar o céu em uma aterrorizante demonstração de glória. As chamas e os fogos consomem o convés do navio. Imagino Enzo incendiando cada um deles, uma sombra na noite.

Mãos ásperas me põem de pé.

– Vá até o Mensageiro – sibila Dante. Em seguida, desaparece na multidão, os olhos fixos em outros Inquisidores.

Luto para abrir caminho entre a multidão, lembrando meu próximo passo. *Encontre Raffaele na extremidade da praça. Ele vai conduzi-la a um lugar seguro.* A energia no ar é como um raio – quase posso *sentir o cheiro* do terror – o poder que crepita a minha volta em uma chuva brilhante de fios de energia. A escuridão dentro de mim anseia por isso, por se libertar, e tenho que conter o desejo irresistível de encher esta praça com ilusões de monstros do Submundo. Tanto poder ao redor *sendo desperdiçado*. Por um momento, tento me encobrir e ficar invisível, mas muitas pessoas se acotovelam para passar por mim, e sempre que começo a jogar a ilusão sobre mim mesma sou sacudida para fora dela. Por fim, desisto e continuo correndo.

Levo um tempo para perceber que algumas pessoas na multidão estão comemorando. Erguem os punhos no ar, para o céu com os fogos de artifício e as chamas. Assistem sorrindo ao deslumbrante espetáculo. Lembro-me do que Raffaele me dissera mais cedo. *Deixe que a Inquisição veja o que acontece quando nos obriga a nos humilhar.* As pessoas estão *torcendo* pelos Jovens de Elite. Aplaudindo o ataque.

No cais, o segundo navio explode. Em seguida, o terceiro. Uma reação em cadeia irrefreável continua à beira d'água, a explosão de um navio provocando a do seguinte, até que as chamas e os fogos de artifício consomem todo o porto, transformando a noite em dia, laranja e amarelo para onde quer que eu olhe, a terra tremendo com a energia pura liberada para o céu. Explosões, o rugido das chamas, os gritos de milhares de pessoas – tudo misturado, em um caos ensurdecedor. Eu jamais poderia imaginar um pânico como este. O medo se acumula dentro de mim, uma corrente sombria e poderosa.

Tenho que encontrar Raffaele. Viro na esquina de uma viela estreita, em uma tentativa de escapar da multidão frenética. Por um momento, estou sozinha. Quase lá. Piso em uma poça e minhas sandálias espirram água fria nos tornozelos.

Algo branco aparece diante do meu rosto.

Antes que eu possa reagir, a mão de alguém me pega pelo pescoço e me empurra contra a parede. Vejo pontos de luz explodindo a minha frente. Ataco às cegas.

A pessoa ri de meus movimentos. Congelo. Reconheço a voz. O borrão branco que passou pelo meu olho agora se torna o inconfundível manto de um Inquisidor.

– Olha só – diz a voz. – Uma garota tamourana.

Encaro Teren.

Não. Aqui não. Não esta noite.

Vê-lo é o suficiente para desencadear minha energia. Mostro os dentes para ele enquanto um demônio de olhos vermelhos pula da parede atrás de mim e se lança sobre Teren com um grito. Teren recua por uma fração de segundo, mas não afrouxa o aperto em meu pescoço. Seus olhos se arregalam de surpresa.

– O que é isso? – pergunta, com um sorriso. – Você se tornou mais desafiadora desde a última vez que nos falamos? – Ele ergue uma besta. – Mais um movimento como esse e posso decidir matar sua irmã. Eu lhe dei duas semanas. – Seu sorriso se torna duro. – E você está atrasada.

– Sinto muito – digo com urgência. Minha cabeça gira. – Não... por favor, não a machuque. Não encontrei tempo para fugir e encontrá-lo. Eles têm me treinado incansavelmente. – Olho para a praça principal. – Se me virem falando com você, vão me matar, e você não vai conseguir suas...

Teren me ignora e me mantém presa no lugar. Seu aperto é incrivelmente forte, seu rosto está muito perto.

– Nesse caso, é melhor começar a falar. Você me deve alguma informação.

Engulo em seco. Os Punhais não podem estar muito longe. Sabiam que eu vinha nessa direção e, se eu não aparecer logo, vão me procurar. E me verão aqui.

Teren aperta ainda mais e começa a me machucar. Minhas mãos voam até onde ele segura meu pescoço. Ele estreita os olhos pálidos.

– Quero nomes.

– Eu... – *O que posso dizer a ele sem destruir os Punhais?* Busco freneticamente uma solução.

– Vi você chegar com um acompanhante da Corte Fortunata – acrescenta Teren. – Ele já foi visto com você antes. É um deles?

Não. Balanço a cabeça de modo automático, deixando a mentira fluir.

– Ele era apenas minha escolta.

O olhar de Teren perscruta meu rosto.

– Apenas sua escolta – pondera.

Lágrimas enchem meu olho. *Não. Por favor, não machuque Raffaele.*

– Sim, apenas minha escolta.

Teren emite um som irritado do fundo da garganta.

– *Fale.* Lady Gemma... esse nome lhe soa familiar? Alguma ideia de por que ela se inscreveu nas corridas classificatórias?

Balanço a cabeça em silêncio.

– *Quem é o líder?*

Não, não, eu não posso.

– Não sei. De verdade, não sei!

Teren estreita os olhos outra vez. Ele ergue a besta com um braço e aponta para meu olho bom.

– Você está mentindo.

– Não, não estou – sussurro, por trás de seu aperto.

– Sabe que é Violetta quem vai pagar por isso. Não você. *Violetta*. – Ele se inclina para mais perto, sua voz suave como mel. – Quer ouvir tudo o que vou fazer com ela?

Ele sussurra as maldades em meu ouvido, uma a uma, e começo a chorar de verdade. Não sei o que fazer. Meus pensamentos estão muito confusos. Violetta. Olho de novo para a praça caótica. Onde ela está presa? Energia me atravessa, alimentando-se de meu pavor. Implora para ser libertada, mas a reprimo duramente.

– Eu imploro... – começo. Minha mente gira. – Vou lhe dizer tudo o que quer. Só me dê mais uma semana. *Por favor*. Você não pode ser visto aqui comigo, isso não vai ajudar a nenhum de nós. – Corro o olhar pela viela. – Não há tempo. Eles também estão aqui. Eles não podem...

Antes que eu possa dizer qualquer outra coisa, os olhos de Teren se desviam para cima. Faço o mesmo – e tenho um vislumbre de vestes escuras no telhado. Uma onda de terror percorre minha espinha. *Os Punhais, eles estão vindo. Vão nos ver.* À nossa volta, os outros Inquisidores estão ocupados contendo o caos. *Ele não tem homens suficientes.* Posso senti-lo pesando as opções, tentando decidir se tem tempo ou não para arrancar respostas de mim antes que os Punhais me encontrem.

Por favor. Por favor, deixe-me ir.

Seu instante de hesitação passa. Ele me puxa para mais perto pela gola.

– Você tem três dias – diz, em voz baixa. – Se faltar com sua palavra de novo, vou fazer uma flecha entrar pelo pescoço de sua irmã e sair pela nuca. E ela vai ter sorte se essa for a primeira coisa que eu fizer. – Ele sorri, seus dentes brilhando na noite. – Podemos ser inimigos, Adelina, ou podemos ser melhores amigos. Entendido?

Isso é tudo o que ele tem tempo de dizer. Olho para os telhados. E vejo Dante agachado ali, a seta pronta, olhando nós dois através de sua máscara.

Uma onda de túnicas cor de safira ataca Teren, derrubando-o no chão e me libertando de suas garras. Caio contra a parede. À minha frente vejo um emaranhado de branco e azul: Teren afasta um dos Punhais de cima dele e rola para ficar de pé. Os dois se encaram. É Enzo, o rosto escondido pela máscara prateada, adagas em punho.

– O Ceifador! – exclama Teren, apontando a besta para Enzo e sacando a espada. – Sempre resgatando os *malfettos*, não é?

As lâminas de Enzo se tornam vermelhas brilhantes e, em seguida, brancas e quentes. Avança para Teren antes que ele possa disparar a besta, e então ataca buscando seus olhos. Teren desvia dele com uma fluidez que me espanta. Move a espada em um arco – e quase acerta Enzo no peito antes que ele saia do caminho. Fogo explode das mãos de Enzo e as consome em um clarão de luz. Através desse inferno, posso ver a espada de Teren grudada na de Enzo.

As chamas não o ferem. Sua pele parece queimar por um instante, mas logo volta ao normal, suave e intocada. Congelo diante dessa visão. Não é apenas um truque de luz – as chamas *não o ferem nem um pouco*.

Como isso é possível? A menos que...

– Vá! – grita Enzo para mim.

As espadas se batem com um clangor metálico. Repetidamente. Lá em cima, uma flecha é disparada e atinge Teren perto do pescoço. Ele resmunga de dor – mas em seguida, para meu horror, levanta o braço e a arranca sem a menor cerimônia. Joga a flecha de lado. Sua pele se recompõe, curando-se em segundos, até que eu não veja nada além de uma mancha de sangue em seu pescoço.

Teren é um Jovem de Elite.

Fico de pé e corro. Quando olho para cima, vejo Lucent com seu arco e flecha voltados para Teren, tentando encontrar uma boa mira.

Sinto uma mão áspera se fechar em meu braço. Viro-me e dou de cara com a máscara prateada de um Punhal.

Dante.

– Que tal você *nos* tornar invisíveis e nos tirar daqui? – Algo em sua voz me provoca um arrepio. Algo em seus olhos me diz que esta noite ele viu mais do que eu gostaria que visse.

À nossa volta, há gritos, pânico, pessoas, o rugido furioso do inferno de fogos de artifício no porto. Obrigo-me a fazer o que Dante diz. Eu me apresso em nos cobrir com uma ilusão de invisibilidade, e ele nos leva em direção à entrada da catacumba mais próxima. Atrás de nós, Enzo já desapareceu, tão rapidamente quanto surgira. A voz de Teren ecoa em meus ouvidos.

Três dias.

> Eram melhores amigos desde que não soubessem
> que deveriam ser inimigos.
> Em breve, a verdade faria seu estrago.
> – *Irmãos de fogo*, de Jedtare

Adelina Amouteru

Estou sozinha em meu quarto.

Lá fora, nas ruas, as pessoas cantam contra e a favor do rei, contra e a favor dos Jovens de Elite.

Criadas entram para ver como estou, certificando-se de que não me feri na noite anterior, mas as mando embora e fico debaixo das cobertas. Toda vez que ouço alguém se aproximar, dou um salto – é Dante, que descobriu minha traição e está vindo me matar. Ouço a voz de Enzo no corredor uma vez, perguntando a um criado se estou bem. Gemma tenta me convencer a sair, mas recuso. Fico aqui deitada até que os raios de luz se desloquem para outro lado do quarto. Lembranças de Violetta passam por minha cabeça, misturadas a todas as formas com que Teren prometeu torturá-la.

Tenho três dias. Apenas três dias antes de contar a verdade aos Punhais ou traí-los completamente.

Fico lembrando de como a pele de Teren se reconstituiu depois que a flecha de Dante atravessou seu ombro. Teren é um Jovem de Elite determinado a matar outros Jovens de Elite, liquidando *malfettos* indiscriminadamente. Reviro esse pensamento, incapaz de entender o sentido disso. Não é de admirar que Enzo não tenha sequer tentado atacar Teren no dia de minha execução. Não é de admirar que ainda não tenham eliminado Teren. Como um Jovem de Elite pode se voltar contra seus semelhantes?

Em meio ao choque, sinto um desespero profundo. Se nem mesmo os Punhais conseguem ferir Teren, que chance eu tenho?

Raffaele é o único que enfim me distrai de meus pensamentos. Ele aparece à porta ao pôr do sol.

– Você está acordada – observa com gentileza. – Venha. Vista-se e me acompanhe.

Sinto uma súbita necessidade de contar tudo a Raffaele – as ameaças de Teren, seu domínio sobre minha irmã, o que me ofereceu. *Você poderia fazer com que os outros me ajudassem agora mesmo. Poderíamos sair juntos em uma missão, para salvar minha irmã.* Mas sempre que penso nisso, hesito. Eles têm a intenção de tomar o trono. Tentar libertar Violetta das garras da Inquisição é um desvio significativo e perigoso. Será que já se importam o bastante comigo para arriscar toda a sua missão? Além disso, não tenho ideia de onde minha irmã está. Teren poderia matar Violetta antes que qualquer um de nós a encontrássemos.

Raffaele me observa com atenção. Espero que ele não saiba por que minha energia está mudando tanto. Abro a boca e digo algo inofensivo:

– Está na hora?

Ele assente diante de minha expressão.

– Sim, está na hora.

Sinto um nó na garganta. Esperei ansiosamente por este dia. Agora não tenho tanta certeza.

Ele começa a se virar, depois para e olha para mim.

– Sei que a noite passada foi assustadora. Está tudo bem, mi Adelinetta. Ninguém vai usar isso contra você.

Ele acha que estou me sentindo assim por causa das mortes de ontem, porque Teren me atacou. Não sabe o que Teren me *disse*. Ao lado dele, assinto em silêncio e mantenho o olhar baixo.

Seguimos por corredores familiares e atravessamos o pátio em direção à caverna. Nenhum de nós diz uma palavra.

Por fim, entramos na caverna. Pela segunda vez, vejo todos os Punhais reunidos. O único que falta é Enzo. Sua ausência provoca uma pontada de pânico em mim. Deve estar em suas propriedades reais ou reunido com os patronos. *Ou... e se Teren descobriu sua identidade? E se a Inquisição estiver atrás dele agora mesmo?*

Raffaele acena para que eu vá para a frente. Obedeço, até estar apenas a alguns metros dele. Os outros Punhais observam em silêncio. Gemma sorri para mim, e Michel também. Retribuo com um sorriso leve. Na outra ponta, Dante me lança um olhar sombrio, sinistro. Tento ignorá-lo, mas sua expressão me causa náuseas, lembrando-me das palavras de Teren. *O que ele está pensando? O que ele viu?* Olho para os outros de novo, em busca de qualquer coisa que eu possa ter perdido. Será que algum deles sabe?

Raffaele dá um passo em minha direção e me entrega um tecido cuidadosamente dobrado. Quando chega para o lado, vejo que dentro do pano há uma máscara prateada. No silêncio, pego o tecido e o estendo, solene, diante de mim. *Eles ainda não sabem.*

Minhas mãos estão tremendo, incontroláveis. Apesar de tudo, meu coração ainda salta em um momento de animação. Esta é a *minha* máscara prateada, *minha* túnica escura. Deste dia em diante, serei parte deles. Pela primeira vez na vida, fui aceita em um grupo.

– Repita comigo – diz Raffaele.

Assinto, sem palavras, a garganta seca. A voz dele ecoa à nossa volta.

– Eu, Adelina Amouteru...

Sabe que é Violetta quem vai pagar por isso. Não você. Violetta.

– ... prometo servir à Sociedade dos Punhais, levar o medo aos corações daqueles que governam Kenettra...

Vou lhe dizer tudo o que quer. Só me dê mais uma semana. Por favor.

– ... tomar com morte o que nos pertence e tornar o poder de nossos Jovens de Elite conhecido por cada homem, mulher e criança.

Você tem três dias. Se faltar com sua palavra de novo, vou fazer uma flecha entrar pelo pescoço de sua irmã e sair pela nuca.

– Se eu quebrar meu juramento, que o punhal tire de mim o que tirei do punhal.

Repito as palavras. Cada uma delas. A escuridão me inunda. *Se eu quebrar meu juramento, que o punhal tire de mim o que tirei do punhal.*

Raffaele inclina a cabeça para mim quando terminamos.

– Bem-vinda à Sociedade dos Punhais. – Ele sorri. – Loba Branca.

Mais tarde, visto-me com túnicas vermelhas esvoaçantes e vou para a caverna com Gemma. Os outros já estão lá quando chego, junto com vários desconhecidos vestidos com roupas aristocráticas. Patronos? Em torno deles há alguns acompanhantes da Corte Fortunata. Os Punhais se vestiram com as roupas formais de Kenettra esta noite e agora estão sentados nos divãs cheios de almofadas, dispostos em círculo, na sala de estar no subsolo, ignorando as bandejas de uvas frescas e vinho aromático. Apesar das intensas conversas que parecem ter com os estranhos ricamente vestidos, há um notável ar de comemoração, a aproximação de seu objetivo final. Isso cria um estranho contraste com as urnas e cinzas que cobrem as paredes. Suas vozes são baixas, mas animadas. Observo tudo como se fosse um sonho colorido acontecendo a minha volta. Nada parece real. Em algum lugar além dessas paredes, ergue-se a Torre da Inquisição.

Como vou encontrar uma chance de escapar?

Vejo Enzo no meio do grupo. Raffaele não está à vista. Talvez não vá participar desta reunião, ou pode ser que esteja ocupado. Tento justificar sua ausência.

– Adelina. – A voz de Gemma corta minha corrente de pensamentos.

Ela sorri para mim e me leva até o grupo. Os estranhos me lançam olhares curiosos. Retribuo os olhares. Apenas uma mulher parece familiar – a gerente da Corte Fortunata, hoje com um elaborado vestido de seda azul e dourado.

– Estes são nossos nobres patronos – sussurra Gemma enquanto nos sentamos em um divã. – Eles estão ansiosos para conhecê-la.

Essas são as pessoas que apoiam a reivindicação de Enzo ao trono. Gemma me apresenta a todos, com sua conversa animada, parando especificamente para indicar seu pai.

Sorrio e assinto enquanto cada um dos patronos me cumprimenta, os olhos persistentes. Do outro lado do círculo, Enzo se inclina para trás no divã, com uma taça de vinho na mão, as botas cruzadas sobre uma mesa baixa e o rosto parcialmente escondido atrás de uma máscara. Ele lança um olhar rápido para mim e volta à sua conversa.

– Ouvi dizer que o rei não pode cancelar o Torneio – diz um dos patronos para Enzo. – Isso o faria parecer tolo e fraco diante do povo. Ele e a rainha devem aparecer, como manda a tradição.

– Exatamente onde queremos acuá-lo – responde outro.

– A sua ilusionista pode nos fazer entrar no palácio? – pergunta um terceiro. Seus olhos se desviam para mim, e sinto uma pontada de ansiedade. – As pessoas estão prontas para a derrubada agora, sobretudo após a exibição de ontem à noite. Poderíamos tentar agir antes do Torneio, até hoje mesmo.

Enzo balança a cabeça.

– Minha irmã não estará com o rei. Seus aposentos ficam em extremos opostos do palácio. As habilidades de Adelina não são fortes o suficiente para manter uma ilusão de tão perto por tanto tempo. O Torneio é nossa melhor chance.

Os outros começam a murmurar, frustrados. Michel se recosta e ergue sua taça de vinho, em um pedido de desculpas a Enzo.

– Se ao menos eu pudesse desmaterializar coisas vivas. Iria feliz até o palácio e faria os reis despencarem de um penhasco para você. – Isso provoca alguns risos dispersos.

Lucent revira os olhos enquanto enrosca um cacho de cabelo louro no dedo.

– E *eu* ainda acho que todos nós devíamos desistir de salvar este país maldito, pegar um navio para Beldain e viver como reis. *Algumas* nações sabem como tratar *malfettos*. – Mais risos, e Michel zomba carinhosamente do sotaque beldaíno de Lucent.

Apenas olho, entorpecida, tentando me encaixar.

— Ele vai, algum dia – sussurra Gemma para mim. Eu me assusto com sua voz, e então percebo que ela deve achar que estou confusa com a conversa. – Michel, quero dizer. Ele vai descobrir como desmaterializar criaturas vivas. Diz que a energia da alma fica no caminho.

A energia da alma. Se Michel tentasse enxergar a energia de minha alma, o que veria?

A conversa volta a focar em mim: ouço meu nome ser mencionado outra vez.

— E ela pode criar ilusões boas o bastante para o Torneio? – pergunta um patrono a Enzo.

— Sim, Alteza... Ela consegue cumprir sua parte da missão?

— Queremos uma demonstração.

— Adelina – chama Enzo, de repente, olhando para mim. Os nobres também se viram para me olhar.

Pega de surpresa, pisco.

— Pois não?

— Crie a ilusão de uma pessoa para nós.

Hesito. Em seguida, prendo a respiração e me concentro na escuridão em meu peito. Aos poucos, projeto no ar um rosto parecido com o de Enzo, os mesmos olhos, nariz, boca e cabelos, a fina cicatriz destacada na bochecha. Os nobres murmuram entre si. Ainda não está perfeita – falta refinamento nos detalhes, o olhar vidrado não parece muito humano, a textura da pele é amadora. Ela oscila um pouco. De vez em quando, parece translúcida. Não funcionaria de perto. Mas será o suficiente. Mantenho a ilusão ali por um momento, em seguida a desfaço.

Enzo sorri para mim.

— Quando o Torneio das Tormentas começar – diz –, o rei e a rainha vão anunciar as corridas de cavalos e depois assistirão de um ponto próximo, com boa vista. Se você puder esconder Gemma, ninguém a verá cavalgando. Consegue levá-la até perto o suficiente para atacar?

Ele está anunciando diante de todos os patronos que faço parte de sua missão final. Meu coração pula de emoção, então se aperta dolorosamente à lembrança das palavras de Teren.

— Consigo – respondo.

Os nobres parecem empolgados comigo. Enzo sorri, satisfeito, e eles brindam – mas mesmo aqui, na segurança da caverna e cercada por pessoas que o apoiam, ele tem uma aura de desconfiança, o desconforto persistente de alguém preocupado com outros problemas.

Pergunto-me se ele pode sentir qualquer suspeita em relação a *mim*. Graças aos deuses, Raffaele não está aqui para notar as mudanças sombrias em minha energia. Deve ter algum cliente esta noite. O vinho aromático alivia um pouco da ansiedade que se agita em mim, e me vejo estendendo o copo de novo para os acompanhantes o preencherem.

– Você parece menos alegre do que deveria estar – digo a Enzo, em voz baixa, quando há uma brecha em sua conversa com os nobres.

Ele olha para mim, parece considerar responder, mas depois se esquiva do meu comentário.

– Sentindo-se festiva, mi Adelinetta? – Ele acena com a cabeça quando um acompanhante enche meu copo pela segunda vez. Meu coração palpita ferozmente pelo modo como ele usa a versão carinhosa do meu nome. – Cuidado. É um vinho forte.

É verdade; o vinho me torna ousada, me ajuda a esquecer.

– Sou a Loba Branca – respondo. – Sem dúvida isso merece uma segunda dose.

Os lábios de Enzo se curvam, divertidos, e sinto o rugido da atração se erguendo dentro de mim. Como vou contar a ele sobre a Inquisição? Seus olhos vagueiam para os outros Punhais.

– Merece mesmo. – Ele ergue sua taça, e os nobres o imitam. – À Loba Branca – diz, olhando para mim. – E ao começo de uma nova era.

Gemma se inclina para mim enquanto tomo um gole de vinho.

– Você gosta dele – provoca ela, me cutucando com força nas costelas.

Eu me encolho e lhe dou uma cotovelada.

– Shhh! – sussurro.

Gemma ri com malícia diante de minha expressão, em seguida se afasta de mim e pula no divã, descalça. Solto a respiração, mas não consigo conter um sorriso. *É claro que ela só está brincando comigo.*

Enzo olha para ela. Gemma cruza os braços.

– Andei treinando, Ceifador – declara ela. – Veja isso.

Ela aponta para Enzo e então estreita os olhos. Observo, curiosa.

– Você! – ordena ela. – Traga-me uma fatia de melão.

Enzo ergue uma sobrancelha para ela.

– Não – responde sem rodeios, e os patronos gargalham. Seu pai dá um sorriso indulgente.

Gemma ri também, revira os olhos e pula do divã.

– Bem, espere só – diz ela. – Os homens não são muito mais complicados do que os animais. Vou dar um jeito nisso.

A brincadeira dela arranca um sorriso carinhoso de Enzo, cortando sua tensão por um breve momento.

– Não duvido, minha Ladra de Estrelas – diz ele, e Gemma sorri enquanto os Punhais e os nobres riem mais. Observo, tentando controlar minha inveja ao ver Gemma rindo com o pai.

Uma das acompanhantes bate palmas.

– Um jogo! – exclama.

Ela distribui longos colares dourados entre nós. Não sei do que se trata, mas, ao que parece, os outros sabem – porque gritam e assobiam. A acompanhante percebe meu olhar confuso.

– Ponha o colar no pescoço da pessoa de quem você mais gosta – explica, com um sorriso. – Quem tiver mais colares ganha.

Os gritos e risadas se tornam mais altos e rápidos. Gemma tenta roubar o colar de todo mundo, mas Lucent joga todos eles para o alto e empurra Gemma para um divã com uma rajada de vento brincalhão. Os aristocratas aplaudem os poderes dela e comentam como eles vão ser impressionantes durante o Torneio. Várias acompanhantes põem seus colares no pescoço de Michel, e seu sorriso largo toma todo seu rosto. Mesmo Dante, com sua eterna carranca, permite que uma acompanhante lhe dê um colar e passa o braço em volta da cintura dela.

Gemma me oferece seu colar, assim como um dos acompanhantes masculinos. Eu coro, rindo. Enzo nos observa com uma expressão tranquila. Ele enrola o colar nos dedos, perdido em pensamentos.

– Vamos, Alteza – chama Michel, girando o trio de colares em suas mãos. Sorri. – A menos que goste mais de *si* mesmo.

Mais risadas descontraídas. Enzo lhe dá um pequeno sorriso, em seguida atira o colar.

– Para você, então – responde.

Michel faz um gesto para o colar, que some no ar e reaparece enrolado em sua mão. Ele o põe no pescoço com um sorriso triunfante. Enzo dispensa as acompanhantes que tentam lhe entregar seus colares e observa enquanto os demais disputam os prêmios, cada um mais animado que o outro.

Ninguém sabe o que se passa em minha mente. Nenhum deles sabe que, mesmo enquanto celebram, estou pensando no que fazer com Teren, como chegar à Torre da Inquisição para salvar minha irmã. Como trair todos aqui.

Eu me remexo no divã. Os outros não notam, mas Enzo, sim – ele se vira para mim. Largo minha taça de vinho e respiro fundo, mas é em vão. A escuridão se acumula em minha barriga, alimentando-se vorazmente de meu medo. Não posso ficar aqui.

Levo um tempo para perceber que Enzo se pôs de pé. Ele caminha em minha direção, me estende a mão enluvada e me ajuda a me levantar. Eu me apoio nele, instável. Por um momento, os outros param e nos observam, e algumas risadas cessam.

– Você está bem, Adelina? – pergunta Gemma.

Começo a dizer alguma coisa, mas é difícil me concentrar. Enzo passa um braço pela minha cintura e me conduz para fora do círculo.

– Continuem – diz aos demais. – Volto logo. – Em seguida, abaixa a voz para mim e me guia de volta para a corte. – Parece que você precisa descansar – murmura.

Não discuto. À medida que o barulho das pessoas vai sumindo, deixando apenas o eco de nossos passos no piso de pedra, me recupero devagar. A escuridão diminui um pouco, substituída pelas batidas do coração de Enzo. Sua mão está quente na lateral do meu corpo. Minhas pernas estão fracas, mas ele me mantém firme. Minha cabeça pende em seu ombro e me lembro de como ele é alto e de quão baixa eu sou.

– Acho que não superei completamente a noite passada – murmuro enquanto caminhamos, tentando encontrar uma boa desculpa.

– Não se desculpe – responde Enzo. – Teren não é um Inquisidor fácil de lidar.

Olho para ele. Minha curiosidade aumenta.

– Seu fogo não o machucou – digo. – Você... sempre soube?

Enzo hesita.

– Eu o conheci quando éramos crianças. – Há algo de estranho no modo como ele diz isso, como se tivesse certa simpatia por Teren. – Ele é o único Jovem de Elite que Raffaele não consegue sentir.

Raffaele.

– Onde ele está hoje?

– A gerente me disse que Raffaele foi chamado à casa de um cliente – responde Enzo após um instante. – Tenho certeza de que está tudo bem.

Mas algo em seu tom de voz me diz que Raffaele já deveria ter voltado a esta altura. Volto a olhar para baixo, tentando não pensar no pior.

Chegamos à parede que se abre para as fontes do pátio. Uma leve garoa começou, tornando o ar noturno gelado. Agora, já posso caminhar sozinha e paro por um momento para saborear a dança tranquila da chuva em minha pele. Enzo espera pacientemente. Levanto o rosto e fecho o olho. A chuva está fria, clareando meus sentidos. A grama úmida molha a bainha da minha roupa.

– Estou melhor agora – digo. Pelo menos é meia verdade.

Ele também olha para o pátio, como se apreciasse o brilho que a chuva dá à cena noturna. Seu olhar está distante. Por fim, ele se vira para mim. Parece querer perguntar o que está me incomodando, como se soubesse que é algo mais sério do que alego, mas não o faz. *Posso lhe contar? Será que vai ficar com raiva de mim?*

Enzo me observa em silêncio. As lanternas na parede do pátio delineiam seu rosto com um halo de luz úmida e dourada, e os pingos de chuva em seu cabelo brilham no escuro. Ele tem uma beleza espantosamente diferente da de Raffaele – sombria, intensa, desconfiada, talvez até ameaçadora –, mas vejo uma suavidade nele, um desejo que se agita. Algo misterioso treme em seus olhos.

O vinho aromático agora me dá uma coragem súbita. Em um impulso, tiro meu colar dourado, ergo os braços e o ponho em seu pescoço. Deslizo as mãos pelo seu cabelo vermelho, pelo pescoço. Meio que espero que Enzo me afaste. Mas ele não me detém. Seus olhos são muito escuros e bonitos, com traços escarlate, cercados por cílios longos, repletos de uma emoção profunda e de desejo. Engulo em seco, subitamente consciente da atenção que provoquei. Fico na ponta dos pés, puxo o colar com delicadeza e colo seus lábios aos meus.

Fico assim por um segundo, inebriada com minha onda de coragem. Ele não move um músculo sequer. Para minha surpresa e decepção, o calor não me percorre com a nossa conexão. Não como aconteceu quando ele me beijou nas Luas de Primavera. *Há medo em seu coração. Ele está contendo sua energia.* Esse pensamento me traz de volta à realidade, e de repente me sinto estúpida. Nosso último beijo tinha sido necessário, parte do plano de nos infiltrarmos nas festividades. Só isso. Eu me afasto. A chuva cai gelada em meu rosto. *Idiota.* Não estou em condições de agir de modo adequado neste momento – há pensamentos demais passando pela minha cabeça, e eles me deixam exausta. Estou envergonhada demais para encará-lo, então apenas começo a me afastar.

Ele põe a mão enluvada na base de minhas costas e me impede. Fico imóvel por um momento, trêmula ao seu toque. A chuva brilha em seus cílios. Sua outra mão ergue meu queixo. Só tenho tempo para olhar seu rosto uma vez antes que ele cole seus lábios aos meus. Então, ele está me beijando, *de verdade*, indo fundo em busca de mais.

O calor explode dentro de mim, inundando cada veia do corpo, um fogo tão intenso que não consigo respirar. Minha boca se abre em busca de ar, até que ele a prende de volta em seu beijo. A mão que ele usou para erguer meu queixo agora desliza, contornando a parte livre de meu rosto, com cuidado e carinho, mas, mesmo que ele controle suas habilidades mortais, posso sentir a brutalidade se agitando sob a superfície. Ele me prende contra a parede úmida, de modo que seu corpo pressiona o meu com firmeza. Neste momento, não consigo me lembrar de nada. Fico na ponta dos pés e passo os braços em volta de seu pescoço. Posso sentir o contorno do peito dele através do gibão e do linho, o corpo que o torna humano, escondido sob o Ceifador.

O beijo continua – e agora tenho dificuldade em pensar direito. Minha mão desliza de sua nuca para a parte da frente de seu pescoço exposta pela camisa. Afasto a roupa para o lado, revelando a pele nua, depois a linha suave da clavícula e a curva de seu ombro moreno. Meus dedos percorrem uma cicatriz ali. Ele pega minha mão, a afasta de sua pele e a segura com firmeza junto à parede, acima da minha cabeça. Vai me beijando até o pescoço. Ondas de calor se espalham pela minha pele a cada contato de seus lábios. Fecho os dedos. Vou cair, tenho certeza – mas ele me segura firme. As bordas de minha túnica estão deslizando para cima, deixando linhas molhadas em minhas pernas. Suas mãos enluvadas. Couro macio contra minha pele. Em seguida, outra onda de fogo líquido borbulha pelo meu corpo, e não consigo pensar em mais nada. Os pingos de chuva que caem em meus lábios e na pele são alfinetadas de gelo contra o calor que me percorre. Adoro o contraste. Quando espio, vejo minha respiração se condensar no céu noturno, formando uma espiral. Sinto um estranho arrepio nos dedos dos pés. *Não consigo pensar – estou perdendo o controle de meus poderes.* Fios da minha energia começam a escapar de meu peito, procurando o coração de Enzo, envolvendo-o, cobrindo-o com escuridão.

Isto é perigoso. Uma centelha de alerta brilha dentro de mim, e uso toda minha força para controlar minhas ilusões.

– Pare – sussurro, empurrando-o.

Ele se afasta imediatamente, levando consigo o calor de sua energia. Meu corpo esfria. Ele parece confuso, como se não conseguisse lembrar direito o que acabou de acontecer. Seus olhos procuram meu rosto. O momento termina, e todos os meus pensamentos sombrios voltam depressa, deixando-me fraca e enjoada. Minha pele formiga. O que minha energia estava tentando fazer? Ainda posso sentir os vestígios de seus fios escuros, ansiosos para chegar a Enzo e dominá-lo.

– Ainda não tenho dezessete anos – decido dizer. – Não posso me entregar.

Enzo assente.

– Claro. – De repente parece me reconhecer de novo, a familiaridade volta a seus olhos, e sua expressão me intriga. Ele me dá um pequeno sorriso que parece conter um pedido de desculpas. – Não vamos irritar os deuses, então.

Ele nos conduz pelo pátio e de volta ao corredor. Caminhamos em silêncio, meu coração batendo no ritmo de nossos passos. Enfim, chegamos à porta de meu quarto. Enzo não se demora. Em vez disso, faz uma reverência cortês e me deseja boa-noite. Eu o vejo se afastar até que ele desaparece em uma curva. Entro no quarto.

Está escuro, os reflexos da chuva nas janelas projetam sombras em movimento nas paredes. Fico algum tempo encostada na porta, repassando nosso beijo na mente. Minhas bochechas ficam quentes. Longos minutos se arrastam até que não tenho ideia de há quanto tempo estou aqui assim. Passei a mão pela pele nua de seu pescoço, pela sua clavícula e pelo ombro exposto? Minha energia saiu do controle, tentando enredá-lo?

Tenho que contar a ele.

Sou oficialmente uma Jovem de Elite agora; deveria ser capaz de contar tudo aos Punhais. Enzo me confessou que tem uma história com Teren – se devo falar a alguém o que Teren sussurrou para mim, deveria ser para *ele*. De repente, me pego indo em direção à porta outra vez. Saio, sigo de volta pelo corredor, refazendo o caminho. Nunca terei outra chance como essa.

O céu está completamente escuro quando atravesso o corredor, as velas no saguão já estão acesas, e o barulho da chuva contra o telhado é constante. Dirijo-me para a caverna. Risadas e conversas se fazem ouvir. Todo mundo ainda deve estar aqui embaixo, e pelo barulho o vinho continua rolando à vontade. Minhas mãos tremem conforme ando.

Chego ao corredor que leva à caverna e paro atrás da última coluna com vista para a sala. Aqui e ali, tenho um vislumbre do cabelo vermelho de Enzo. A visão dele faz meu coração disparar. *Sou parte do grupo agora. Eles são meus amigos e aliados. Merecem saber.* Começo a sair de trás da coluna.

Então paro.

Dante puxou Enzo de lado. Eles trocam algumas palavras e, em seguida, Dante inclina a cabeça para o corredor onde estou. Eles andam em minha direção, em busca de um lugar para uma conversa particular. Fico tensa. Vão me descobrir aqui. Por alguma razão – medo, curiosidade ou suspeita –, recuo para as sombras e crio uma cortina de invisibilidade a minha volta. Pinto a ilusão de um corredor vazio, me misturando às sombras da parede e da coluna. Prendo a respiração.

Do que eles estão falando? Ao meu lado, o fantasma de meu pai aparece sem aviso, o peito despedaçado arfando, a boca retorcida em um sorriso sombrio. Põe a mão esquelética em meu ombro e aponta as figuras que se aproximam. *Está vendo isso?*, sussurra em meu ouvido, congelando-me por dentro. *Vamos ouvir o que o inimigo tem a dizer a seu amor.*

Quero ignorar a voz dele, mas quando Enzo e Dante enfim chegam ao corredor e param apenas a alguns metros de distância, ouço sua conversa. Estão falando de mim.

> Moritas emergiu do Submundo com uma fúria tão grande
> nos olhos que todos que a viram caíram de joelhos, e todos choraram,
> implorando seu perdão. Mas Moritas não tinha nenhum desejo de perdoar. Invocou a
> terra, e a terra tremeu, e as montanhas enterraram
> a cidade em cinzas e pedras.
> – *Um conto sobre a destruição da Ilha Teaza*, de Capitão Ikazara Terune

Adelina Amouteru

Meu coração martela forte no peito. Rezo aos deuses para que os dois não possam ouvi-lo.

– ... mas a questão é que ela foi reconhecida – diz Dante. O simples som de sua voz faz uma onda de raiva me percorrer, trazendo de volta a lembrança de suas ameaças durante meu treinamento. – E não foi só isso. Eu os vi *conversando*. – Ele fecha a cara. – Ela lhe contou o que falou com ele?

– Ele a encurralou contra a parede. Ela tentou atacá-lo.

Dante trinca os dentes.

– Eles conversaram por mais tempo do que isso. Onde ela está agora?

– Descansando – responde Enzo.

Dante espera que ele diga algo mais. Como Enzo permanece calado, continua com um rosnado:

– Você já matou alguns dos seus, quando puseram em risco a segurança do nosso grupo.

Enzo fica em silêncio, como se tivesse sido lembrado de algo que preferiria esquecer. Aperto as mãos.

– A presença dela põe todos nós em risco – prossegue Dante. – Ainda nos restam alguns dias antes do Torneio das Tormentas, e Adelina não pode ser reconhecida de novo.

– Ela pode ser nossa única chance de chegar perto o bastante do rei e da rainha.

– Ela pode ser a pessoa que vai nos *sabotar*. Não é estranho que a Inquisição tenha proibido os *malfettos* de participarem do Torneio no mesmo dia em que Adelina saiu para ver as corridas classificatórias contra as suas ordens?

– Se ela quisesse nos entregar, haveria Inquisidores nos cercando agora mesmo. – Enzo cruza as mãos nas costas. – Já teria acontecido.

Dante o olha de esguelha.

– É só isso mesmo, Alteza?

Enzo estreita os olhos.

– O que você está sugerindo?

– Eu o vi escoltá-la. Todos os outros Jovens de Elite estão suspeitando. Conheço você há anos... posso ver a verdade em seu rosto.

– Não há nada para ver.

– Ela o faz se lembrar de Daphne, não é? Aquele rostinho tamourano?

Uma nuvem de embotamento me cobre. *Daphne. Quem é Daphne?*

Através da névoa que me envolve, sinto uma devastadora maré de raiva crescer no coração de Enzo, empurrando e se esforçando para sair. A energia me faz engasgar – pressiono a mão sobre a boca para me silenciar. Meu coração dispara em um alarme frenético.

– Você está pisando em terreno perigoso – diz Enzo em voz baixa.

Dante hesita por um momento, mas depois faz uma carranca e segue em frente. Sua voz passa por uma mudança surpreendente, uma transição da condescendência arrogante e provocadora para um interesse genuíno.

– Escute. Todos nós gostávamos de Daphne. A melhor pessoa não *malfetto* que já conheci. Ela me curou... eu teria morrido se não fosse por ela. Acha que não percebi todas as vezes que você saiu de sua propriedade ou da Corte Fortunata para encontrá-la? Acha que não sabemos que queria se casar com ela?

Casar com ela.

A voz de Dante continua:

– Acha que também não chorei por ela? Que eu não queria matar todos os Inquisidores da cidade por causa dela?

Enzo ouve em silêncio, o rosto um retrato de pedra. Há barreiras em torno de sua energia agora, impedindo-me de acessar suas emoções. Luto para me concentrar na minha ilusão de invisibilidade. *Por que não o chama de mentiroso, Enzo?* Porque é tudo verdade, claro. Não é de admirar que Enzo às vezes me olhe como se eu fosse outra pessoa. É porque ele *está* vendo outra pessoa. Outra garota que viveu, que ele amou e que ainda ama.

Dante se inclina. A raiva nele cresce.

– Adelina *não é ela*. Ela tem o fogo, tenho que admitir e... tirando as marcas, é bonita. Mas elas são pessoas completamente diferentes, Ceifador. E posso garantir que, enquanto todos confiavam em Daphne, *ninguém* confia em sua nova garota. Todos a toleramos, na melhor das hipóteses. – Dante faz uma pausa e ergue dois dedos. – Ela desobedeceu suas ordens e foi vista conversando com o inimigo. Você matou por menos do que isso. Deu a ela vantagens que nunca deu aos outros. Você pegou leve com ela. *Eu* não gosto de receber ordens, mas ainda assim aceito as *suas*. Não fiz isso por anos apenas para vê-lo pôr tudo a perder por causa de uma garota que o faz se lembrar de seu antigo amor.

O olhar que Enzo lança para Dante é suficiente para fazer com que ele dê um passo cauteloso para trás.

– Estou ciente de quem Adelina é – diz o príncipe em voz baixa. – E de quem ela não é.

– Não é verdade se pensa que está apaixonado por ela, Alteza.

– Minhas paixões não são da sua conta.

– São, se representam uma distração de nossos objetivos.

Enzo estreita os olhos.

– Ela não é *nada* para mim – dispara ele com um gesto descuidado da mão. – Nada mais do que uma recruta dos Punhais. Apenas parte de nossos planos.

A frieza em sua voz me atinge em cheio. *Nada mais*. Meu coração se parte.

Dante bufa ao ouvir suas palavras.

– Se isso é verdade, então você não vai se importar de receber conselhos de outro dos Punhais. – Ele aponta para si mesmo.

– E o que você sugere? – pergunta Enzo.

– Por minha honra, vou tolerá-la enquanto *você* a tolerar. Use-a como bem entender. Mas, depois que estiver no trono e já tiver se divertido, deve se livrar dela. Ela não permanecerá leal por muito tempo.

Tremo com as trevas que despertam no coração de Enzo, uma fúria que escurece toda a animação vinda dos outros Punhais e patronos, uma raiva que envolve a caverna.

– Agradeço sua preocupação – diz ele após um momento, enfatizando as palavras com notas lentas e ameaçadoras. – Mas nossa conversa está encerrada.

– Como quiser, Alteza – responde Dante, com desgosto. – Você pode ter condenado todos nós.

Ele se vira para voltar ao grupo. Enzo permanece onde está, pensativo, a expressão cautelosa, os olhos treinados nas costas de Aranha. Ocorre-me, com a mesma agonia de uma facada, que ele pode estar *considerando* as palavras de Dante.

Por fim, Enzo também volta para junto dos outros. Eu não. Fico onde estou, agachada e tremendo na entrada da câmara, envolta em invisibilidade, sozinha enquanto a reunião continua. As palavras que eu havia preparado para dizer aos Punhais secam em minha língua. A lembrança do beijo que troquei com Enzo tão recentemente agora me deixa fria e trêmula.

Não sinto raiva. Nem ciúmes. Apenas... vazio. Uma profunda sensação de perda. De alguma forma, os ecos dos gracejos de Gemma e das risadas dos patronos agora me parecem ameaçadores. *Gemma a tratou bem. Raffaele a tomou sob sua guarda.* Eu me agarro a esses pensamentos em desespero, procurando conforto, tentando me convencer de que Dante está mentindo. Não consigo.

Eles só são bons comigo porque precisam de mim. Assim como Enzo. *Bondade com amarras.* Teriam se tornado meus amigos se eu fosse inútil?

Por fim, me levanto e volto para o quarto. Minha ilusão ondula em torno de mim. Se houvesse alguém aqui no corredor, veria um movimento no ar, uma estranha sombra deslizando.

Chego ao quarto, tranco a porta, desfaço a ilusão e me agacho aos pés da cama. Aqui, finalmente libero minhas emoções. Lágrimas escorrem pelo meu rosto. Bem feito por achar que poderia lhes contar tudo. O tempo passa. Minutos, uma hora. Quem sabe? A luz da lua muda sua inclinação em minhas janelas. Estou de volta ao quarto de minha infância, fugindo de meu pai. Estou de volta às grades da escada de minha antiga casa, ouvindo meu pai me vender para seu convidado. Ou talvez esteja escutando Dante me denunciar para Enzo. Eles estão falando de mim. *Estão sempre falando de mim.* Completei um círculo e não escapei do meu destino.

O fantasma de meu pai aparece na parede ao meu lado. Ele se ajoelha à minha frente e toma meu rosto nas mãos. Quase posso sentir seu toque, o calafrio da morte. Ele sorri. *Você não vê, Adelina?*, diz suavemente. *Não vê como sempre cuidei de você? Tudo o que lhe ensinei era verdade. Quem vai amar uma* malfetto *como você?*

Aperto a cabeça e fecho bem o olho. *Enzo não é como eles. Ele acreditou em mim. Ele me acolheu e me defendeu.* Lembro-me de como dançou comigo nas Luas de Primavera, como me protegeu de Teren. Todos os nossos dias de treinamento juntos, a gentileza em seu beijo, sua risada afetuosa. Repito isso para mim mesma até que as palavras se confundem e se tornam irreconhecíveis.

Mas ele de fato fez essas coisas por você?, sussurra meu pai. *Ou por ele mesmo?*

Não tenho ideia de quão tarde é. Pelo que sei, pode estar quase amanhecendo. Ou talvez tenham se passado apenas alguns minutos. Tudo o que sei é que, à medida que o tempo se arrasta, uma parte verdadeira de mim está lenta, e seguramente cedendo lugar a algo amargo. O que antes era tristeza está cedendo espaço à raiva. A escuridão se insinua. Exausta, fico feliz por isso.

Levanto-me. Meus pés se movem em direção à porta. Sigo pelo corredor de novo, mas desta vez não vou até os outros. Em vez disso, meus pés apontam para o caminho oposto, o que me leva para fora da corte, para as ruas e pelos canais.

Em direção à Torre da Inquisição.

Teren Santoro

As luzes do palácio ardem fracas esta noite. Teren segue pelos corredores vazios, em um caminho muito familiar. Suas botas ecoam de leve no piso, mas seus passos são suaves, e o som é quase imperceptível. No fim do corredor ficam os aposentos do rei. Mas sempre há guardas postados à porta. Teren faz um desvio, vagando por um corredor estreito e empurrando um painel invisível na parede que o leva direto para dentro do quarto.

A porta secreta se abre sem som algum. Os olhos de Teren recaem imediatamente sobre a cama. À luz das luas, pode ver a figura do rei roncando, o peito subindo e descendo sob as cobertas. Ao lado dele, está sentada a Rainha Giulietta. Ela quase nunca visita os aposentos do rei, e Teren acha estranho vê-la ali. Ela encontra os olhos dele e faz um gesto para que se aproxime.

O cheiro pungente de vinho envolve o rei como uma nuvem.

Teren chega mais perto. Lança um olhar interrogativo à rainha.

Ela o encara.

Teren saca a faca presa em sua cintura. É uma arma incomum – tão pequena e fina que parece com algo que um médico usaria em uma cirurgia. Ele a ergue com uma das mãos. Com a outra, tira um pesado martelo de madeira de dentro do manto.

Aprendeu isso quando era criança, quando o pai jazia em seu leito de morte e ele chorava ao seu lado, e um médico libertou o pai moribundo de seu sofrimento. Tinha sido rápido e indolor. Mais importante, sem sangue ou feridas evidentes. Quando a Inquisição enterrou seu pai, era como se ele tivesse morrido enquanto dormia, o corpo intacto, aparentemente intocado.

Teren posiciona a faca sobre o canto interno do olho direito do rei. Ele ergue o martelo de madeira até o fim da faca, e então o retrai. Giulietta o observa em silêncio.

Giulietta é governante de Kenettra por direito. Os deuses ordenaram que fosse assim ao marcarem o Príncipe Enzo, amaldiçoando-o como um *malfetto*. Os deuses deram a Kenettra este rei fraco, o Duque de Estenzia, um nobre que nem é da linhagem real. *Mas Giulietta é pura.* Ela deve governar Kenettra. Com a ajuda de Adelina, Teren destruirá os Jovens de Elite. E, com o apoio de Giulietta, vão livrar todo o país dos *malfettos*. Teren sorri com esse pensamento. Hoje à noite, Giulietta vai chamar os guardas e dizer que o rei parou de respirar ao lado dela.

Eles vão declarar que o rei morreu de causas naturais, pelo excesso de vinho ou parada cardíaca. E, hoje à noite, Teren começará um verdadeiro expurgo de *malfettos* na cidade.

Ele junta forças. Em seguida, bate com o martelo no punho da faca, que se enterra. O corpo fica rígido, contraindo-se. Então, aos poucos, os movimentos desaparecem.

O rei está morto. Vida longa à rainha.

> Amar é ter medo. Você fica assustado, mortalmente aterrorizado,
> que alguma coisa aconteça àqueles que ama.
> Pense nas possibilidades. Seu coração se aperta a cada ideia?
> Isso, meu amigo, é o amor. E o amor nos escraviza a todos,
> pois não se pode amar sem ter medo.
> – *Uma tese particular sobre o romance dos três reis*,
> de Baronesa Sammarco

Adelina Amouteru

Eu não tinha percorrido Estenzia o suficiente para saber, mas achei que a esta hora a cidade estaria mais tranquila. Não tive tanta sorte esta noite. As ruas estão repletas de guardas da Inquisição. Na verdade, não posso dobrar uma esquina sequer sem ver uma patrulha descendo a rua. A presença deles me obriga a diminuir o ritmo. Algo aconteceu. *O que está havendo?*

Ando pelas sombras, minha máscara prateada cuidadosamente escondida debaixo do braço. Eu me cubro com uma ilusão de invisibilidade, mas isso me esgota depressa, permitindo-me manter o feitiço apenas por alguns momentos por vez. Paro com frequência em becos escuros para reunir forças. Invisibilidade é difícil, tanto quanto me disfarçar de outra pessoa. A cada passo, as coisas a minha volta mudam, e tenho que mudar a ilusão de acordo com elas. Se não fizer isso depressa ou com precisão o bastante, pareço uma onda se movendo pelo ar. O que a invisibilidade exige, portanto, é uma concentração constante, a ponto de eu mal me lembrar de como é minha aparência verdadeira. Pelo menos é noite. Um momento mais clemente.

Escondo-me de novo quando mais patrulhas da Inquisição passam correndo. Em algum lugar distante, gritos ecoam na noite. Ouço com atenção. De início, não consigo entender o que estão dizendo. Instantes depois, as palavras se tornam claras.

– *O rei está morto!*

O grito distante me faz congelar no lugar. O rei... está morto?

Após um momento, outra voz se junta à primeira, repetindo a frase. E mais outra. Em meio a elas, escuto outra coisa. *Vida longa à rainha!*

O rei está morto. Vida longa à rainha! Eu me apoio na parede. Os Punhais atacaram esta noite? Não, não teriam feito isso. Não planejaram. O rei morreu antes que eles pudessem alcançá-lo.

O que aconteceu?

Teren, sugere um sussurro em minha cabeça. Mas isso não parece certo. Por que ele iria querer o rei morto?

Sem me arriscar a tomar uma gôndola, levo uma hora antes de sequer poder ver a Torre da Inquisição se erguendo ao longe. Para além dela fica o palácio – e, se não estou enganada, os grupos de Inquisidores estão se dirigindo para lá.

Quando chego à quadra da torre, um brilho frio de suor brota em minha testa. Paro às sombras de uma loja próxima, desfaço a ilusão de invisibilidade, tiro a máscara por um momento e respiro fundo. Esta é, de longe, a ocasião em que sustentei uma ilusão por mais tempo, e o resultado é uma onda de tontura que me faz cambalear. Quando eu tinha nove anos, fui ao escritório de meu pai e rasguei uma carta que ele escrevera para um médico local, pedindo indicações de remédios que controlassem meu temperamento. Ele descobriu o que fiz, claro. Mandou Violetta me trancar no quarto por três dias, sem comida nem água. Quando ela me encontrou quase inconsciente, ao fim do segundo dia, implorou a ele que me libertasse. Ele concordou. Sorriu e me perguntou se eu tinha gostado da sede e da fome. Se isso tinha despertado algo em mim.

A tontura que senti naquela ocasião, recostada na porta trancada e gritando até ficar rouca para que minha irmã me soltasse, não é muito diferente do que sinto agora. Mas a lembrança me dá um pouco de força. Após alguns minutos, engulo em seco e me empertigo. Meu olhar se foca na torre.

Uma pequena caminhada me leva da praça principal às grandes portas da torre, e há Inquisidores cercando o caminho. Uma lanterna grande e redonda está pendurada na entrada, iluminando a porta de madeira escura. Começo a me cobrir de novo, mas paro. Por que eu esgotaria minha energia agora? Se eu conseguir chegar à porta com uma ilusão de invisibilidade, ainda terei que abri-la para entrar. Não tem como disfarçar *isso*.

Ando até os guardas. A lembrança da última vez que fiz isso, na cidade enlouquecida com as corridas classificatórias, me ocorre.

Dois deles sacam as espadas imediatamente. Eu me obrigo a encará-los.

– Estou aqui para falar com Mestre Santoro – respondo. – Ele mesmo me chamou.

Uma onda de dúvida atravessa o rosto de um dos homens à menção de Teren. Minha energia se agita com essa emoção, ganhando força. Franzo a testa para eles. Desta vez, tiro vantagem de seu óbvio desconforto. De dentro do manto, tiro a máscara prateada.

– Trago informações sobre os Jovens de Elite. – A tranquilidade em minha voz é surpreendente. – Vocês querem mesmo arriscar me mandar embora?

Ao ver a máscara, os olhos do guarda se arregalam, reconhecendo-a, e minha energia se fortalece de novo, quando sinto que estou assumindo o controle desse soldado, obrigando-o a fazer algo contra a vontade.

Por fim, o primeiro Inquisidor faz um gesto para que dois outros me segurem.

– Façam-na entrar. – Então resmunga para mim: – Você vai esperar que ele volte.

Teren não está na torre hoje. As mãos deles em meus braços me fazem lembrar do dia da minha execução em Dalia. Enquanto me levam, olho por sobre o ombro e vejo mais Inquisidores correndo pelas ruas. A energia do medo parece elevada esta noite. Ela pulsa por mim, estimulando meus sentidos.

Entramos na torre. Eles me conduzem a uma pequena câmara no corredor principal, e me fazem sentar no chão. Em seguida, formam um círculo à minha volta, cada uma de suas espadas apontadas para mim. Do lado de fora, outros aguardam. Olho para eles, determinada a não demonstrar nem um traço de emoção. As masmorras devem estar em algum lugar abaixo de nós, se essa torre for minimamente parecida com aquela em que fiquei presa. Onde Teren mantém Violetta?... Se é que está mesmo com ela.

Não sei há quanto tempo estou aqui, contando os minutos. Os Inquisidores permanecem imóveis. É por esse tipo de treinamento que passam – ficar de pé, parados, por horas seguidas? Posso sentir o desconforto deles a minha volta, uma emoção persistente e subjacente que desponta da casca insensível que tentam aparentar. Sorrio. O medo deles cresce. Minha empolgação também.

De repente, de fora das janelas surge um barulho de vidros se quebrando. Então, gritos. Viro-me na direção do som. Todos os guardas erguem a espada ao meu movimento, mas continuo a olhar para a janela. O barulho de pés correndo, centenas deles, então mais vozes e o caos. Um brilho pálido laranja e amarelo ondula contra o vidro escuro. *O rei está morto.* Isso tem alguma relação? Os Punhais sabem o que aconteceu? Será que Enzo já sabe que fugi?

A porta se escancara. Um novo Inquisidor entra às pressas e sussurra ao ouvido do guarda mais próximo. Tento em vão ouvir o que ele diz. Lá fora, mais gritos ecoam na noite.

Então escuto uma voz conhecida vinda do fim do corredor. Viro a cabeça nessa direção. Teren voltou.

Ele entra na sala a passos largos e orgulhosos, a cabeça erguida, e um sorriso frio nos lábios. Para ao me ver. Prendo a respiração. De repente toda a minha missão, todos os meus poderes parecem enfraquecer com sua presença.

– Você veio – diz por fim, parando à minha frente. – Já era hora. Eu tinha certeza de que teria que matá-la esta noite. – Ele cruza os braços. – Mas você me poupou o trabalho.

– Ouvi dizer que o rei está morto – sussurro.

Teren baixa a cabeça uma vez, mas suas palavras não soam empáticas.

– Um mal súbito. Estamos todos de luto.

Estremeço. *Você está mesmo, Teren?* Sua resposta trivial é confirmação suficiente de que os Punhais não são os responsáveis. Mas só porque eles não mataram o rei... não quer dizer que ele não tenha sido assassinado. *Um mal súbito* parece suspeito.

– Você me prometeu minha irmã – digo, o olho focado em seu manto ensanguentado. – E a segurança dela.

Por um momento considero usar meus poderes sobre ele. Mas e então? Tudo o que consigo fazer é criar ilusões. Não posso machucá-lo. Nem Enzo pode machucá-lo.

– Minha palavra vale tanto quanto a sua – responde ele, me lançando um olhar agudo. – Mas pode não valer por muito tempo.

Seja o que for que Teren tenha ordenado que fizessem na cidade esta noite, isso trouxe uma nuvem de terror. Eu o observo, sentindo a escuridão que se revolve em seu coração, a loucura brilhando em seus olhos.

Controle-se. Concentre-se. Endureço o coração, tornando meu medo uma lâmina afiada.

– Leve-me à minha irmã. Ou não vou lhe dizer nada.

Teren inclina a cabeça.

– Fazendo exigências, é? – Estreita os olhos. – Alguma coisa aconteceu com você desde que nos vimos pela última vez.

Em meu peito, o alinhamento com a ambição se manifesta.

– Você quer capturar os Jovens de Elite ou não?

Minha pergunta o faz dar uma risadinha. Seu sorriso vacila por um momento, diminuindo sua loucura, e ele me lança um olhar mais sério.

– O que fez você se virar contra eles?

Recuo. Não quero relembrar o que ouvi.

– Não basta você ter ameaçado a vida da minha irmã? Ter me posto contra a parede?

Seus olhos pulsam, curiosos.

– Não é só isso.

O calor do beijo de Enzo surge em minha mente, de forma espontânea, o modo como os olhos dele se suavizaram ao me ver, o modo como me imprensou contra a parede... a conversa entre ele e Dante. Afasto a emoção e balanço a cabeça para Teren.

– Deixe-me ver minha irmã primeiro – repito.

– E se eu ordenar a meus homens que matem Violetta agora, a menos que você me dê o que quero?

Contraio o queixo. *Seja firme.*

– Então nunca falarei.

Sustento seu olhar, recusando-me a ceder. Da última vez que nos encontramos, ele me pegou de surpresa e me acovardei. Desta vez, não posso fazer isso.

Por fim, Teren faz um gesto com a cabeça para que o siga.

– Venha, então – diz, gesticulando para os Inquisidores. – Vamos fazer seu jogo.

Sucesso. Os Inquisidores baixam suas espadas e me põem de pé. Aos poucos, começo a reunir energia em meu peito. Vou precisar de tudo o que tenho, ou não haverá esperança de escapar daqui com Violetta.

Ele nos conduz pelas masmorras, mais fundo, mais fundo, até que paro de contar os degraus de pedra que já descemos. Até onde isto vai? Enquanto continuamos, ouço os gritos dos prisioneiros soando dos pisos, um coro de uivos. Tenho que prender a respiração aqui embaixo. Nunca em minha vida senti tanto medo e raiva concentrados em um único lugar. As emoções me envolvem, ansiosas para que eu faça algo com elas. Meu medo e minha raiva ameaçam dominar meus sentidos. Trinco os dentes, controlando meus poderes. Eu poderia fazer tanta coisa aqui embaixo. Poderia conjurar uma ilusão que nenhum deles jamais viu.

Mas continuo me controlando. Não até ver Violetta pessoalmente.

Enfim, Teren nos guia até um andar mais silencioso que os demais. Pequenas portas de madeira cobertas com grades de ferro se alinham nas paredes. Caminhamos por um corredor mal iluminado até estarmos diante de uma única porta na extremidade. Quase cambaleio, de tão poderosa que é a escuridão dentro de mim. Fiquei em uma cela como aquela.

– Sua irmã – diz Teren, fazendo uma reverência debochada. Um dos outros Inquisidores destranca a porta, que se abre com um rangido.

Pisco. Por trás da porta pesada há uma cela minúscula, apertada. Há velas acesas ao longo de um estreito peitoril na parede. Uma cama de feno está amontoada em um canto e, sentada nela, uma garota com o rosto doce e frágil e cachos escuros agora sujos e embaraçados. Ela está magra e debilitada, trêmula de frio. Seus olhos arregalados me veem. Sinto vergonha da onda de emoções misturadas que me domina ao vê-la – alegria, amor, ódio, inveja.

– Adelina? – diz minha irmã.

E, de repente, eu me lembro da noite em que fugi de casa, quando ela parou na porta de meu quarto e esfregou os olhos sonolentos.

Inquisidores entram imediatamente e a cercam. Ela se encolhe na cama, afastando-se deles, puxando os joelhos para junto do queixo. Quando ela faz isso, vejo as pesadas correntes em seus pulsos e tornozelos que a mantêm presa à cama.

A escuridão ruge dentro de mim. Que ilusão posso criar para nos tirar daqui antes que possam machucá-la? Avalio a distância entre nós duas, o número de passos que separam os Inquisidores de mim e eu de Teren. Todas as lições de Raffaele e de Enzo me vêm à mente.

Teren espera que eu entre na cela e depois fecha a porta atrás de si. Ele vai para perto de Violetta. Sinto o medo dela se aguçar – e o meu também. Teren a observa com um olhar crítico, depois se vira de novo para mim, com um movimento do manto.

Ele me estuda.

– Diga-me, Adelina... quais são os nomes deles?

Abro a boca.

Fale pra ele sobre o terrível Aranha, dizem alegremente os sussurros em minha cabeça. *Vá em frente. Ele merece. Entregue Enzo, Michel e Lucent a Teren. Entregue-lhe Gemma. Você está indo muito bem.* Em minha cabeça, me imagino confessando a Teren tudo o que sei.

– Onde estão os Jovens de Elite? – perguntará ele.
– Na Corte Fortunata – responderei.
– Onde?
– A corte tem muitas passagens secretas. Eles usam as catacumbas embaixo dela. Você encontrará a entrada no menor jardim.
– Diga-me seus nomes.
Eu digo.

A imagem some de minha mente e, mais uma vez, vejo Teren parado à minha frente. De algum modo, as confissões não saem.

Apesar de meu silêncio, ele parece calmo.

– Adelina, estou impressionado. Alguma coisa *aconteceu* com você.

Um alerta fraco soa em minha cabeça.

– Você quer os nomes deles – digo, prolongando o jogo.

Teren me observa, interessado. Seus lábios estremecem.

– Ainda hesitante, não é?

Ele caminha devagar, fazendo um círculo ao meu redor, perto o bastante para que eu sinta seu manto roçar minha pele. Com um arrepio, isso me faz lembrar de quando Raffaele caminhou à minha volta no dia do meu teste com as gemas, estudando meu potencial.

Teren enfim para na minha frente. Saca a espada e a aponta para Violetta. Meu coração se aperta.

– Por que você os protege com tanta lealdade, Adelina? O que prometeram lhe dar se você fizesse parte do círculo deles? Fizeram você acreditar que são um bando de nobres heróis? Que a recrutaram para uma causa honrada, em vez dos assassinatos que *de fato* cometem? Você acha que o espetáculo deles nas Luas de Primavera não custou nenhuma vida inocente? – Ele fixa o olhar pálido e pulsante em mim. – Vi o que você pode fazer. Sei da escuridão em sua alma. Você queria fugir deles... eu poderia apostar que não confia neles. Há alguma coisa... diferente em você. Eles não gostam de você, gostam?

Como ele poderia saber disso?

– O que você está querendo dizer? – pergunto, com os dentes cerrados.

– Você está aqui porque não se encaixa – diz ele, em tom frio. – Deixe-me lhe dizer uma coisa, Adelina. Não há vergonha alguma em dar as costas a um grupo de criminosos que não quer nada além de destruir todo o país. Acha que eles a protegeriam se estivesse em perigo? – Ele se vira, me olhando de lado.

Penso nos *malfettos* que foram queimados na fogueira e como os Punhais decidiram não salvá-los. Porque não eram Jovens de Elite.

– Eles foram resgatá-la naquele dia porque você tinha algo que queriam – diz Teren, como se soubesse o que estou pensando. – Ninguém joga fora algo útil... quero dizer, até que não seja mais útil.

Ele tem razão.

– Passei a gostar de você nesse tempo que passamos juntos – continua ele. – Já pensou no mito do anjo da Alegria e seu irmão, o anjo da Avareza? Lembra-se da história de Denarius jogando Laetes dos céus, condenando-o a andar pelo mundo como homem até que a morte o mandasse de volta aos deuses? *Curando* o anjo da Alegria de sua arrogância ao pensar que era o favorito entre os filhos dos deuses? – Ele se inclina para perto. – Há um desequilíbrio no mundo, assim como houve quando a Alegria deixou o paraíso, sinais alarmantes de demônios andando entre nós, desafiando a ordem natural. Às vezes, a única forma de corrigir as coisas é fazer o que é difícil. É o único modo de amá-los. – Toda a diversão fingida sumiu de seu rosto. – Por isso fui enviado pelos deuses. E sinto que talvez *você* também tenha sido enviada pelo mesmo motivo. Você tem um desejo de corrigir as coisas, pequena *malfetto*... é mais esperta que os outros, porque *sabe* que há algo errado com você. Isso atormenta sua consciência, não é? Você se odeia, e admiro isso. É por isso que continua vindo a mim. O único modo de se curar dessa culpa é expiá-la salvando seus colegas aberrações. Ajude-os a voltar para o Submundo, onde é o lugar deles. Faça isso comigo. Você e eu podemos corrigir o mundo e, quando o fizermos, os deuses nos darão seu perdão. – Sua voz assumiu um tom estranho, gentil. – Não *parece* certo ou bondoso, eu sei... *Parece* cruel. Mas *tem que* ser feito. Você me entende?

Algo em suas palavras faz sentido. Elas giram em minha mente e em meu coração até que pareçam lógicas. Eu *sou* uma aberração – até mesmo para os outros Punhais. Talvez *seja* mesmo meu dever consertar o mundo. *Faço isso porque amo você*, sussurra o fantasma de meu pai. *Você pode não entender agora, mas é para seu próprio bem. Você é um monstro. Ainda a amo. Vou consertá-la.*

O olhar sério de Teren se enche de empatia, uma expressão que reconheço do dia de minha execução.

– Se você se comprometer com a Inquisição, *comigo*, e jurar usar seus poderes e seu conhecimento para mandar *malfettos* de volta ao Submundo, vou lhe dar tudo o que sempre quis. Posso lhe garantir todos os seus desejos. Dinheiro? Poder? Respeito? Negócio fechado. – Ele sorri. – Você pode se redimir, deixar de ser uma aberração aos olhos dos deuses e se tornar uma salvadora. Você pode me ajudar a consertar este mundo. Não seria bom não ter mais que fugir? – Ele faz uma pausa e, por um momento, um tom de tragédia real e dolorosa toma sua voz: – Nós não deveríamos existir, Adelina. Nunca fomos planejados.

Somos erros.

– Agora, me diga, Adelina – diz ele, com a voz suave e aduladora.

Quero falar – ah, como quero – neste momento. Teren pode oferecer a mim e a Violetta uma vida tão fácil, é só dar o que ele quer. Os planos dos Punhais já estão arruinados mesmo, não estão? O rei morreu por conta própria. Não tenho mais motivos para permanecer leal a eles. Abro a boca. As palavras de Dante estão frescas em minha mente, e uma onda de amargura me invade, ansiosa para se libertar. Eu poderia destruir todos eles agora mesmo, com apenas algumas palavras.

Mas ainda assim as palavras não vêm. Em vez disso, penso na expressão gentil de Enzo, no sorriso fácil de Gemma. Na amizade desinteressada de Lucent, nas aulas de arte de Michel. Acima de tudo, penso em Raffaele, com sua paciência e graça, sua gentileza, sua dedicação tranquila que ganhou minha confiança. Se ele estivesse na corte esta noite, eu poderia ter confiado nele. Ele teria me ajudado. As coisas poderiam ter sido diferentes se ele estivesse lá. Tenho algo quando estou com os Punhais, algo mais que um contrato não escrito para fazer o que eles mandam.

Algumas centelhas de clareza surgem por entre a rede que as palavras de Teren criaram em mim, um fio de lógica que me tira do nevoeiro. Ele diz que os Punhais estão me usando. Mas ele também está. Esta é a verdadeira razão pela qual não consigo lhe dar o que ele quer. Não tanto pelo fato de eu estar protegendo os Punhais.

É que estou cansada de ser usada.

Teren suspira, depois balança a cabeça. Assente para um dos seus homens. O Inquisidor saca a espada e se move em direção a Violetta.

Olho para minha irmã. Ela percebe que estou prestes a agir. Reúno minha força. Então *puxo os fios*.

Uma camada de invisibilidade me cobre, recriando a parede atrás de mim e o chão sob meus pés. Faço o mesmo em torno de minha irmã. A olho nu, parece que ela foi subitamente substituída por um espaço vazio.

Pela primeira vez, Teren parece surpreso.

– Você melhorou – diz ele. Pega a espada e grita para os outros Inquisidores: – Já chega. Encontrem-na.

Eles se movem em minha direção, mas já estou em ação. Puxo os fios outra vez, envolvendo cada um deles em uma visão de pesadelos – demônios que gritam, seus uivos agudos são como o barulho de metal contra metal, suas bocas escancaradas. Vários Inquisidores caem de joelhos, as mãos pressionadas sobre o rosto e os ouvidos. O medo deles faz suspirar. É tão bom!

Teren e eu alcançamos minha irmã ao mesmo tempo. Ele tateia às cegas, agarrando-a pelo braço. Puxa-a para si e pressiona a espada contra o pescoço dela.

– Não! – ordena ele para o ar.

Apesar da raiva, ele parece ver algo em mim que o fascina. Concentro-me nele, procurando seus sentidos, com o objetivo de envolvê-lo em ilusões como fiz com seus homens.

Mas encontro uma parede.

Nunca senti isso em ninguém – como um bloco de gelo, algo duro e impenetrável que protege a energia dele da minha. Cerro os dentes e me esforço mais, porém sua energia reage. Um sorriso se espalha por seu rosto quando ele percebe meu esforço. Eu vi como o fogo de Enzo mal o afetou, e ouvi Enzo falar sobre como Teren não pode ser ferido como uma pessoa normal. Agora, pela primeira vez, estou sentindo isso por mim mesma.

– Tente fazer isso de novo, e corto sua irmã – diz ele.

Violetta fecha bem os olhos. Respira fundo.

A coisa mais estranha acontece. Teren parece congelar no meio do golpe. Ele estremece. Sinto a parede de gelo que protege sua energia rachar – e se quebrar. Ele solta um arquejo terrível, libera Violetta e cai de joelhos. De repente, sem mais nem menos, vejo os fios de sua energia, seu medo e sua escuridão, os fios de seus sentidos que agora posso alcançar e manusear como fiz com os outros. O que aconteceu?

Alguém deu cabo de suas habilidades.

Olho para Violetta, espantada. Ela retribui meu olhar aflito. E é então que entendo. Na mesma hora.

Minha irmã é uma Jovem de Elite.

E ela acabou de tirar os poderes de Teren.

Enquanto minha ilusão dura, corro até ele e arranco a chave de seu pescoço, em seguida, corro para minha irmã e removo sua invisibilidade por um momento. Ela está tremendo, o suor faz sua testa delicada brilhar, e seus olhos estão fixos em Teren, agachado no chão. Com os dedos trêmulos, tento encaixar a chave nas algemas de ferro. Estremeço ao obrigar meu dedo torto a trabalhar com os outros. Que os deuses me ajudem, mas estou exausta. Ainda não tinha percebido quanto de minha energia havia usado, mas agora sinto que ela me puxa para baixo. O medo é a única coisa que me faz continuar.

Por fim, as correntes de Violetta caem e ela se põe de pé. Passo um dos meus braços sobre seu ombro, equilibrando-me, e, juntas, seguimos para a porta. Reforço nossa invisibilidade. Paro diante da porta, em seguida olho para Teren por sobre o ombro. Ele sorri; a parede de gelo ao seu redor aos poucos se reconstrói.

– Adelina! – exclama. – Você está sempre me surpreendendo. – Ele ri outra vez, o som de um louco.

Cambaleamos para o corredor enquanto Teren grita chamando mais guardas.

Subimos os degraus em silêncio, nossas respirações se transformando em arquejos roucos. Minha energia enfraquece – nem mesmo meu medo é suficiente para manter a ilusão. Nossa invisibilidade começa a falhar. Inquisidores passam direto por nós. Tento poupar forças para quando eles estiverem por perto. Mas quando chegamos ao andar principal da torre, parecemos ondulações se movendo pelas paredes.

– Aguente firme, Adelina – incentiva minha irmã.

Corremos para a rua e para o caos.

Há vidros quebrados por toda parte. Gritos na noite. Mais Inquisidores do que já vi em toda minha vida, apinhando as ruas e arrastando *malfettos* de suas casas – ainda de pijamas e camisolas – para a praça, batendo neles sem piedade, acorrentando-os. Paro de repente em um beco próximo. Enfim libero minha última gota de energia e deslizo para baixo, colada à parede, em posição fetal. Violetta cai ao meu lado. Juntas, olhamos com horror a cena que se desenrola à nossa frente. Um Inquisidor enfia a espada no corpo de uma jovem *malfetto* com uma mecha dourada em seu cabelo preto. Ela dá um grito falhado – seu sangue se derrama nos paralelepípedos. Gritos se fazem ouvir pela praça.

O rei está morto! O rei está morto!

Está tudo errado. Vejo os Inquisidores matarem outros *malfettos*. Estou tonta. Algo deu terrivelmente errado.

Puxo Violetta para perto.

– Pense em alguma coisa – sussurro em seu ouvido, sentindo-a tremer contra mim, incontrolável.

Eu me obrigo a absorver o terror e o mal que nos cercam, deixando que fortaleçam a escuridão em mim para que eu possa criar uma ilusão de calma em torno de minha irmã. Bloqueio os gritos para ela. Conjuro um manto de escuridão a sua volta, protegendo-a da visão dos *malfettos* que berram, reunidos na praça. Isto deve estar aconteceendo em toda Estenzia – até mesmo em toda Kenettra. Enquanto Violetta chora em meu ombro, olho para a horrível cena.

Que ironia eu ter que absorver tanto mal a fim de proteger minha irmã dele.

Através da névoa de terror, lembro-me das catacumbas sob a cidade. Toco o rosto de Violetta.

– Temos que ir – digo com firmeza. Pego a mão dela e começo a nos conduzir...

... até virarmos a esquina e darmos de cara com Dante. Ele baixa os olhos para mim, o rosto envolto em sombras.

– Bem – rosna. – Eu sabia que encontraria você aqui fora.

> Ele podia sentir a energia da tempestade na brisa, como se fosse uma criatura viva, soprando a vida e o medo em seu corpo.
> – *Contos do Lorde Dunre*, de Ephare

Adelina Amouteru

Meu primeiro pensamento febril: *Dante me seguiu.* De alguma forma me viu saindo da Corte Fortunata. Foi atrás de mim até a Torre. E agora sabe que eu devo ter ido falar com a Inquisição. Um turbilhão de pensamentos atravessa minha mente em um segundo. Se ele voltar aos Punhais, vai contar tudo a eles. *Não – eles não podem descobrir assim.* Abro a boca, tentando pensar em algo para dizer.

Ele não me dá chance. Em vez disso, avança contra mim com a mão estendida, tentando segurar meu braço. Violetta grita – a energia ruge em meus ouvidos.

Desesperada, jogo sobre nós uma ilusão de invisibilidade e me jogo no chão. Meus poderes estão desaparecendo depressa, e nós piscamos, ficando à vista e sumindo. Fico de pé bem no momento em que Dante arremete contra mim de novo. Desta vez, ele ataca com um punhal.

Minha ilusão o faz errar o alvo, mas a lâmina ainda acerta a beirada da minha coxa, cortando minhas roupas. Estremeço com o arranhão em minha pele. A escuridão se agita dentro de mim, alimentando-se da fúria de Dante. Minha força cresce de novo.

– Sua *traidora*. – Ele aponta o punhal para mim. – Enzo deveria ter acabado com você assim que chegou a nós.

Como você se atreve? Eu protegi todos vocês.

– Eu não fiz nada! – grito de volta. – Eu não contei nada para eles.

– E acha que vou acreditar em você? – Dante gira a lâmina.

– Deixe-me explicar – peço, estendendo as mãos. – Não disse nada a eles. O que você viu nas Luas de Primavera...

Os lábios de Dante se curvam em um esgar.

– Eu sei o que vi. Há quanto tempo você trabalha para Teren?

– Eu não estava trabalhando para ele! Ele me encontrou... há meses, na corte... – Não sei como dizer isso a Dante sem fazer parecer que é tudo minha culpa. *A culpa é minha.*

– E mesmo assim não nos disse nada. Por que guardar segredo?

– Eu não queria! Eu estava com medo de que me machucassem. Minha irmã...

Dante zomba.

– Eu sabia que você não era do bem. Eu deveria arrancar sua boca do rosto, porque ela não cospe nada além de mentiras.

Estou começando a ter dificuldade para respirar. Minhas palavras saem engasgadas.

– Você tem que acreditar em mim. Eu não disse nada a ele.

– Você contou a ele sobre o Torneio das Tormentas?

– Eu... – hesito.

Dante aproveita minha pausa. Estreita os olhos.

– E traiu Raffaele, entregando-o para o palácio, não foi?

Eu pisco. O quê? Raffaele?

– Raffaele não voltou?

Dante não precisa falar para que eu saiba a resposta. *Raffaele estava ausente na última reunião, nunca voltou de sua visita ao cliente. Não, ele não.* Pensar que Raffaele foi o primeiro a sofrer...

Dante ataca outra vez. Ele me derruba no chão e me mantém ali. Não consigo encontrar os fios para puxar. Violetta solta um grito engasgado.

– Vou levá-la de volta para Enzo! – Ele rosna, estreitando os olhos para mim. Sua mão aperta meu pescoço, me sufocando. *Não, você não pode. Eu deveria dizer a ele, não você.* – Você vai responder a ele, sua covardezinha patética.

Eu a matarei antes de permitir que arruíne este acordo.

As palavras de meu pai naquela noite fatídica de repente ecoam ao meu redor, enchendo meus ouvidos e me levando de volta ao mercado encharcado de chuva onde ele morreu. As palavras de Dante para Enzo correm pela minha mente. A escuridão que cresceu em mim desde que deixei os Punhais agora luta ansiosamente pela liberdade – ela cresce e cresce, alimentando-se do medo e do ódio de Dante, dos Inquisidores, do terror das pessoas nas ruas, da escuridão à nossa volta. Acima de mim, já não vejo Dante... em vez disso, vejo meu pai, seus lábios torcidos em um sorriso sombrio.

Já chega. Entrelaço os fios brilhantes de energia ao meu redor – de repente há tantos deles que me sinto zonza de poder, como se eu tivesse saído do meu corpo. Raffaele uma vez me mostrou como criar ilusões de toque. Posso fazer isso agora?

Mostro os dentes. E solto minha raiva.

Por um único e terrível momento, posso ver cada um dos fios de energia que me conectam a Dante. Eu e suas sensações de dor. Por instinto, puxo com força.

De repente Dante cambaleia para longe de mim. Sua mão deixa meu pescoço – busca desesperadamente por ar. Seus olhos se arregalam. Em seguida, ele deixa cair as armas e solta um grito de gelar o sangue. O som faz uma enxurrada de empolgação me atravessar, tão intensa que tremo da cabeça aos pés. *A ilusão do toque; a ilusão da dor.* Oh, eu queria fazer isso há tanto tempo. Puxo com mais força, torcendo, aumentando em Dante a crença de que ele está em agonia – que seus membros estão sendo arrancados, um a um, de que alguém está puxando a pele de suas costas. Ele cai no chão e se contorce, grito após grito.

No início, tudo o que sinto dele é raiva. Ele me encara com olhos assassinos.

– Eu vou matar você – dispara em meio à dor. – Você atacou o Punhal errado.

Fecho a cara. *Não*, você *atacou*.

A raiva dele se transforma em medo. Ele emana terror – isso só faz com que eu me sinta mais forte, e uso todo o poder extra para torturá-lo. Parte de mim fica horrorizada com o que estou fazendo. Mas a outra parte, a que é filha de meu pai, se delicia com isso. Estou tonta de prazer – ele se derrama sobre mim até que eu sinta que sou uma pessoa completamente diferente. Eu me aproximo de onde ele se contorce e observo com paciência, a cabeça inclinada, curiosa. Abro a boca para falar, e as palavras de meu pai escapam de mim:

– Mostre-me o que pode fazer – sussurro ao ouvido de Dante.

Em algum lugar no meio da escuridão, tenho um vislumbre de Violetta encolhida no canto, os olhos aterrorizados fixos em mim. *Ela tem o poder de me deter*, percebo através da minha névoa de alegria. Mas não vai.

Parar? Por que eu deveria parar? Este é o garoto que disse a Enzo para me matar. Ele ameaçou minha vida desde o momento em que me juntei aos Punhais – tentou me matar *agora mesmo*. Assim como todos os outros. Tenho todo o direito de torturá-lo. Ele merece morrer nas minhas mãos, e vou garantir que ele sinta até o último momento. Toda a raiva e amargura *por tudo* que guardei em meu coração agora atinge o ponto máximo. A imagem de meu pai substitui Dante outra vez, seu corpo se curva para trás em agonia. Meu sorriso se torna sombrio e eu torço mais e mais os fios.

Vou destruí-lo.

– Pare, *por favor*!

No começo acho que é Violetta que grita para mim, mas então percebo que é meu pai. Ele decidiu implorar. Seus batimentos cardíacos atingem um ritmo violento.

Algo dentro de mim grita que isso está indo longe demais – posso sentir a escuridão dominando meus sentidos. Meu pai – Dante – arqueja. Seu grito corta o ar enquanto seu rosto se congela em uma imagem trêmula de choque. *Puxo mais.* Tento em vão afastá-la, para recuperar o controle. Não consigo. Um filete de sangue real escorre de seus lábios. Meu coração estremece com essa visão. Isso não deveria acontecer. Sou uma criadora de *ilusões*. Será que mesmo a ilusão da dor pode provocar algo real? Mais uma vez, tento me deter. Mas o fantasma de meu pai apenas ri, misturando-se aos sussurros alegres em minha mente.

Continue, Adelina, e ninguém nunca mais vai mandar em você. Sinto um estalo no coração de Dante, fios se quebrando.

Ele congela. Sua boca fica aberta em um grito silencioso; seus lábios estão manchados de vermelho. Seus dedos se contorcem, mas os olhos estão vidrados. A escuridão que tomou conta de minha mente agora some depressa – caio de joelhos, de repente incapaz de respirar, e encosto na parede, exausta. Sinto como se tivesse voltado ao meu corpo. Minha energia diminuiu até se reduzir a nada, de uma hora para outra – a presença fantasmagórica de meu pai some, e sua voz desaparece na noite. Violetta permanece onde está, olhando para o corpo de Dante em um silêncio atordoado. Faço o mesmo. O caos nas ruas ecoa em meus ouvidos como um grito debaixo d'água.

Eu queria machucá-lo. Para me defender. Para me vingar. Para escapar. *Mas não o machuquei apenas.* Garanti que ele nunca mais levante um dedo contra mim.

Em minha fúria, eu o matei.

> Baliras são violentas quando provocadas. Mas fique quieto e em silêncio e poderá ver a fragilidade por trás de seu tamanho enorme, o modo como envolvem seus filhotes com suas barbatanas.
> – *Criaturas do Submundo*, de Sir Alamour Kerana

Adelina Amouteru

Não tenho certeza de quanto tempo ficamos no beco. Talvez um minuto. Talvez horas. O tempo perde o sentido por um período. Só me lembro de deixar a rua estreita em um estupor, minha mão firme em volta da de Violetta. No chão atrás de nós há um cadáver para o qual não ouso olhar de novo.

De algum modo, conseguimos ficar escondidas nas sombras, o caos na cidade trabalhando a nosso favor. No coração de Estenzia, a presença constante de patrulhas da Inquisição rapidamente se transformou em um número infinito, mais mantos brancos do que já vi na vida. Cacos de vidro se espalham nas ruas. Lojas de *malfettos* são invadidas, queimadas e destruídas – seus proprietários arrancados de suas camas e jogados na rua para serem presos. O palácio está se vingando pelo que fizemos no cais.

Estou experimentando minha própria vingança.

Seguimos em frente. Parece que o céu começou a clarear... Já está amanhecendo? *Devemos ter ficado no beco por algum tempo*, penso enquanto andamos. De repente a exaustão me domina, e me encosto em uma parede para me equilibrar da onda de tontura. *Alguma coisa aconteceu naquele beco. O que foi?* Por que tudo parece tão fora de foco? A lembrança me ocorre, nublada e malformada, como se eu tivesse testemunhado tudo pelos olhos de outra pessoa. *Havia alguém lá. Um rapaz. Ele tentou nos machucar. Não me lembro de mais do que isso. Alguma coisa aconteceu. Mas o quê?* Olho para Violetta, que me encara com olhos arregalados e assustados. Levo um momento para perceber que está com medo de *mim*.

Talvez eu lembre. Talvez eu esteja esquecendo de propósito.

– Depressa, Adelina – sussurra ela ao pegar minha mão, hesitante. Continuo zonza. – Para onde devemos ir?

Através do nevoeiro em minha mente, murmuro de volta:

– Para a Corte Fortunata. Por aqui.

Se eu ao menos pudesse falar com Raffaele, explicaria tudo. Enzo vai ouvi-lo. Eu não deveria tê-los deixado para trás – foi tudo um erro terrível.

Eu nos guio pela escuridão que diminui, passando por prédios em chamas e por pessoas que choram, o ar impregnado com o cheiro do terror. Paro outra vez, quando a escuridão dentro de mim se torna maior do que posso controlar.

– Espere – sussurro para Violetta.

Antes que ela possa responder, eu me inclino para a frente e oscilo. O pouco que há em meu estômago é devolvido. Tusso e vomito até que não reste mais nada. Ainda assim, a escuridão se agita em mim, implacável, trazendo consigo as ondas de náusea e conforto. Oscilo entre repulsa e alegria.

Em meio à tontura, sinto Violetta passando o braço pelo meu ombro. Ela me estabiliza. Quando ergo o olhar, encontro seus olhos solenes.

– Quem era ele? – sussurra.

A pergunta soa como uma acusação. Isso me deixa confusa.

– Quem?

Os olhos de Violetta parecem chocados.

– Você quer dizer que não...

Deve ser assim que alguém se sente ao perder a memória. Afasto o braço dela e volto minha atenção para as ruas.

– Não quero falar disso – disparo.

Espero Violetta dizer algo, mas ela fica em silêncio, então não trocamos mais uma palavra até nos aproximarmos dos arcos da Corte Fortunata.

Quando chegamos, o som de gritos enche a cidade, e a luz fraca da aurora contém rajadas de laranja. Paramos em um beco para recuperar o fôlego. Toda a minha energia foi sugada, e nem tento criar uma ilusão para nos proteger. Violetta mantém os olhos afastados de mim, sua expressão assustada.

– Para trás – sussurra ela de repente.

Nós nos encolhemos nas sombras quando Inquisidores passam correndo pela rua principal e entram em uma loja ali perto. Momentos depois, arrastam uma *malfetto*, empurram-na com tanta força que ela cai sobre as mãos e os joelhos. Ela está soluçando. Atrás dela, capas brancas flutuam dentro da loja, e os primeiros sinais de fogo cintilam nas janelas. Assistimos em silêncio, os corações na boca, enquanto a mulher implora por misericórdia. Um dos Inquisidores se prepara para golpeá-la. No alto, pela janela de suas casas, vizinhos observam. No rosto deles, imagens de horror. Mas ficam em silêncio e não ajudam.

De repente, o Inquisidor que está prestes a atacar a mulher se inclina para trás. Como se uma cortina de vento o tivesse arrancado do chão. Em seguida, ele é erguido, gritando, para cima, para além dos telhados. Meu olho se arregala. *A Caminhante do Vento.* Os Jovens de Elite estão aqui. O Inquisidor paira no céu por um momento – e depois cai para a rua com um barulho nauseante. Violetta se encolhe e enterra o rosto em meu ombro. Ao mesmo tempo, as chamas na loja se apagam sem deixar rastro, nada além de fumaça negra se erguendo do prédio. Outros Inquisidores gritam, alarmados. Mas onde quer que os Punhais estivessem, já se foram. Eu me encolho nas sombras, de repente apavorada que me encontrem.

Ao longe, ouvimos vários *malfettos* gritarem na rua:

– Os Jovens de Elite!

A mulher de joelhos vibra:

– Eles estão aqui! Salvem-nos!

Outros entoam a mesma coisa. O desespero em suas vozes arrepia minha nuca. Mas nada acontece. Os Inquisidores varrem as ruas, procurando por eles, mas não estão em lugar algum onde possam ser encontrados.

– Temos que sair daqui – sussurro. – Siga-me. Vamos para o subsolo.

Com isso, Violetta e eu saímos do beco e seguimos por um caminho mais tranquilo, longe da carnificina.

Quando o sol finalmente nasce, chegamos às ruas em frente à Corte Fortunata. Congelo, sem querer acreditar no que vejo. O lugar, antes uma joia da coroa, agora está carbonizado e destruído, saqueado pelos Inquisidores. Há manchas de sangue na entrada. Os Punhais devem ter partido também – todos os planos, a missão de matar o rei, seu refúgio, destruídos. Em uma noite.

Não sobrou nada.

> Quando os Aristanos conquistaram os Salanos, levaram tudo,
> suas joias, sua honra e suas crianças, às vezes, direto do útero.
> – *Crônicas da Primeira Guerra Civil de Amadera, 758-762*, por Mireina, a Grande

Adelina Amouteru

Não me atrevi a entrar de novo na Corte Fortunata. Eu não sabia se ainda havia Inquisidores vasculhando os cômodos... e não sabia se estava pronta para ver se eles haviam ou não descoberto as câmaras secretas dos Punhais. Se lá dentro havia ou não corpos que eu reconheceria.

Em vez disso, peguei a mão de Violetta e fui com ela até o único lugar onde pensei que estaríamos seguras. As catacumbas.

Do fundo dos túneis sob a cidade, o barulho de pessoas lá em cima soa como um eco abafado e estranho, sussurros dos fantasmas que assombram estes corredores estreitos e escuros. Fachos fracos de luz vindos das pequenas grades no teto e a penumbra da manhã chuvosa cobrem tudo com uma névoa. Não sei mais para onde ir. Estamos aqui embaixo um dia inteiro, desde que fugimos das cinzas da Corte Fortunata, nos escondendo em meio à morte. Daqui, ouvimos a voz de Teren erguendo-se na frente do palácio, vemos Inquisidores enchendo as ruas da cidade. A lembrança da noite de ontem deixa um sentimento doloroso e nauseante em meu estômago. Eu deveria ter parado e ajudado as pessoas nas ruas. Mas não tinha força.

O que aconteceu a Enzo, agora que a corte está destruída e o rei está morto? O que vão fazer?

Não podemos ficar aqui por muito tempo. Talvez a Inquisição tenha descoberto as passagens secretas da Corte Fortunata e o acesso dos Punhais às catacumbas. Talvez estejam procurando nos túneis agora mesmo, nos caçando. Por enquanto, porém, descansamos aqui, exaustas demais para continuar.

– Você está bem? – pergunto a minha irmã enquanto nos apoiamos, cansadas, na parede. Minha garganta está seca, e as palavras saem fracas e roucas. O barulho suave da chuva lá em cima as abafa.

Violetta assente uma vez. Seus olhos estão distantes, estudando a nova máscara branca que cobre meu olho faltante.

Suspiro, tiro um fio de cabelo do rosto e começo a trançar as mechas. Passamos longos minutos em silêncio. Tranço, destranço e tranço de novo. O silêncio entre nós se arrasta, mas de certa forma é confortável e me faz lembrar dos dias que passávamos no jardim. Por fim, olho para ela.

– Quanto tempo Teren a manteve presa?

– Desde o dia em que você escapou da execução – sussurra ela de volta. Demora um pouco para continuar: – A Inquisição em Dalia passou dias procurando você. Vasculharam a cidade em busca de outros *malfettos* com cabelos prateados. Mataram duas meninas. – Ela baixa os olhos. – Eles já estavam postados em nossa casa, então eu não podia sair. Aí Teren veio e me pegou. Disse que me levaria para a capital portuária.

– Ele... machucou você?

Ela balança a cabeça.

– Não. Não fisicamente.

– Ele fazia ideia de que você tem poderes?

– Não – sussurra Violetta.

Eu me remexo para encontrar uma posição melhor, em seguida cravo o olhar nela. Violetta se apoia no cotovelo.

– *Você* sabia?

Ela fica em silêncio por um momento. Vejo a verdade em seus olhos.

– Você *sabia* – sussurro. – Quando? Por quanto tempo?

Violetta hesita e puxa os joelhos até o queixo.

– Desde que éramos pequenas.

Estou paralisada. Não consigo respirar.

– Descobri um dia, por acaso. No início, não achei que fosse real – diz ela, tímida, encontrando meu olhar. – Afinal, eu não tinha marcas. Como eu poderia ser uma *malfetto* com poderes demoníacos... – ela faz uma pausa – ... e incomuns?

Tento ignorar o zumbido em meus ouvidos.

– Quando?

– No dia em que papai quebrou seu dedo. – Sua voz se torna mais baixa. – Você se lembra de quando se afastou dele? Você queria se esconder por trás de um véu escuro, *literalmente*. Pude sentir isso.

Só Raffaele pode fazer isso.

– Você pode me *sentir*?

Violetta assente.

– Naquele dia, eu soube instintivamente que não queria que você fizesse nada para irritar ainda mais o papai. Sabia que, se você fizesse algo extraordinário, ele a mataria, venderia, ou algo pior. Então, eu me esforcei... – Ela para por um momento, como se estivesse tentando encontrar uma boa maneira de se explicar. – E fiz você *recuar*. Detive você.

Em um piscar de olhos, as palavras de Raffaele me ocorrem. *Há algo sombrio e amargo dentro de você.* É daí que vêm todos os meus pensamentos terríveis? Eles se originam de tantos anos de energia retida, ansiando para se libertar?

Tudo faz sentido agora. Raffaele perguntou por que meus poderes não se manifestaram mais cedo. Eles se manifestaram. Eu só não sabia disso, porque Violetta sempre os suprimia. Lembro que ela ficou de cama, com febre, no dia seguinte ao primeiro incidente.

E não usei meus poderes, pela primeira vez, na *primeira* noite que estávamos separadas? Não senti como se um manto houvesse sido tirado de mim quando me despedi de Violetta? Não usei meus poderes durante minha execução?

E *Raffaele*. Começo a balançar a cabeça.

– Não. Deve haver algo que você não está me contando. Nós... os Punhais... tinham um Mensageiro, alguém que podia sentir outros Jovens de Elite. Ele nunca sentiu você. Como poderia tê-la deixado passar?

Violetta não tem resposta para isso, é claro. Não sei por que eu esperava que ela me desse uma. Ela só olha ao redor, impotente. *Raffaele não podia senti-la*, penso de repente, *porque, inconscientemente, ela deve ter suprimido os poderes dele também*. É a única explicação. Para Raffaele, o poder de Violetta é invisível.

– Quando você me libertou? – sussurro.

A voz de Violetta soa vazia:

– Quando a Inquisição a prendeu pela primeira vez, tirei seus poderes. Não queria imaginar você entrando em ação contra os Inquisidores enquanto estivesse na prisão. Achei que talvez eles fossem perdoá-la se não pudessem provar que você fazia algo de extraordinário. Mas então ouvi sobre sua execução... Vi os Inquisidores arrastando você pela praça. Não sabia mais o que fazer... então liberei seu poder. E você o usou. – Ela baixa os olhos. – Não sei o que aconteceu com você depois que os Jovens de Elite a levaram embora.

Meu coração martela contra minhas costelas. Longe da minha irmã, após treinar com os Punhais, aprendi a controlar a energia. De repente, pego a mão dela e a ponho sobre meu coração.

– Quero ver você em ação – digo, em voz baixa.

Violetta hesita. Em seguida, respira fundo, fecha os olhos e *ataca*. Eu engasgo. Sinto desta vez como se alguém estivesse apertando meus pulmões até eu ficar sem ar, levando minha alma e a comprimindo até que se torne invisível. Inacessível. Caio contra a parede, tonta. Um estranho vazio invade meu peito. Estranho. Não me lembro de ter sentido isso antes. Talvez seja impossível perder algo que você não sabia que existia. Mas agora eu sei e sinto sua falta. Tento timidamente alcançar minha energia, procurando a escuridão que se acumula em meu peito. Um choque de pânico me atinge quando não consigo senti-la. Olho para minha irmã.

– Devolva – sussurro.

Violetta faz o que peço. Respiro fundo quando o ar volta a circular por mim, vivo e sombrio, viciante e doce, e de repente posso ver os fios de energia outra vez. Sinto o zumbido por meu corpo e sei como puxar os fios. Suspiro de alívio com essa sensação, saboreando o prazer que me traz. Testo meus poderes, criando uma pequena rosa diante de nossos olhos e fazendo-a girar devagar. Violetta me observa de olhos arregalados. Seus ombros caem um pouco mais, como se ter usado seu poder tivesse acabado com sua força.

Ela pode suspender as habilidades de um Jovem de Elite e depois liberá-las de novo. Todo esse tempo, minha irmã detém um poder capaz de dominar todos os outros. Mil possibilidades passam por minha mente.

– Você é uma *malfetto*, assim como eu – sussurro, olhando, distraída, para a rosa que paira entre nós. – Uma *malfetto* de Elite.

Violetta desvia o olhar. Percebo que está com vergonha.

– Como pôde esconder esse segredo de mim? – Minha voz está rouca de raiva. – Como pôde me deixar sofrer sozinha?

– Eu também estava com medo – rebate Violetta. – Não queria encorajá-la e sabia como as coisas seriam para mim se papai descobrisse meus poderes. Você tinha seus meios de se proteger. Eu tinha os meus.

De repente, entendo melhor minha irmã. Sempre pensei nela como a doce e ingênua. Mas talvez ela usasse sua doçura e ingenuidade como um escudo. Talvez sempre tenha sabido exatamente o que estava fazendo. Ao contrário de mim, que afastava as pessoas, ela se protegeu fazendo com que gostassem dela. *Quando gostam de você, as pessoas a tratam bem.* Então, ficou tranquila à minha custa.

– Eu via como papai tratava você – diz ela, em voz baixa. Outra pausa. – Eu estava com medo, Adelina. Ele parecia me amar... então como eu poderia contar a ele? Às vezes eu me imaginava dizendo: 'Pai, eu sou uma *malfetto*. Tenho poderes que não são deste mundo, porque posso dar e tirar os poderes de Adelina.' Eu era criança e estava apavorada. Não queria perdê-lo. Então, me convenci de que eu não era assim, que a ausência de marcas me tornava melhor. Como eu poderia contar a *você*? Você ia querer experimentar, e papai descobriria nós duas.

– Você me deixou por minha conta – sussurro.

Ela não consegue olhar para mim.

– Sinto muito, Adelina.

Sinto muito, sempre a mesma coisa. O que se pode comprar nesse mundo com um pedido de desculpas?

Fecho o olho e baixo a cabeça. A escuridão se agita dentro de mim, inundando as margens da consciência, ávida para se libertar. Todos aqueles anos sofri sozinha, observando nosso pai esbanjar atenção com a filha que acreditava ser pura e imaculada, suportando seus acessos de raiva, pensando que minha irmã era diferente de mim, que era intocada. E ela deixou que isso continuasse.

– Fico feliz por você tê-lo matado – acrescenta ela, baixinho. Há algo duro em sua expressão agora. – O papai, quero dizer. Estou feliz que tenha feito isso.

Não sei como responder a isso. Nunca imaginei que ouviria algo assim dos lábios de minha irmã. É isso que suaviza o nó apertado em meu peito. Tento me lembrar de que ela foi a Teren para implorar pela minha vida. Que ela arriscou tudo. Tento me lembrar de como ela costumava trançar meu cabelo, como ia dormir no meu quarto durante uma tempestade.

Só consigo assentir.

O som da comoção nas ruas acima de nós interrompe meus pensamentos. Os sinos na Torre da Inquisição estão tocando. Teren deve estar se preparando para fazer um discurso. Nós duas ouvimos por um tempo, tentando captar algumas palavras da superfície, mas não conseguimos ouvir nada direito. Apenas os sinos e os sons de centenas de passos abafados.

– Alguma coisa importante está acontecendo – digo. Faço um gesto para nos levantarmos. Teremos que ir para um lugar mais alto se quisermos descobrir o que está acontecendo. – Por aqui.

Vamos mais para dentro do túnel da catacumba, até que ele se ramifica em três corredores estreitos. Escolho o da esquerda. Depois de quinze passos, paro e procuro a pequena porta embutida na pedra. Minha mão encontra a pedra áspera na madeira. Minha energia a ativa, e a porta se abre. Subimos um pequeno lance de escadas, até que enfim saímos pela parede que cerca um beco escuro à beira da praça do mercado principal. Andamos até a parte onde o beco encontra uma rua lateral e espiamos das sombras para onde a praça principal começa.

O lugar está apinhado. Inquisidores se postam às ruas, direcionando as pessoas e, nos canais, gôndolas esperam. Nenhum tráfego é permitido na água esta manhã.

– O que está acontecendo? – pergunta Violetta.

– Não sei – respondo, enquanto olho da multidão para os Inquisidores.

Teremos que esperar – com meus poderes enfraquecidos, não podemos sair a céu aberto e arriscar sermos reconhecidas por um guarda. Prendo a respiração quando um grupo de Inquisidores passa pela rua estreita onde estamos. Minhas costas estão pressionadas com tanta força contra a parede que sinto que posso me fundir a ela.

Eles passam sem nos notar. Volto a respirar.

Pego a mão de Violetta e nos arrasto pelas sombras. Seguimos em frente, devagar e com dificuldade, por ruas sinuosas, até finalmente chegarmos ao espaço onde a praça principal se abre. Lá, nos agachamos à sombra de uma entrada da ponte do canal e observamos enquanto mais pessoas enchem a praça.

O lugar está lotado esta manhã, como se fosse dia de mercado, mas todas as pessoas estão estranhamente silenciosas, esperando com uma ansiedade temerosa um pronunciamento da Torre da Inquisição. Meu olho vaga até os telhados, onde estátuas dos deuses adornam os beirais. Está cheio de Inquisidores, mas mesmo assim – de alguma forma, escondidos atrás de telhas e chaminés – os Punhais devem estar esperando em silêncio.

Ainda estou fraca, mas a energia da praça explode de medo, vibrante e sombrio, e isso me alimenta.

Um brilho fraco de movimento aparece na sacada principal da Torre da Inquisição. Uma centelha de vestes douradas ladeadas de branco, o vislumbre de um líder andando entre seus homens. Fico tensa. Momentos depois, Teren aparece.

Ele está com os trajes formais, o revestimento brilhante da armadura branca sobre uma veste esvoaçante de padrão branco e dourado intricado. Um manto pesado foi preso sobre seus ombros e cai atrás dele em uma cauda longa. A inclinação da luz da manhã ilumina perfeitamente a sacada – parte intencional do projeto do palácio – e a enche de brilho.

Percebo que ele trouxe um prisioneiro.

– Oh – sussurro, meu coração se apertando.

Dois Inquisidores aparecem, arrastando entre eles um rapaz de cabelo escuro e comprido, o corpo esguio sobrecarregado com correntes, a cabeça inclinada para trás enquanto Teren pressiona uma espada em sua garganta. As ricas vestes vermelhas do rapaz estão rasgadas e sujas. Seu rosto é grave, mas o reconheço imediatamente.

Raffaele.

É minha culpa que ele esteja aqui.

Teren ergue o braço livre.

– Cidadãos de Estenzia – grita. – É com o coração pesado que lhe dou esta notícia. – Ele faz uma pausa. – O rei está morto. Em seu lugar, governará Sua Majestade, a Rainha Giulietta. O funeral do rei será amanhã à noite, na arena de Estenzia. Vocês devem comparecer.

Ele para por um breve momento e em seguida continua:

– Haverá mudanças no modo como lidamos com traidores e aberrações. Sua Majestade não tolera crimes contra a coroa.

Se Enzo tivesse sido bem-sucedido, também teria matado sua irmã, a rainha. Seus nobres teriam agido e lhe oferecido apoio. Ele poderia agir *agora*. Mas não vai. Não com Raffaele refém desse jeito. De repente, percebo que é por isso que Teren, não Giulietta, está se dirigindo à multidão. Ela sabe que precisa se proteger.

A morte do rei começa a ficar mais clara para mim.

Observo Teren apertar ainda mais Raffaele, que estremece quando a espada se afunda na carne de seu pescoço.

– Ajoelhe-se – ordena Teren.

Raffaele obedece. Suas vestes escarlate se espalham em um círculo em volta dele. A energia se agita dolorosamente em meu peito.

Teren acena para a multidão.

– Deste dia em diante, todos os *malfettos* estão banidos da cidade. Serão removidos para a periferia e isolados da sociedade.

O silêncio da multidão se quebra. Suspiros. Murmúrios. E então, gritos. Violetta e eu apenas observamos, nossas mãos unidas, com medo. *O que a Inquisição vai fazer com eles, uma vez que forem banidos para a periferia?*

Teren levanta a voz sobre o caos.

– Qualquer um que entregar *malfettos* à Inquisição será recompensado com ouro. Qualquer um que resistir a esta ordem ou for descoberto escondendo *malfettos* será executado.

Posso alcançar Raffaele? Será que *algum* de nós pode? Estudo a praça. É impossível chegar perto o suficiente sem chamar atenção e, com a vida de Raffaele nas mãos de Teren, não podemos cometer um deslize. Há Inquisidores demais cercando a praça para que eu possa me aproximar, sobretudo estando tão fraca. *Não podemos salvá-lo aqui.*

Violetta vira a cabeça. Seu rosto tem uma expressão estranha, pensativa.

– Há outros Jovens de Elite aqui – sussurra.

Levo um tempo para lembrar que seu poder lhe permite fazer o que Raffaele faz – ela sabe quando há outro Jovem de Elite por perto. Olho para ela abruptamente.

– Além de Teren?

Ela assente.

– Quantos?

Violetta se concentra por um momento, contando. Por fim, responde:

– Quatro.

Quatro. Os outros estão aqui. Enzo está assistindo.

Teren vasculha a multidão enquanto sua voz continua a ressoar pela praça:

– *Malfettos* são um flagelo para nossa população. Eles são inferiores a cães. Indignos. – Teren se abaixa para pegar Raffaele pelos cabelos, o põe de pé e aperta mais a espada contra sua garganta. – Pessoas como eles são uma maldição em nosso país. São o motivo para suas vidas serem miseráveis. Quanto mais nos livrarmos de *malfettos*, melhor será nosso país. *Vocês* serão melhores. – Ele ergue a voz: – Está vendo isto, Ceifador?

Ele está tentando nos fazer aparecer. A multidão se agita, inquieta e nervosa. As pessoas olham para os telhados e as vielas. Assim como fizeram em minha execução.

Teren estreita os olhos.

– Sei que está assistindo. Ouvi dizer que este rapaz inútil é importante para você. Então vou propor um acordo. Apareça. Ou, me verá estripar este rapaz bem aqui, nesta sacada.

Enzo não vai morder a isca. Estamos encurralados. Olho desesperadamente de Raffaele para os telhados, onde acho que Enzo pode estar à espreita, observando. Não há como salvá-lo. Não mesmo. Vamos vê-lo morrer.

Justo quando acho que está tudo acabado, alguém grita na multidão. Em seguida, outro. E, nos telhados, uma figura sombria se ergue diante de toda a praça.

Enzo.

Seu rosto está escondido por trás da máscara prateada, mas suas palavras são claras e altas. Geladas de raiva. Observo com o coração na boca.

– Deixe-me propor um acordo a *você*, Líder Inquisidor! – grita ele. – E vamos jurá-lo aqui, diante dos deuses. Eu o desafio para um duelo. Na manhã do funeral do rei, eu o enfrentarei em um combate aberto na arena de Estenzia. Vou lutar com você, sozinho.

A multidão fica completamente imóvel. Eles se agarram a cada palavra sua. Inquisidores nos telhados correm na direção de Enzo, mas sei que ele pode desaparecer em um piscar de olhos se algum deles chegar muito perto. Teren deve saber também, porque ergue a mão e faz sinal para que parem.

– Se eu vencer, Líder Inquisidor – continua Enzo –, então a Inquisição liberará o rapaz que você fez de refém. Ele será perdoado de qualquer acusação de má conduta e terá permissão para andar livre e ileso. – Há uma longa pausa. – Se você ganhar, então estarei morto.

Será uma luta de vida ou morte.

Teren e Enzo se encaram por um bom tempo. Nenhum dos dois fala. Por fim, um sorriso lento se abre no rosto de Teren. Ele assente uma única vez para Enzo.

– Muito bem, Ceifador. Com os deuses como testemunhas, vamos duelar.

> Era uma vez um príncipe que se apaixonou loucamente por um demônio do Submundo. Quando ela desapareceu, de volta ao mar, ele sofreu tanto que entrou no oceano e nunca mais voltou.
> – *Contos populares de Kenettra*, vários autores

Adelina Amouteru

Voltamos para a segurança das catacumbas. Quando a noite começa a cair, jogando suas longas sombras por toda a cidade, finalmente ouso sair dos túneis e levar Violetta mais para dentro da cidade.

– Para onde eles foram?

A voz de Violetta está tensa e ofegante enquanto corre atrás de mim, segurando minha mão. Seguimos nosso caminho pelas ruas escuras, em uma corrida cega, contando apenas com o que me lembro da planta da cidade.

– Eles estão se tornando mais fracos – responde ela. – Para a direita. Acho que eles podem ter ido por ali. – Ela aponta para uma série de edifícios cercados por arcadas. A universidade.

– Este é um de seus esconderijos.

Eu não deveria estar voltando para os Punhais. Porém, com Raffaele refém e Enzo se preparando para duelar com Teren amanhã na arena, sinto a força dos laços que formei nas últimas semanas. Meus passos aceleram. Não posso deixar Raffaele morrer assim. Talvez Dante fosse o único que quisesse se livrar de mim. Talvez eu ainda possa ser um Punhal, eles se preocupem comigo e eu ainda possa ser parte do grupo.

Mentindo para si mesma de novo, minha querida?, a voz de meu pai sussurra em minha cabeça. Eu o ignoro.

– Por aqui – digo, depois de um momento. Nós nos apressamos.

Quando enfim nos aproximamos da universidade, paro a fim de encontrar a entrada para as catacumbas de novo e descer. Seria muito perigoso entrar na universidade em campo aberto, com Inquisidores patrulhando os corredores. Nas catacumbas, encontro as escadas gastas que levam à sala escura em um canto da universidade. Subo um degrau de cada vez, tomando o cuidado de não tropeçar. Atrás de mim, Violetta está se cansando depressa. Seu poder deve esgotá-la muito mais rapidamente que o meu.

– Eles estão aqui – sussurra ela.

Paro diante da porta no topo da escada, em seguida ponho a mão na gema incrustada na madeira. Ela se abre.

Saímos do subsolo. O salão está tão silencioso que ainda podemos ouvir o barulho do lado de fora dos muros da universidade, o som das patrulhas da Inquisição em marcha, das multidões rouquenhas. A próxima coisa que ouço são vozes vindas dali de dentro – vozes que conheço. Eu me encolho nas sombras, e Violetta me imita.

A primeira voz que reconheço é de Lucent. Ela parece frustrada.

– Ele vai matá-lo antes do amanhecer... Como você pode acreditar em uma palavra do que ele diz?

Fico parada por mais um segundo, me controlando, e começo a correr na direção das vozes. Violetta me segue. As vozes nos levam ao templo principal da universidade, cujas portas são trancadas. Feixes de luz atravessam o vidro manchado acima de nós. E ali, no centro do espaço iminente, estão várias figuras que conheço muito bem.

Elas também param ao nos ver.

Respiro fundo. Então saio das sombras.

– Onde você esteve?

Lucent é a primeira a perguntar. Não tenho nem ideia de como responder. Por onde devo começar? Enzo solicitou para nós um pequeno quarto nos apartamentos do templo, e agora Violetta e eu estamos ali, descansando sobre os minúsculos catres individuais. Lucent está à porta, me questionando, com os braços cruzados. Enzo está sentado na cadeira solitária no canto do quarto, enquanto Gemma e Michel se empoleiram na beirada de um dos catres. Violetta está junto de mim no outro catre, imóvel e em silêncio, tremendo um pouco. Fico feliz que ela esteja com medo demais para falar.

Olho para Enzo, que se inclina para a frente na cadeira e apoia o queixo nas mãos. Ele me observa em silêncio.

– Teren ameaçou matar minha irmã – respondo. – Ele a manteve nas masmorras da Torre da Inquisição.

Enzo estreita os olhos.

– Quando você se encontrou com Teren pela primeira vez?

Semanas atrás. Não consigo me obrigar a dizer isso.

– Ele me ameaçou durante as Luas de Primavera, antes de lutar com você.

Michel franze as sobrancelhas.

– Por que não nos contou? – pergunta.

Hesito.

– Não achei que vocês fossem me ajudar – decido dizer. E é verdade. – Era arriscado demais envolver todos tão perto da data do Torneio.

Lucent funga e se remexe na porta até que eu vejo o seu perfil. Ela não chega a me acusar de traição, mas posso sentir isso em cada linha de seu corpo. Ela não confia em mim. Seu respeito por mim murchou e deu espaço à desconfiança. Digo a mim mesma para ficar calma. Mesmo que a captura de Raffaele seja grande parte do motivo para eu ter voltado aos Punhais, neste momento fico aliviada por ele não estar aqui com os outros.

Ele provavelmente perceberia as mentiras que eu estou tecendo à minha volta.

Meu olhar volta a Enzo, que fica em silêncio por um bom tempo. Ele não me defende, tampouco me acusa. Por fim, endireita-se na cadeira e se dirige a todos nós:

– Teren não vai manter sua palavra. Não se enganem. Quando eu duelar com ele amanhã, *vai* usar isso como uma chance para matar não só a mim, mas todos nós. Não vai libertar Raffaele. Sabe que todos estaremos na multidão da arena, e quer que esse seja o último confronto. Ele quer uma batalha *ou tudo ou nada* amanhã.

Enzo está me incluindo nos planos. Ainda sou parte do grupo.

– Qual é exatamente o plano, então, Ceifador? – pergunta Lucent. – O rei está morto, e sua irmã tem Teren nas mãos. Os Inquisidores estão prendendo todos os *malfettos* que encontram. Como podemos chegar a Giulietta?

– Giulietta não vai dar as caras na arena amanhã – responde Enzo. – Ela estará escondida em algum lugar, protegida por seus guardas. Amanhã de manhã, nossos patronos restantes enviarão os apoiadores para atacar a arena. Vamos resgatar Raffaele, e vou matar Teren. – Ele contrai o queixo. – Vamos declarar guerra. – Ele olha para mim. – Eu preciso de sua ajuda.

Quando nos beijamos no pátio, rodeados pela chuva e pelas lanternas, você estava sendo sincero? O que realmente quer comigo?

Por fim, concordo com um leve movimento de cabeça.

Ao meu lado, Violetta se mexe. Os olhos de todos se voltam para ela. Como ela não fala, falo por ela.

– Não trouxe minha irmã aqui apenas para protegê-la, mas porque ela pode nos ajudar. Ela tem algo que pode virar o jogo.

Michel lança um olhar cético para Violetta.

– Você é uma *malfetto*? – Ele procura, em vão, uma marca.

– Ela é uma Jovem de Elite – respondo. – Acho que não tem marcas por causa do que pode fazer. – Meu olhar volta para Enzo. – Ela tem a capacidade de tirar os poderes dos outros.

Silêncio. E atenção. Enzo se inclina para a frente na cadeira, olha para nós duas, pensativo, e depois comprime os lábios. Sei que todo mundo está pensando exatamente a mesma coisa.

Violetta pode nos ajudar a matar Teren.
– Bem – diz ele. – Vamos ver o que ela pode fazer.

A febre de Violetta continua naquela noite, uma ardência baixa que a deixa em um estranho estado de semiconsciência. Ela murmura para mim, de vez em quando. Seguro sua mão até os sussurros pararem e sua respiração se estabilizar.

O salão do templo está silencioso. Os outros já devem ter se recolhido a seus aposentos, embora eu duvide que alguém esteja mesmo dormindo. Quero me aventurar lá fora, ficar longe de minha irmã por um momento e deixar o ar fresco da noite clarear meus sentidos. Mas os Punhais nos trancaram em nosso quarto. Lucent diz que é para minha segurança, mas posso sentir o traço sutil de medo por trás de suas palavras. Um muro se ergue lentamente entre nós.

O som de aço retinindo no corredor chama minha atenção. Sento-me, alerta. Por um instante, acho que podem ser Inquisidores. Eles descobriram nosso esconderijo e estão vindo atrás de nós. Mas, à medida que escuto mais, percebo que o som é de uma espada, o ruído solitário ecoando a cada poucos segundos, vindo de alguma câmara distante. Levanto-me da cama e pressiono o ouvido contra a porta. Parece esgrima. Ouço por um tempo, até que enfim para.

Passos se aproximam no corredor. Eu me afasto da porta. Segundos depois, há uma batida suave. Levo um momento para responder.

– Pois não?

– Sou eu.

A voz de Enzo. Fico em silêncio e, um momento depois, ouço o clique da tranca. A porta se abre um pouco, revelando parte do rosto de Enzo. Ele sustenta meu olhar por um instante antes de se desviar para a forma frágil de Violetta.

– Como ela está?

– Ela só precisa descansar – respondo. – Eu a vi assim muitas vezes. Acontece depois que ela usa seus poderes.

– Venha comigo – diz ele, após um momento. Ele deixa a porta entreaberta e faz um gesto para que eu o siga.

Hesito e por um instante tenho medo de que este seja o momento em que Enzo enfim se livrará de mim de uma vez por todas. Mas ele espera pacientemente e, depois de um tempo, eu me levanto e o sigo para fora do quarto. Basta olhar para ele para sentir uma onda quente me percorrendo. Ele está vestido com roupas simples esta noite, a camisa de linho solta sobre o peito, os cordões desamarrados, revelando a pele por baixo. Seu cabelo está solto e despenteado, uma juba vermelho-escura caindo um pouco abaixo dos ombros. Segura a espada em uma das mãos. Era esse o som que vinha do corredor. Enzo devia estar treinando para o duelo de amanhã.

Eu o sigo pelo corredor com passos suaves, até chegarmos à porta de seu quarto.

Entramos sem fazer barulho. Aqui, a figura de Enzo é mal iluminada pela luz das velas. Meu coração martela no peito. Fico junto à porta enquanto ele caminha até a pequena mesa ao lado da cama e usa sua energia para aumentar o brilho da vela. Sua camisa solta deixa à mostra a pele de seu pescoço. O silêncio pesa entre nós.

Ele aponta para uma cadeira.

– Sente-se, por favor. – Em seguida, recosta na cabeceira da cama.

Eu me sento. Um longo silêncio paira entre nós. Agora que estamos sozinhos, seus olhos se suavizam – não são a visão dura e sombria a que estou acostumada –, a mesma suavidade que vi quando nos beijamos no pátio. Ele me observa. Há uma nuvem de medo em torno dele esta noite, sutil, mas considerável. Ele está com medo de *mim*?

– Diga-me. Por que você fugiu? Havia outra razão além de sua irmã. Não havia?

Ele sabe. Um medo repentino me inunda. Ele não sabe sobre Dante – como poderia? Ele está buscando algo mais. Lentamente, permito-me revisitar a noite em que cobri o chão de meu quarto com visões de sangue, quando rabisquei palavras de raiva na parede.

– É verdade? – pergunto, por fim. – O que Dante disse no corredor naquela noite? Sobre... se livrar de mim?

Enzo não parece surpreso. Ele suspeitava de meus motivos o tempo todo.

– Você estava lá no corredor – diz ele.

Assinto, em silêncio. Depois de um tempo, ele pigarreia.

– As opiniões de Dante eram só dele. – Em seguida, acrescenta em um tom mais suave: – Não vou machucar você.

Eram. Tremo. De repente, o quarto parece mais frio.

– O que aconteceu com Dante? – pergunto.

Enzo para por um instante, refletindo. Em seguida, olha para mim de novo. Ele me conta como todos eles exploraram a cidade naquela noite depois de ver Inquisidores enchendo as ruas. Como se separaram. Como todos voltaram, menos um. Como Lucent encontrou o corpo de Dante em um beco.

A história agita os sussurros em minha mente, trazendo-os à tona de modo que, por um momento, mal posso ouvir Enzo em meio aos assobios de meus pensamentos. *Dante mereceu*, dizem os sussurros. Murmuro minhas condolências através de um nevoeiro, e Enzo recebe tudo com uma expressão controlada.

Por quanto tempo posso manter essa mentira?

Caímos em um longo silêncio. À medida que os segundos se passam, sinto uma energia diferente vir de Enzo, algo muito familiar para mim, mas estranha a ele. Eu o observo por um tempo até ter certeza do que estou sentindo. *Ele está com medo.*

– Você está pronto para amanhã? – sussurro.

Enzo hesita. É tão estranho ele ter essa aura de medo. Isso provoca uma dor no peito, e me levanto da cadeira para me aproximar. Dante estava errado. Devo significar algo para ele. Ele deve se importar.

Enzo me observa enquanto me aproximo. Não se afasta. Quando me sento a seu lado, sua tensão parece diminuir um pouco, e sua expressão se suaviza, me deixando entrar.

– O pai de Teren me ensinou a lutar – diz ele de um modo trivial. – Sou bom. Mas Teren é melhor.

Volto a pensar em como eles se enfrentaram antes, primeiro em minha execução, depois nas Luas de Primavera. Em ambas as vezes, seus confrontos duraram apenas alguns segundos. O que vai acontecer amanhã de manhã, quando eles se enfrentarem até a morte?

– Ele sempre nos odiou tanto? – murmuro.

Enzo me dá um sorriso irônico.

– Não. Nem sempre.

Espero um momento, e logo Enzo volta a falar. Ele me conta a história da infância deles, lutando juntos, e, enquanto escuto, o mundo ao redor desaparece. É como se eu estivesse em pé, no pátio do palácio, anos antes, vendo o jovem príncipe e o filho do Líder Inquisidor se enfrentarem em uma tarde ensolarada. Eles eram muito jovens; Enzo tinha oito anos, Teren, nove – ambos ainda sem marcas. A febre do sangue ainda não tinha atingido Estenzia. Os olhos de Teren eram mais azuis na época, mas tinham a mesma intensidade. Ao lado deles, o velho Líder Inquisidor olhava e gritava instruções enquanto os meninos duelavam. Ele tinha o cuidado de não criticar o príncipe herdeiro, mas era severo com o próprio filho, endurecendo-o. Enzo gritava com o homem algumas vezes, defendendo as habilidades de Teren. Teren se curvava a Enzo após cada duelo, cumprimentando-o.

Enquanto ouço, vejo a diferença entre os dois rapazes. Enzo ainda luta como um garoto, mas Teren... sua intensidade não é mais a de uma criança, é até assustadora.

– Ele atacava como se fosse para matar – diz Enzo. – Eu gostava de treinar com ele, porque era muito melhor do que eu. Mas não era *cruel*. Era só um menino.

Enzo faz uma pausa, e a cena some.

– Anos mais tarde, a febre varreu a cidade – continua. – Nós dois saímos marcados. O pai de Teren morreu. Depois, eu andava pelo pátio e Teren não estava mais lá, ansioso pelas sessões de luta vespertina. Em vez disso, ele passava os dias murmurando nos templos, de luto pelo pai, alimentando o ódio por si mesmo, aceitando a doutrina da Inquisição de que *malfettos* eram demônios amaldiçoados. Não acho que ele nos odiava, ainda não, porque nenhum de nós sabia ainda sobre nossos poderes. Mas vi a mudança nele, e minha irmã também.

– Ele contrai a mandíbula. – Desde que ele se tornou Líder Inquisidor, vem caçando Jovens de Elite e seus apoiadores.

Algo no modo como ele fala parece acender uma lembrança. Preciso de toda a minha força para perguntar, hesitante:

– Daphne?

Enzo ergue os olhos para mim. O vislumbre de algo familiar dança em seus olhos – e desejo que não soubesse o que isso significa. A dor que vem dele, uma emoção de trevas e raiva, culpa e tristeza, brilha no ar como inúmeros fios de energia.

– O nome dela era Daphne Chouryana – conta ele. – Uma garota tamourana, dá para notar. Ela era aprendiz em uma farmácia local.

Suas palavras partem meu coração, pedaço por pedaço, lembrando-me de que as coisas de que ele gostava em mim definitivamente não eram minhas. Ele deve tê-la visto em meu rosto, em minha pele morena. Deve tê-la visto todas as vezes que olhou para mim.

– Ela conseguia ervas ilegais e pós do boticário para ajudar *malfettos* a esconder suas marcas – continua. – Corantes que mudavam a cor do cabelo por um tempo, cremes que apagavam manchas escuras na pele. Ela era nossa amiga. Quando encontramos Dante, ainda ferido da batalha, ela cuidou dele até que se curasse.

– Você a amava – digo com gentileza, triste por sua perda e amargurada pela minha.

Enzo não admite isso diretamente. Não precisa.

– Um príncipe *malfetto* ainda é um príncipe. Eu não podia me casar com ela, pois não era de família nobre. No final, isso não importou.

Não quero perguntar detalhes do que aconteceu com ela. Em vez disso, baixo a cabeça em respeito.

– Sinto muito.

Enzo assente, aceitando minhas condolências.

– Pode acontecer com todos nós. Temos que seguir em frente.

Ele parece cansado, e me pergunto se é por pensar em Daphne ou pela tristeza por Teren. Talvez as duas coisas.

No silêncio que se segue, ele se inclina para mim até estarmos separados por apenas alguns centímetros. O brilho em seus olhos me chama. Há um peso sobre eles, uma profundidade sombria que eu nunca poderia entender. Ele toca meu queixo. Seu calor me atravessa de novo. Percebo o quanto senti falta disso imediatamente quando ele se inclina para mim.

– Sei quem você é – sussurra Enzo, como se pudesse ler meu pensamento. *Você só se importa comigo por causa de Daphne?*

Não. Ele me conhece. Importa-se comigo por quem sou. O pensamento me inunda com uma velocidade revigorante, despertando todos os sentidos. Seus beijos são suaves desta vez, um após outro, pacientes e exploradores. Suas mãos deslizam pelas minhas, subindo pelos braços, me puxando. Nada nos separa, só o tecido fino de minha camisola e sua camisa de linho, e, quando ele me puxa para seu abraço, seu calor faz minha pele arder. Meu alinhamento com a paixão se agita, fazendo a energia me percorrer, desesperada para entrelaçar seus fios escuros aos de Enzo, enredando-o. Fico tonta, do mesmo modo que me senti naquela noite no beco, a noite que me obrigo a esquecer. Isso está fora de controle. Não consigo parar.

Ele se afasta. Em seguida, inclina a cabeça contra a minha e suspira.

– Fique – sussurra.

Sei que a aura em volta dele é o medo de amanhã, do que pode acontecer a todos nós, que talvez ele não consiga salvar a vida de Raffaele, que talvez não consiga vencer Teren, que pela manhã ele pode sair deste lugar e nunca mais voltar. Ele está com medo e isso o deixa vulnerável esta noite. Tento esquecer meus próprios temores, pondo as mãos em seu rosto e depois as deslizando até seu pescoço.

Após um momento, assinto sem dizer uma palavra. Ele se acomoda ao meu lado enquanto me enrosco na cama. Ele tira uma mecha de cabelo prateado da minha testa. Por instinto, recuo quando seus olhos recaem sobre o lado ferido de meu rosto, mas ele não reage. Seus dedos deslizam com delicadeza sobre minhas cicatrizes. Deixam um rastro de calor. Ele me acalma e me deixa sonolenta. Por fim, seus olhos se fecham e sua respiração se acalma. Vejo-me afundando no conforto de dormir cedo também. Concentro-me nessa sensação até não sentir mais nada, até cair em um pesadelo agitado de demônios, irmãs, pais e palavras de um jovem Inquisidor com olhos azuis pálidos.

> Ouvi minhas irmãs gemendo à noite. Elas sabiam o
> que eu tinha feito e me odiavam por isso.
> – *Dantelle*, de Boran Valhimere

Adelina Amouteru

Hoje deveria ser o primeiro dia do Torneio das Tormentas. Em vez disso, é uma luta decisiva contra a Inquisição.

A praça principal de Estenzia, em geral aberta e vazia, foi transformada em um grande mercado, com barracas de madeira improvisadas e bandeiras coloridas, um mar de lojas e pessoas que circunda a arena principal no porto. Contudo, o Torneio foi substituído pelo funeral do rei e por um desafio dos Punhais ao Líder Inquisidor, e a atmosfera é sinistra e estranhamente silenciosa, considerando quantas pessoas estão chegando. Aqui e ali, fileiras de Inquisidores observam a multidão. Teren quer que o público nos veja mortos, bem diante de seus olhos.

Ando com Violetta por entre a multidão. Neste momento, sem invisibilidade; é muito difícil para mim sustentar uma ilusão que muda sempre por todo o tempo que precisamos – e com tantas pessoas em volta, poderíamos despertar suspeita quando esbarrassem em nós.

Tenho que poupar minha energia para o ataque. Em vez da invisibilidade, criei a ilusão de rostos diferentes sobre os nossos. Mudei meu olho escuro e o lado ferido de meu rosto por uma face impecável com olhos verdes brilhantes, delineados por cílios louros, em vez de prateados. Ajustei a cor de minha pele de morena para clara, os lábios para um tom de rosa pálido. Meu cabelo está vermelho-dourado e minha estrutura óssea é diferente. Violetta agora também tem a pele tão clara quanto a de uma garota de Beldain, e seu cabelo, antes escuro, está louro-acobreado.

Nossas imagens ainda não são perfeitas. Nunca tive tempo de treinar o domínio da ilusão de rostos e, mesmo que eu esteja melhorando depressa, há detalhes que não parecem naturais. Deve funcionar, se ninguém olhar com muita atenção – mas as pessoas que olharem nosso rosto por muito tempo franzirão a testa, pois saberão que há algo de errado conosco. Por isso, seguimos em frente.

No momento em que nos aproximamos da arena, o suor escorre por minhas costas.

A arena é enorme, talvez a maior estrutura que já vi, fileiras e mais fileiras de arcos empilhados uns sobre os outros em um gigantesco anel de pedra. O número de Inquisidores cresce à medida que nos aproximamos. Teren postou um exército de reforços aqui. Tento manter o rosto o mais baixo que posso, imitando o restante da multidão, e passo pelos Inquisidores sem olhar para eles. Parte de mim espera que me reconheçam, que vejam através de minha ilusão, mas eles parecem aceitar minha aparência sempre que espiam meu rosto.

Eles estão procurando os aliados dos Punhais. Fios de medo cobrem toda a praça, tornando-se mais grossos bem no centro da arena.

– Pare – ordena-me um Inquisidor.

Faço uma pausa, lembrando-me de parecer confusa, e ergo o olhar. Ele olha para meu rosto. Ao meu lado, Violetta para também. Prendo a respiração e uso toda a minha concentração para tornar a ilusão mais firme, enfatizando os movimentos sutis de meu rosto, os poros da pele e os detalhes dos olhos.

O Inquisidor franze a testa.

– Nome? – resmunga ele.

Levanto o queixo e lanço-lhe meu olhar mais confiante.

– Anne, da casa Tamerly – respondo. Aceno com a cabeça para Violetta, que faz uma linda reverência. – Minha prima.

– Onde está hospedada?

Digo o nome de uma pousada local que vi durante as corridas classificatórias.

– Meu pai está em Estenzia a negócios por vários meses – acrescento. – Ouvimos esta manhã que o funeral do rei também envolverá uma execução. É verdade?

O Inquisidor me lança outro olhar duvidoso, mas as pessoas estão se aglomerando atrás de nós, e ele não tem tempo a perder. Por fim, grunhe sua aprovação para nós e acena para continuarmos.

– Nada de que vocês de Beldain fossem gostar – responde. – Sigam.

Não me atrevo a olhar para trás, mas, às nossas costas, eu o ouço voltar sua atenção para interrogar a próxima pessoa.

A arena foi construída para receber milhares de espectadores. Os arcos se estendem para o céu e para baixo da terra, de modo que, mesmo tendo entrado no nível do solo, agora estamos diante de uma longa fileira de bancos de pedra, olhando para dezenas de outras fileiras abaixo de nós, bancos que circundam a arena até o amplo espaço central no fundo. Hordas de pessoas andam pelos corredores. *Entre elas estão os soldados de nossos patronos.* Não sei dizer quem são, mas estão aqui, espalhados e escondidos na multidão. À espera do sinal de Enzo. Estico o pescoço, procurando por ele. Violetta balança a cabeça, e eu entendo que não o sente por perto.

– Vamos – sussurro, puxando sua mão. – Vamos chegar mais perto.

Descemos as fileiras até estarmos quase na parte inferior, e nos sentamos na primeira fila.

Diante de nós estende-se o centro da arena. Está inundado com água, um lago profundo com canais que correm para o Mar do Sol; as formas escuras de baliras giram sob a superfície. Acima do lago, há um largo caminho de pedra que se estende desde onde Violetta e eu estamos até o outro lado da arena, com uma plataforma redonda no centro. Durante uma festa típica, os cavaleiros de balira esperam ao longo da plataforma e chamam seus animais, e, quando as criaturas enormes saltam da água, eles pulam em suas costas e fazem acrobacias impressionantes para o público que aplaude. Foliões mascarados em trajes elaborados desfilariam pelo caminho, magníficos em suas cores brilhantes.

Mas não hoje. Hoje, Inquisidores de manto branco se enfileiram em ambos os lados do caminho de pedra. Na água, baliras giram, seus chamados silenciados, assombradas e fantasmagóricas. Eu me viro e vasculho o restante da arena, cada vez mais cheia. Há um manto de medo e ansiedade que cobre todo o espaço. Alguns dos espectadores parecem animados, agitados pela promessa de sangue. Outros ficam sentados, com a boca cerrada em uma linha sombria, murmurando entre si. Minha agitação aumenta com eles. Fios cintilantes no ar, me tentando.

Minha respiração começa a ficar entrecortada enquanto mantenho as ilusões em nossos rostos. Violetta toca meu ombro. Inclina a cabeça para a extremidade oposta da arena.

– Ali – sussurra.

Sigo seu olhar. *Enzo está em algum lugar na multidão.*

Todos os Punhais já devem estar a postos, assim como seus apoiadores.

Finalmente, depois do que parecem horas, todos os Inquisidores enfileirados na arena sacam suas espadas e as erguem no ar para uma saudação tradicional. A multidão se cala. Olho para o pavilhão real, onde o rei teria aparecido com sua coroa e seu manto dourado.

Em vez disso, o pavilhão permanece vazio. No extremo oposto da arena, Teren caminha com Inquisidores ao seu lado. Um elmo nos impede de ver seus olhos, transformando-o na imagem apavorante de alguém não muito humano. Bem na frente dele, sob o peso das correntes e vigiado por mais soldados, com uma venda nos olhos e uma mordaça na boca, está Raffaele. Meu coração dispara.

Teren para no meio da arena e ergue as mãos para a multidão.

– Meus concidadãos! – Sua voz ecoa pela estrutura central. – É com o coração pesado que nos reunimos aqui hoje, não para celebrar, mas em luto pela morte de nosso rei. – Não muito longe dele, Inquisidores fazem Raffaele se ajoelhar, sacam suas espadas e pressionam as lâminas contra o pescoço dele. – Sua rainha os lidera agora, kenettranos. E, com esta nova era, vocês testemunharão um momento histórico, quando nossa grande e gloriosa nação será purificada dos demônios que nos assombravam. Que tentavam trazer o terror até nós.

Ao meu lado, Violetta aperta minha mão com mais força. Olho para baixo e vejo que os nós de seus dedos estão brancos.

Teren gira em um grande círculo, o manto branco atrás de si, e sorri para o público silencioso.

– Ceifador! – grita. – Um acordo é um acordo. Tenho seu amiguinho acompanhante aqui. – Ele faz uma pausa para se curvar, zombeteiro, na direção de Raffaele. – Estamos esperando por você. Apareça, demônio. – Seu sorriso some, substituído por um vazio arrepiante. – Apareça para que possamos lutar.

Prendo a respiração. Por um momento, nada além de silêncio cobre a multidão. As pessoas se remexem, inquietas, os olhos buscando um sinal de Enzo. Minha atenção se volta para a longa fileira de Inquisidores de ambos os lados do caminho de pedra sobre a água.

Um dos guardas próximos a Teren sai de formação, em seguida caminha para a frente até que os dois estejam a poucos metros de distância. Alguns dos Inquisidores sacam suas espadas, mas a maioria hesita, ainda pensando que o homem é um deles.

Cerro os dentes e desfaço a ilusão de disfarce no recém-chegado. Uma sensação de alívio me invade. Diante dos olhos de todos, o Inquisidor se transforma gradualmente de uma figura de manto branco em um rapaz alto, de vestes escuras, o rosto escondido por uma máscara prateada e o capuz cobrindo o rosto. Enzo.

Inquisidores na plataforma empunham as espadas, mas Teren ergue a mão. Ele se vira para onde Enzo está. A multidão se agita com gritos, e fecho o olho, saboreando a onda de medo. Minha força cresce.

Os dois se encaram por um momento, sem falar. Por fim, Teren ergue a cabeça.

– Como sei que é você mesmo? – grita. – Sua pequena criadora de ilusões também está escondendo os outros Jovens de Elite aqui? – Atrás dele, os Inquisidores apertam mais suas espadas contra a garganta de Raffaele.

– Você sabe quem eu sou – responde Enzo, com a voz clara.

– Por que eu deveria acreditar em você?

– Por que *eu* deveria? – rebate Enzo, em tom de zombaria.

Teren ergue as mãos e tira o elmo, revelando seu cabelo louro, da cor do trigo. Ele joga o elmo longe.

– Mostre-me quem você é de verdade, Ceifador – exige, apontando para a máscara prateada de Enzo. – Ou seu amigo morre.

Enzo não hesita. Ergue a mão e puxa o capuz escuro da frente de seu rosto, expondo o cabelo vermelho-sangue. Em seguida, põe a mão sobre a máscara, tira-a e revela sua identidade para a multidão. Também joga a máscara de lado.

– Um acordo é um acordo – repete Enzo.

Teren olha para ele com o rosto duro. A multidão observa. Todo mundo ao redor está atordoado, em silêncio. Oscilo, tonta com a tensão crescente. Nossa ilusão de disfarce brilha pelo canto de meu olho.

– É o príncipe! – grita alguém da arena.

Outros repetem o grito, e a revelação se espalha pelo público. Mesmo que eu possa sentir o medo avassalador obscurecendo as pessoas, também posso sentir a animação crepitar, as emoções dos apoiadores dos *malfettos* no meio da multidão e dos lutadores de nossos patronos. Em meio à confusão, Teren acena para Enzo.

– Ninguém vai interferir! – grita. – Vou enfrentá-lo sozinho, desde que você seja corajoso o bastante para fazer o mesmo.

Enzo inclina a cabeça uma vez em resposta.

Teren está mentindo. Mas nós também estamos. Esta é uma batalha prestes a irromper.

– Já faz muito tempo, Alteza – diz Teren, apontando a espada para Enzo.

Eu esperava que seu tom de voz fosse zombeteiro, mas é sério. Nem uma pitada de diversão em sua voz. Para minha surpresa, ele curva a cabeça para Enzo em respeito genuíno.

– Vamos ver se você melhorou.

Enzo saca punhais longos e brilhantes das bainhas às suas costas. O metal de cada arma fica vermelho, depois branco, quente. Fogo explode das mãos de Enzo e envolve os dois em um grande anel, separando-os dos demais. O público grita.

Teren avança.

Enzo golpeia com seus punhais, mirando os olhos, mas Teren ergue o ombro e protege o rosto – o golpe desvia inofensivamente em sua pele dura. Enzo rola para longe, pula de pé outra vez e gira de novo para cima do inimigo. Eles se circundam, descrevendo um arco lento. Enzo gira um punhal em uma de suas mãos enluvadas.

– Você parece hesitante esta manhã – provoca Teren.

Ele ataca Enzo com uma velocidade enervante. Enzo desvia, gira e ataca o mais forte que pode, com os dois punhais. Um deles consegue causar impacto, atingindo Teren em algum lugar na lateral de seu corpo – porém é como se alguém estivesse tentando esfaquear madeira macia. Teren grunhe, mas no instante em que a lâmina sai dele, sorri.

– Use o fogo, Ceifador – provoca ele. – Me dê um desafio.

Enzo ataca de novo. Desta vez, as lâminas explodem em chamas, desenhando riscos de fogo no ar enquanto arremetem contra Teren. Ele finta para a esquerda, depois gira no ar e golpeia. Como era de se prever, Teren desvia a cabeça do golpe – mas Enzo se move com ele, as lâminas gêmeas ardendo, anunciando onde ele vai atacar, e leva o segundo punhal violentamente em direção aos olhos de Teren. O Inquisidor dispara para longe na última hora. A lâmina de Enzo arranha a lateral do rosto de Teren, deixando um corte que se fecha logo em seguida.

Teren sorri.

– Melhor.

É minha vez. Respiro fundo e desfaço meu disfarce e o de Violetta, e nos cubro imediatamente em invisibilidade. A nossa volta, as pessoas engasgam, em choque, mas já estamos em movimento. Corro para o pequeno portão no fim da fileira, o que leva em direção ao lago. Nós o atravessamos. Inquisidores ladeiam o caminho, prontos para atacar se forem ordenados. Avançamos com cuidado.

– Diga-me – provoca Enzo, mais alto que o rugido das chamas. – Por que você deu as costas a seus semelhantes?

Teren não responde de imediato. Em vez disso, empunha a espada e ataca Enzo. O príncipe pula para o lado, mas não antes de a lâmina da espada fazer um corte em seu braço. Enzo provoca uma explosão que engole Teren por inteiro, mas Teren não mostra qualquer sinal de dor. Ele sai das chamas com um sorriso malicioso, a pele ressecada escurece e depois volta ao normal. As bordas de seu manto se encolhem e queimam com o calor, mas as roupas em contato com sua pele permanecem intactas, como se estivessem atrás de um escudo de proteção.

– Nunca dei as costas – diz Teren. – Sou o único que quer ajudar. Veja o que estamos fazendo agora mesmo, Ceifador... Nossos poderes são maldições do Submundo, e nós os usamos para destruir tudo o que tocamos.

– A destruição é uma escolha.

Enzo ergue a mão, tornando as chamas mais quentes, mais brilhantes, até o fogo se tornar branco ofuscante e envolver Teren por completo. *Se Teren não puder ver, não poderá atacar.* Enzo ergue um punhal. O fogo desaparece de repente – e em sua ausência súbita, Enzo atira o punhal nos olhos de Teren.

Ele desvia o punhal com sua espada, em seguida o pega no ar e o joga de volta. Enzo se encolhe no chão, em um movimento gracioso.

– Sou amaldiçoado, assim como você. Mas, enquanto *você* continua a defender os que surgiram após a febre do sangue, *eu* estou fazendo o que os deuses sempre quiseram. – Os olhos claros de Teren parecem mergulhar nas chamas, assumindo uma cor aterrorizante. Seus lábios se curvam em um rosnado.

Enzo investe contra a lâmina de Teren. Seus músculos se retesam sob as mangas. Teren é forte demais – posso ver a força de Enzo se esvaindo lentamente. Ainda assim, ouço a voz dele soando acima da luta.

– Talvez você faça isso porque ama seus poderes – grita, zombando – e quer ser o único com esse dom!

O sorriso de Teren desaparece.

– Como você me conhece pouco, Alteza – responde ele. – Mesmo depois de todos esses anos.

Enzo avança e ataca os olhos de Teren. Desta vez, sua lâmina consegue cortar a beira da pálpebra antes que o adversário se afaste. Quando Teren volta a olhar para Enzo, o sangue mancha seu olho esquerdo, tornando vermelho-vivo a íris pálida.

Teren se joga contra Enzo. Eles cambaleiam para o lado, então Teren enfia um punhal no ombro de Enzo. Eu engasgo. As chamas ao redor deles vacilam. Ele estremece, mas ainda consegue se desvencilhar. As gotas de sangue escorrem por seu ombro. Violetta e eu estamos tão perto agora que posso sentir o calor do fogo. Estamos a postos. *Será que todos os outros também estão?*

Os olhos de Teren ardem. Enzo passa diante de Raffaele e se vira para o adversário outra vez, pronto para mais um ataque. Gotas de sangue escorrem de seu ombro. Em seguida, ergue um punhal no ar e o agita uma vez.

Nosso sinal.

Várias coisas acontecem ao mesmo tempo. Flechas atingem os dois Inquisidores que seguram Raffaele. Uma cortina de vento atinge os outros guardas perto dele e os arremessa para a água em meio a gritos. Do fundo do lago, duas baliras explodem para a superfície, corpos translúcidos se arqueando sobre o caminho onde Violetta e eu estamos agachadas. Eu me estendo contra a pedra. Minha irmã me imita. As baliras provocam ondas que batem na plataforma, fazendo chover água brilhante em toda a arena. Seus olhos estão pretos de fúria, os guinchos estrondosos. Uma delas gira no ar, as asas grossas e enormes descendo sobre uma fileira de Inquisidores no final da plataforma de pedra. Eles são levados para dentro d'água. Outra asa enorme passa bem acima de nossas cabeças, derrubando os Inquisidores perto de nós.

Alguém está montado em outra balira. Gemma. Observo enquanto a criatura dela se vira, permitindo-lhe estender a mão e pegar o braço de Raffaele. Ela o puxa para a segurança nas costas da balira.

É nossa vez. Violetta usa sua energia ao mesmo tempo em que uso a minha. Ela tira os poderes de Teren. Na plataforma, os olhos dele se arregalam – ele cambaleia para trás, se agacha sobre um joelho, como se alguém tivesse dado um golpe violento. Violetta suga o ar bruscamente. Ela não vai ser capaz de conter os poderes dele por muito tempo.

Desfaço nossa invisibilidade. Pela primeira vez, estamos expostas na arena. Uso toda a minha concentração para chegar à energia de Enzo. Em um piscar de olhos, ele se transforma em uma cópia exata de Teren.

A arena explode em caos. Em toda a arquibancada, patronos e seus soldados entram em combate, atacando Inquisidores onde quer que estejam, fazendo as pessoas entrarem em pânico. Alguns dos Inquisidores ainda estão no caminho de pedra no centro da arena e parecem prontos para intervir no duelo entre Teren e Enzo – mas os dois agora estão idênticos, eles não sabem dizer quem é quem.

Enzo não espera. Ele salta para a frente, punhal erguido. Teren consegue empunhar a espada a tempo de encontrar a lâmina de Enzo, mas, em sua súbita fraqueza, não consegue desviá-la. Os dois caem de costas no chão, Teren grita quando a lâmina de Enzo enfim o atinge, branca e afiada, fazendo um corte profundo em seu ombro e queimando sua carne. A segunda lâmina busca seu coração. Em um acesso de raiva, Teren golpeia Enzo. Mesmo agora, ainda consegue forçar o príncipe a se afastar. Ele cambaleia para ficar de pé. Levo um momento para perceber que está rindo. Nota Violetta e eu agachadas à beira da plataforma. Franze a testa.

– Já era tempo de você agir! – grita ele, em meio ao caos.

As palavras mal saíram de sua boca quando percebo que centenas – *milhares* – de Inquisidores estão invadindo a arena. Estávamos prontos para Teren – mas ele também estava pronto para nós. As pessoas ao nosso redor ficam de pé, gritando, e correm para a saída mais próxima, mas os Inquisidores prendem todos ali dentro. Haverá um banho de sangue, vençamos ou não.

Estreito o olho. A escuridão que cresce em mim agora é avassaladora, alimentando-se do terror e da raiva de toda a arena. Estendo a mão, capturo essa energia, encontro Teren, e *puxo*.

Ele congela no meio do ataque, em seguida, cai de joelhos. Grita de dor enquanto crio a ilusão mais agonizante que consigo.

Enzo o envolve em chamas, então se lança para a frente, mirando seus olhos.

É isso. Meu coração salta de expectativa. *Ele vai matar Teren.*

Algo frio reage violentamente à minha energia. Engasgo. Teren está lutando contra mim. Minha ilusão sobre ele vacila e se parte. Violetta leva a mão à testa e cambaleia para trás.

– Não aguento – diz ela com voz rouca, antes de cair de joelhos.

Na arena, Teren respira fundo, aliviado, quando sua pele queimada começa a cicatrizar. Ele reage. A janela que nos permitia feri-lo mortalmente está fechada. Olho para minha irmã. Seus olhos se reviram e, exausta, ela desmaia no caminho. Minha concentração vacila.

– Violetta – grito, segurando seu braço.

Olho para onde Enzo está lutando com Teren. Minha ilusão sobre Enzo também desapareceu, e sua figura vestida de escuro contrasta com o uniforme branco de Teren.

– Solte-a!

Quando olho para cima, vejo Michel de pé à nossa frente, os olhos selvagens. Ele se juntou a nós na plataforma. Ergue Violetta.

– Conseguimos liberar uma das entradas... Vou levá-la para fora. Vá!

Hesito por uma fração de segundo antes de assentir. Michel a leva embora e volto para a arena. Nunca vi tantos Inquisidores. Eles se aglomeram nas arquibancadas, enfrentando os combatentes de Enzo. Em meio ao caos, passo por cima da mureta que separa os assentos do centro da arena, aterrisso no caminho de pedra que corta a água, cubro-me em invisibilidade e corro para onde Enzo e Teren estão lutando. Minha concentração volta a se fixar, alimentada pelo pânico, e Enzo novamente se transforma em um reflexo de Teren.

Mas também estou ficando cansada. Começo a perder o controle de meus poderes.

Paro a uma curta distância deles. Aperto as mãos, esforço-me, e teço um círculo de fios de energia em volta de Teren. Crio uma dúzia de versões dele, todas idênticas, cada uma se lançando sobre o verdadeiro Teren com punhais erguidos. A ilusão dura pouco, mas funciona. Teren hesita por um momento, sem saber para onde olhar. Seu inimigo está por toda parte ao mesmo tempo.

Enzo – o Enzo real – segura Teren pelo pescoço. Tenta esfaquear seus olhos, mas Teren consegue desviar o rosto no último segundo. A lâmina de Enzo faz um corte profundo em seu pescoço. Imediatamente, ele começa a se curar. Teren solta um grunhido borbulhante e joga a cabeça para trás, forçando Enzo a soltá-lo, em seguida cambaleia para a frente e cospe sangue. Não consigo sustentar as doze ilusões. As imagens desaparecem, deixando Enzo sozinho com Teren de novo.

A respiração de Teren está pesada. Até ele tem limites. Seus olhos se cravam em mim outra vez. Percebo que estou cansada demais para sustentar minha ilusão de invisibilidade.

– Aí está você – diz ele, com a voz baixa e rouca, o rosto esculpido transformando-se em uma careta assustadora. Sua atenção se desvia de Enzo. – Pequena criadora de ilusões.

E então acontece.

Teren avança para mim. Sua espada me atinge profundamente no peito, cortando minhas vestes e minha pele. A dor me invade. Caio. Minha cabeça bate no chão com força suficiente para fazer o mundo todo girar. De repente, tudo fica mais lento. Levanto a mão e vejo que está manchada com meu próprio sangue. Tento usar minha energia, mas tudo se move muito devagar, e meus pensamentos formam pedaços desconexos. Ilusões quebradas piscam ao meu redor, meus poderes instáveis e fora de controle. Através delas, Enzo corre e se posta entre nós. *Eu... bati com a cabeça...* Teren corre para mim com sua espada. Tudo o que vejo são seus olhos pálidos e furiosos. Um pesadelo.

Ataco às cegas com minhas ilusões. Teren está ali, um borrão à minha frente. Tento gritar com ele – mas não consigo formar o pensamento. Meus poderes produzem faíscas fora de controle. O rosto de Teren se transforma em Dante, depois volta ao normal. Uma lembrança se encaixa. De repente, vejo um milhão de fios brilhantes diante de mim. *Eu o matei naquele beco escuro, na noite em que o rei morreu. Eu o matei com uma ilusão de dor extrema.*

Busco em meu peito, encontro minhas últimas forças e puxo a energia de Teren. Deixe que ele sinta uma agonia que nunca conheceu. Deixe que sofra. Ponho tudo o que tenho nisso, deixando meu ódio por ele fugir ao controle.

Teren solta um grito pavoroso de dor. Cai de joelhos.

Espere. Isso não está certo.

Pisco, confusa, tentando clarear meus pensamentos. Minhas ilusões continuam a agir sobre ele, selvagens e descontroladas, livres e cegas. *Cegas.* Então percebo – por que consigo afetar Teren? Ele não pode ser ferido. E Violetta não está aqui para detê-lo.

E é então que me dou conta, horrorizada, de que ataquei Enzo. Foi ele que correu na minha direção – em uma tentativa de me proteger. Foi *Enzo* que fiz cair de joelhos.

Puxo meus poderes de volta imediatamente, mas é tarde. Teren – o verdadeiro – aproveita o momento. Saca sua espada. Enterra-a fundo no peito de Enzo. Ela o atravessa por completo, um ponto de sangue surgindo nas costas de Enzo, bem no meio das omoplatas.

Não.

Enzo solta um suspiro terrível. A boca de Teren se comprime em triunfo. Ele segura as vestes de Enzo e o puxa para perto, empurrando a espada mais fundo. Não consigo me mexer. Não consigo pensar. Não consigo nem gritar. Minha mão trêmula se estende para ele, mas estou fraca demais para fazer qualquer outra coisa. Todos os meus poderes arruinados no momento em que eram mais importantes. Eu me esforço para recuperar o controle, mas não faz diferença agora. Enzo estremece na lâmina. Teren o puxa para perto e se inclina para seu ouvido. De alguma forma, em meio ao caos da arena, as palavras do Líder Inquisidor soam claras.

– Eu ganhei – declara ele.

Por um momento, os olhos deles se encontram – os de Teren, pálidos, pulsantes, loucos; os de Enzo, escuros, escarlate, morrendo. Então ele puxa a espada. Enzo cai no chão. Corro para ele – como se *isso* pudesse ser uma ilusão –, mas ele continua imóvel. Em algum lugar, a voz de Teren me alcança:

– Obrigado pela ajuda.

Ponho as mãos no rosto de Enzo. Seu nome escapa de meus lábios, minha voz rouca por causa da dor. Eu o ataquei com toda a minha fúria – mas a fúria era destinada a Teren, ou foi mesmo minha raiva oculta por *Enzo*, por me usar? *Talvez ainda haja uma chance.* Ele luta, com suas últimas forças, para sustentar meu olhar. O que vejo em seus olhos? É traição? Estou soluçando agora – lágrimas enchem minha visão e escorrem por meu rosto. Não há nada a ser feito.

Enzo olha para mim. Pisca rapidamente, enquanto tenta dizer alguma coisa, mas o sangue borbulha nos cantos de sua boca. Ele tosse. Manchas vermelhas respingam em meu braço. Observo sem acreditar enquanto seus olhos encontram o meu pela última vez. Sua vida se esvai. Simples assim.

Minha mente fica vazia. O mundo gira em silêncio.

O céu acima de nós treme, assume um tom escarlate furioso, uma visão de sangue, profundo e escuro. Eu me agacho, minhas mãos enterradas no chão, as emoções descontroladas, a energia se elevando a um nível que nunca senti antes. Meu olhar se fixa em Teren. Eu me lanço, impotente, contra seu poder invencível, tentando desesperadamente agarrá-lo de alguma forma, para *feri-lo, feri-lo, feri-lo*. Mas não consigo. Sou inútil.

Ele poderia me matar agora, se quisesse. Mas já não ostenta mais seu sorriso sinistro ou seu divertimento frio. Está sério, grave e pensativo.

– Seu lugar não é com eles, Adelina Amouteru – diz. – Seu lugar é comigo.

De alguma forma, vinda de algum lugar, uma cortina de vento me ergue no ar. Luto contra isso, querendo ficar na arena. Quero destruir Teren. Mas sinto os braços de Lucent em volta de mim. Ela me puxa para as costas de uma balira. Abaixo de nós estão os destroços da arena, os mortos e os feridos, a fumaça e a carnificina, os mantos brancos espalhados em grupos, os corpos dos que lutaram por Enzo.

Nada disso importa agora. O príncipe está morto.

Teren Santoro

Teren ergue os olhos para os Jovens de Elite, que levam embora o corpo do príncipe. Atrás deles, seguem Inquisidores montados em baliras, escoltando-os. Teren observa por mais um momento, vendo o rosto morto de Enzo. O rosto do jovem príncipe está cinza e sem vida, os olhos fechados, o coração parado. Há manchas de sangue na plataforma da arena.

Teren fica em silêncio. Não sorri. Enzo, de quem se lembrava da infância, o menino que sempre o defendeu diante de seu pai. Que pena que ele fosse o Ceifador, durante todo esse tempo. *Tinha que ser feito.* Malfetto *imundo. Agora o mundo é um lugar melhor e Giulietta pode governar.* O rosto de Teren permanece um retrato entalhado em pedra, mas no fundo de seu peito ele sente a dor aguda da perda.

Que pena.

> Confiança é quando mergulhamos nas profundezas de um abismo
> e buscamos a mão de outra pessoa.
> — *Poesia amaderana,* vários autores

Adelina Amouteru

Entro e saio de um sono estranho, perturbado e cheio de fantasmas. Ou ilusões? Não sei mais dizer a diferença.

Talvez não haja nenhuma.

Às vezes, vejo meu pai pairando sobre mim, seu rosto distorcido e sorridente. Outras, é o rosto de Violetta que aparece, manchado de lágrimas. E Enzo. *Enzo.* Ele paira ali, um pouco distante demais, e grito por ele, lutando contra laços invisíveis para alcançá-lo. *Ele está vivo. Está bem aqui.* Gritos vêm de algum lugar ao longe. *Segurem-na!* Estou confusa demais para lidar com qualquer coisa além da enorme criatura que nos carrega pelo céu e do silêncio e quietude dos que voam comigo. Quero abrir a boca e dizer alguma coisa. Qualquer coisa. Mas meu estado de semiconsciência me mantém em silêncio. Corro a mão pelo peito e sinto um grosso curativo ali, tentando bravamente conter o sangramento.

Minha visão embaça quando tento olhar os outros ao redor, mas não consigo focar o bastante para saber quem são. Olho de volta para o céu noturno e fecho o olho. O mundo se tornou cinza com a morte de Enzo. A única sensação de que tenho consciência é da mão de Violetta apertando a minha, e aperto de volta com a pouca força que me resta. Alguns fios de cabelo atravessam minha visão – estão cinza escuros, mais escuros do que jamais vi.

Tenho uma vaga lembrança de nós saindo das costas da balira e das mudanças no entorno. A luz da noite derrama-se por três abóbadas, e vaga-lumes dançam na escuridão. De vez em quando, tenho o vislumbre de uma colina, um vale suave, de um verde profundo. Os portões de uma propriedade. Nos arredores de Estenzia?

Uma onda de náusea me atinge, e fecho o olho de novo. O sono ameaça me derrubar.

Quando torno a acordar, estou deitada em um quarto mal iluminado, o ar azul e minguante do anoitecer. Por um instante penso que voltei no tempo – ao momento quando os Punhais me salvaram pela primeira vez e me levaram à Corte Fortunata. Até parece o mesmo quarto. Se eu esperar tempo o bastante, vou ver a criada entrar e sorrir para mim, e Enzo virá em seguida, seus olhos escuros pensativos e desconfiados, iluminados com traços escarlate. Ele vai se inclinar e me perguntar se quero ferir aqueles que me trataram mal.

Aos poucos, o quarto muda até parecer desconhecido. Minhas ilusões estão surgindo espontaneamente de novo. Levo um bom tempo para perceber que esta não é a Corte Fortunata, mas uma propriedade estranha na qual nunca estive, e que não estou sozinha, mas cercada pelos Punhais. Resmungo e me viro para a pessoa sentada mais perto de mim.

No instante em que me mexo, todos recuam, cautelosos. Lâminas aparecem em suas mãos. Congelo. O gesto deles provoca uma breve onda de animação em mim, seu medo estimulando minha energia. Então o sentimento some, substituído por uma dor aguda. Meus antigos amigos. *Estão com medo de mim.*

A pessoa mais perto de mim é Raffaele. Ele é o único que não salta para trás. Seus hematomas e ferimentos ainda estão visíveis, o malar azul e roxo, o lábio desfigurado por um corte fino. Cicatrizes envolvem seu pescoço. Quando Gemma se aproxima para afastá-lo de mim, porém, ele ergue a mão e, sem dizer nada, a detém. Ela recua. Olho para todos em silêncio.

– Onde está minha irmã? – sussurro por fim. Minhas primeiras palavras.

– Descansando. – Raffaele assente uma vez para mim ao ver minha expressão alarmada. – Ela está bem.

A divisão entre mim e os outros Punhais pesa no ar. Através da névoa em minha cabeça, percebo que eles ainda não têm certeza de qual papel tive na morte de Enzo. As palavras me fazem estremecer. Minha energia se agita, e Raffaele contrai o queixo.

– Você matou Dante, não matou? – pergunta Lucent. A voz dela não contém nada do divertimento irônico de que me lembro, nem um traço da amizade relutante e da confiança que eu tinha começado a despertar nela. Agora não há nada além de raiva, controlada apenas em respeito a Raffaele. Eu a perdi por completo. – Como fez isso?

Abro a boca, mas não sai som algum. De fato matei Dante. Fiz isso torcendo suas ilusões de dor com tanta força que seu coração sangrou. Meu silêncio é tudo de que Lucent precisa – seus lábios se apertam, e um véu de medo e desconforto cobre o quarto.

– Foi um acidente – falo, engasgada. Ao que parece, é a única coisa que consigo dizer.

– Você estava trabalhando para Teren? – dispara Lucent. – Foi lá que se escondeu quando fugiu? Você foi ver a Inquisição? Fez algum tipo de pacto com eles? – A voz dela se torna mais alta. – Ele *agradeceu* a você pelo corpo de Enzo. *Você...*

– Não! Eu posso explicar. – A ideia faz a raiva crescer dentro de mim, e minhas ilusões ameaçam fugir ao controle de novo. Eu as controlo a tempo. Mas o gesto faz Raffaele concentrar o olhar em mim. Gemma me observa enquanto morde o lábio. O medo também emana dela. Meu coração se aperta. – Eu jamais faria isso. Foi um acidente. Juro pelos deuses.

– Então, Raffaele? – diz Michel, quebrando o silêncio que se segue. – O que faremos com ela agora?

O modo como Michel se dirige a ele e o modo como Gemma obedeceu a um simples gesto seu me diz que os Punhais elegeram um novo líder. Raffaele balança a cabeça para mim uma vez. Seus olhos estão carregados de tristeza.

– Você disse que podia explicar – diz. – Então nos conte o que aconteceu.

Começo a contar a Raffaele como cobri Enzo com invisibilidade, mas ele me detém com um gesto suave.

– Não. – Sua voz é firme. – Conte-nos o que aconteceu, do *começo*.

Meus lábios tremem. A verdade. Hesito, como sempre.

Mas então cedo. Com a voz engasgada, finalmente falo.

Conto a Raffaele sobre a noite na Corte Fortunata, quando o vi se apresentar pela primeira vez. Digo como Teren se aproximou de mim na plateia e ameaçou a vida da minha irmã. Conto como me aproveitei das corridas classificatórias para ir até Teren e falar a ele sobre o Torneio das Tormentas. Como Teren me encontrou de novo na noite das Luas de Primavera e entreouvi a conversa de Enzo e Dante a meu respeito. Como fugi até a Torre da Inquisição para libertar minha irmã. Como matei Dante em um beco escuro. Libertar-me de todas as mentiras e de todos os segredos é um alívio, e fico exausta. Conto a eles como Teren avançou para mim na arena, como estendi as mãos para me defender e joguei nele uma ilusão de dor indescritível. Como percebi que não estava atacando Teren, mas Enzo.

Aqui, minha voz falha. Reviver isso faz meu coração doer tanto que mal consigo respirar e, em minha tristeza, vejo o fantasma de Enzo no quarto, aparecendo e sumindo, os olhos escuros voltados para mim, a expressão assombrada. Posso sentir a desconfiança emanando de todos, o pensamento velado de que sou responsável pelo que aconteceu. De que sou um monstro.

Sinto muito. Sinto muito mesmo.

Talvez Teren sempre tenha sabido que eu faria algo assim.

Quando termino, eles ficam em silêncio. Lucent olha para mim com uma expressão ao mesmo tempo enojada e assustada. Gemma se encolhe, e Michel parece pronto para me deter caso eu tente machucá-los.

Sei o que estão pensando, mesmo que não digam em voz alta. Querem que eu morra. Isso faria com que todos se sentissem muito melhor. Uma raiva sombria e pesada começa a crescer dentro de mim, e eu me agarro a ela. Mais névoa surge em minha mente. Sinto centelhas de força crescendo dentro de mim, superando a fraqueza da perda de sangue e do sofrimento.

Por fim, Raffaele fala. Há certa reverência à qual o grupo se curva – com suas palavras, os outros se calam imediatamente, virando-se para ele como se esperassem que ele tivesse o poder de consertar tudo. Sua voz está fraca, porém firme:

– Quando a testei pela primeira vez – começa, pegando uma de minhas mãos –, você se alinhou com o medo e a raiva, a paixão e a curiosidade. Lembra?

Ele está usando minha energia em mim. Posso sentir seu puxão suave nos fios de meu coração, o movimento gentil que me aquece para ele, me acalmando. Pego-me me curvando ao seu toque, apertando sua mão com força. Aquela tarde, quando nos conhecemos, não parece ter sido há tanto tempo.

– Lembro – respondo.

Raffaele continua. A tristeza penetra sua voz.

– Sua reação à pedra da noite e ao âmbar, à escuridão, me assustou. Muito. Ainda assim, eu queria acreditar que, de alguma forma, você seria capaz de dominá-la. Você sabe quão poderosa poderia ser se dominasse essas duas emoções e aprendesse a usá-las em si mesma e nos outros? Eu acreditei. Achei... – Ele hesita por um momento. – Achei que seu alinhamento com a paixão a salvaria. A energia da paixão é brilhante e quente, assim como a cor de sua pedra. É uma luz na escuridão, um fogo na noite. De início, achei que isso a deixaria *mais segura*, que, se estivesse entre pessoas que ama, seria capaz de tirar vantagem de sua escuridão. Achei que isso ajudaria a domá-la e, consequentemente, que a ajudaria.

Lágrimas brotam no canto de meu olho. Sei o rumo que as palavras de Raffaele estão tomando.

Ele baixa os olhos cor de joia.

– Estava enganado. A paixão é brilhante e quente... mas também tem um lado sombrio. Ela se liga ao medo. Nossos corações se enchem de pavor à ideia de ver aqueles que amamos sendo feridos, não é? Não se pode amar sem ter medo. Os dois coexistem. Em você, o alinhamento com a paixão *alimentou* seu medo e sua raiva. Tornou-a *mais sombria*. Quanto mais você ama alguém, mais instáveis seus poderes se tornam. Sua crescente paixão por Enzo a tornou inconstante. Fez com que perdesse o controle de seus poderes, que tinham se tornado forças perigosas. Isso, combinado à sua raiva e amargura, a tornou incrivelmente imprevisível.

– O que você está dizendo? – sussurro, por entre as lágrimas.

Raffaele continua a manipular minha energia, e seu toque gentil envia ondas de tristeza por todo o meu corpo. Percebo que se sente culpado.

– Adelina – murmura.

Ah, engasgo, sentindo uma dor súbita. Fico surpresa que seja *isso* que enfim parte meu coração. Ele nunca me chamou só de *Adelina*, nem mesmo quando nos conhecemos. Está rompendo os laços de afeto comigo.

– Eu alertei Enzo desde o início para matá-la. Ele se recusou.

Começo a chorar. A lembrança de uma tarde com Raffaele me ocorre, quando nos sentamos juntos à beira das águas douradas dos canais de Estenzia e observamos as gôndolas, quando ele cantou a canção de ninar de minha mãe. *Dante estava certo*. Raffaele, o bondoso, o belo e sensual Raffaele, de quem eu gostava de todo o coração, a única pessoa no mundo em que achei que pudesse confiar plenamente, a pessoa por quem voltei aos Punhais, nunca confiou em mim. *Bondade com amarras*. Ele era o último fio que me prendia à luz. Sem ele, sinto que estou caindo em uma espiral, despencando para um lugar de onde nunca mais conseguirei sair.

– Até você – sussurro por entre as lágrimas. – Como pôde? – Não preciso perguntar para saber que Raffaele também deve ter sugerido que Enzo matasse o garoto que não conseguia controlar a chuva. De certo modo, Raffaele sempre foi o líder dos Punhais. – Nunca fomos amigos? – pergunto em voz baixa. – Você alguma vez se importou comigo?

Ele estremece. Percebo que é doloroso para ele me dizer essa verdade, que mesmo enquanto tenta me dar algum conforto, ele se contém e endurece seu coração.

– Fui fiel a meu conselho a ele. Eu a treinei devagar porque não queria que você conhecesse todos os seus poderes. Eu soube, muito cedo, que isso traria sofrimento a todos nós... incluindo você.

Quem vai querer você, Adelina? Você acha mesmo que pode escapar de quem é? Nunca vai se encaixar em lugar nenhum. O fantasma de meu pai se materializa ao meu lado, sua respiração fria e pesada contra minha pele, sua voz conhecida sussurrando em meu ouvido. No entanto, ninguém mais reage à sua presença. Ele é uma ilusão que tortura somente a mim.

– Podemos consertar isso – digo. Minha mão se aperta em torno da de Raffaele. Uma última tentativa frenética. – Uma vez você me disse que havia rumores de um Jovem de Elite capaz de trazer os mortos de volta à vida. Não é?

Raffaele balança a cabeça.

– Você está se iludindo, Adelina – diz, em tom gentil, e sei que ele não está se referindo à impossibilidade de trazer Enzo de volta. Está falando do amor de Enzo por mim.

Ele se importava. Arriscou a vida por mim. Em desespero, puxo minha energia e crio uma ilusão de emoções em volta de Raffaele, tentando convencê-lo de que Enzo me amou, mesmo que por pouco tempo, mesmo que em um momento de fraqueza – tentando convencê-lo de que *ele* se importa comigo. Minhas palavras se tornam mais rápidas:

– Vou aprender a controlar meus poderes... prometo que conseguirei da próxima vez. Só me dê mais uma chance.

Raffaele fecha os olhos. Sinto-o resistir à ilusão criada ao seu redor.

– Não – sussurra.

– Por favor – murmuro de volta, com a voz partida. – Você sempre foi bom comigo. Não me deixe para trás, eu imploro. Estarei perdida sem vocês. O que vou fazer? Como vou aprender?

Quando Raffaele volta a abrir os olhos, eles estão brilhantes, com lágrimas não derramadas. Ele estende a mão para afastar o cabelo do lado ferido de meu rosto.

– Há bondade em seu coração – reconhece ele. – Mas a escuridão sobrepuja tudo isso; seu desejo de ferir, destruir e se vingar é mais poderoso que o desejo de amar, ajudar e iluminar o caminho. Cheguei ao limite de meu conhecimento. Não sei como treiná-la.

A beleza e a dor andam de mãos dadas, meu pai sempre dizia. Por um instante, fantasio fazer Raffaele sentir a mesma dor que está provocando em mim, forçando-o a se curvar diante de mim em agonia. Como isso seria prazeroso. Minha energia se infla de expectativa. Recuo, horrorizada com a centelha de alegria que sinto com um ato tão depravado. Ele está certo quanto a mim. Sempre esteve certo.

Raffaele aperta os lábios. As lágrimas não brilham mais em seus olhos. Talvez eu as tenha imaginado o tempo todo.

– Você pode passar a noite aqui – diz ele. – Mas, pela manhã, você e sua irmã terão que partir. É meu dever proteger os Punhais, e não acho que podemos nos sentir seguros com você entre nós. Sinto muito.

Ele está me banindo. Não faço mais parte do grupo.

A escuridão se agita dentro de mim, batendo às margens de minha consciência. Vejo todas as vezes que treinei com Enzo, como ele salvou minha vida e me acolheu, como nos beijamos, o brilho de sua silhueta no escuro, o modo como seu cabelo caía sobre os ombros, solto e rebelde, sua expressão gentil. Vejo a noite de tempestade, quando meu pai fez um acordo para me vender, a primeira vez que conjurei minhas ilusões no meio da chuva, o verdadeiro motivo para Enzo ter decidido me salvar no dia da minha execução, todas as vezes em que fui ferida e abusada, deixada para trás e abandonada, o poste de ferro, o fogo e as pessoas cantando abaixo, querendo me ver morta, os olhos pálidos de Teren me encarando, os Punhais, meu treinamento, o rosto desdenhoso de Dante, a traição de Raffaele. A ambição que se agita em mim chega ao máximo, desalojando a tristeza, se fundindo à raiva, ao ódio e ao medo, à paixão e à curiosidade. Os pensamentos à espreita no fundo de minha mente agora abrem caminho, seus dedos compridos e ossudos, alegres pela liberdade que estou dando a eles. *Os Punhais são de alguma forma diferentes de seu pai, que queria vendê-la para saldar suas dívidas?*, sussurram eles para mim. *De Teren, que queria usá-la para pegar os Punhais?* Mesmo a caverna de treinamento, escondida no subsolo, não era muito diferente das masmorras da Inquisição.

Talvez eu apenas tenha trocado uma cela escura por outra. Ninguém nunca foi bom para mim sem esperar nada em troca.

Eles são diferentes?

São todos iguais?

Todos querem usá-la até alcançarem seus objetivos, e então a jogarão fora.

Tudo o que Raffaele viu em mim no dia do teste é verdade. Juntos, meus alinhamentos à energia se remexem dentro de mim, agitados e poderosos. Estou tremendo.

Raffaele sente o crescente poder em mim, porque um traço de medo paira sobre ele. Ainda assim, não se move. Ele me encara com uma determinação amarga, recusando-se a ceder. *Não. Concentre-se. Controle.* A única maneira de conter minha energia é descartar as emoções, então as afasto, uma a uma. Minha tristeza se transforma em raiva, em seguida, em uma fúria gelada. Minha alma se curva em defesa. Estou perdida. De verdade.

Não sinto muito.

– Vocês não têm o direito de me julgar – sussurro, olhando para os outros ao redor. – Pertencem a uma sociedade que incentiva assassinatos. Não são melhores que eu.

Raffaele apenas me fita com seu olhar equilibrado. Assente para os outros saírem. Lucent começa a protestar, suspira e me lança um último olhar antes de seguir Gemma e Michel porta afora. Só restamos Raffaele e eu no quarto. Por um momento, mesmo breve, a gentileza em seu rosto some e dá lugar a algo duro e sombrio.

– Assassinatos são os meios para atingir um fim – acaba dizendo, inclinando a cabeça ligeiramente para mim. Dessa vez, o gesto parece mais malicioso do que charmoso. – Não é algo que façamos por prazer.

Se você me expulsar da Sociedade do Punhal, formarei minha própria sociedade. Estou cansada de perder. Cansada de ser usada, ferida e jogada fora.

É *minha vez* de usar. *Minha vez* de ferir.

Minha vez.

– Você está cometendo um erro – digo. Minha voz soa fria e monótona. A voz de alguém *novo*. – Por não me matar agora.

– Não – responde Raffaele. – Não estou.

Ele enfim se levanta. Separa sua mão da minha. Caminha até a porta com sua graça característica e para diante dela.

– Adelina – diz, se virando. Seu olhar ameaça me partir. – Eu também o amava.

Ele me deixa, e fico realmente sozinha.

Prometo ser leal à Sociedade da Rosa até o fim de meus dias, usar meus olhos para ver tudo o que acontece, minha língua para trazer outros para nosso lado, meus ouvidos para escutar todos os segredos, minhas mãos
para esmagar meus inimigos. Farei tudo o que estiver ao meu alcance
para destruir todos que ficarem em meu caminho.
— *Juramento de Iniciação Oficial da Sociedade da Rosa,*
de Adelina Amouteru

Adelina Amouteru

A noite caiu, e está tudo silencioso de novo. Lá fora, nos jardins da propriedade, algumas velas estão acesas, em luto por Enzo. Não sei onde estão os outros Punhais; talvez tenham deixado este lugar há muito tempo. Talvez tenham fugido para as Terras do Céu, onde Beldain lhes dará abrigo. Amanhã de manhã, as coisas serão diferentes — os rebeldes foram esmagados, Giulietta governará como rainha de Kenettra, e Teren lançará sua fúria sobre todos os *malfettos*. Os apoiadores de Enzo se esconderam para lamber suas feridas. Violetta e eu deixaremos Estenzia. Para onde vamos, não tenho certeza. Vou me estabelecer em outra capital portuária, talvez, uma bem longe daqui. Talvez crie minha própria sociedade para lutar contra Teren. Talvez procuremos outros Jovens de Elite. Os Punhais não podem ser os únicos.

Sento-me diante do espelho da penteadeira em meu quarto, levemente recostada na cadeira. A ferida em meu peito dói sempre que respiro. A faca enfiada em minha bota é a única arma que me resta, e agora a pego e a deixo sobre a penteadeira, a ponta virada para mim. Pela janela, vejo as silhuetas azul-escuras dos jardins da propriedade.

Enzo anda por ali, deslizando pela grama que cerca os chafarizes principais. Suas vestes cor de safira se arrastam atrás dele. Sei que ele não é real, que é apenas mais uma visão que não posso controlar.

Todos falarão de mim. A história da morte do príncipe vai se espalhar pelo país como fogo – Lucent já mandou pombos entregarem as notícias aos outros patronos dos Punhais. As pessoas dirão que o príncipe se apaixonou por mim e que o matei para ajudar Teren a subir ao trono. Vão me acusar de ter armado para Enzo se apaixonar por mim e depois ter tentado tomar sua posição de poder. Sussurrarão sobre mim. Terei inimigos espreitando em todas as sombras.

Deixe que falem. Deixe que o medo que têm de mim cresça. Isso será bem-vindo.

Olho em silêncio meu reflexo no espelho, estudando meus longos cachos prateados, o lado cicatrizado de meu rosto, tudo iluminado pelo tom azul esbranquiçado do luar. Lembro-me da noite em que gritei para meu reflexo e quebrei o espelho com a escova. Algo mudou desde então? O fantasma de meu pai aparece como um borrão no reflexo do espelho e depois some, deslizando atrás de mim, seu rosto sombrio e ameaçador. Tento em vão fazê-lo desaparecer, mas não consigo. Meus poderes me subjugam, criando visões de coisas que não quero ver.

De repente, agarro a faca sobre a mesa. Em seguida, pego um cacho e começo a cortá-lo freneticamente. Fios cintilam diante de meu olho – por um momento não sei dizer se são fios de energia ou do meu cabelo – e então caem no chão, brilhando. Uma febre estranha me domina; a ferida se contrai em protesto debaixo dos curativos, abrindo-se de novo, mas não me importo. Odeio tudo em relação às minhas marcas, quero que sumam, pois foram elas que trouxeram toda a dor e todo o sofrimento para a minha vida, tiraram de mim tudo o que importava. Neste instante, nenhum de meus poderes me dá alegria. Ainda estou sozinha, ferida e pequena, a borboleta lutando pela vida na grama. Talvez seja melhor se Teren vencer. Que ele destrua todos nós. Que nossas marcas sumam deste mundo e nossa luta termine.

Tenho que me livrar dessas marcas. Corto repetidamente, tirando cachos do meu cabelo e espalhando os fios a minha volta. Em meu frenesi, a lâmina atinge meus dedos e minha cabeça, deixando cortes. Eu balanço na cadeira e caio no chão. Uma mancha vermelha borra minha visão, misturada ao cinza.

– Adelina!

Em algum lugar, no meio de minha loucura, ouço uma voz baixa e clara. Violetta está em meu quarto, as mãos macias pegando as minhas, seus apelos caindo em ouvidos surdos. Eu me desvio de seu toque, pulo de pé e continuo a cortar meu cabelo.

– Me solte – disparo, sentindo gosto de sal e água nos lábios.

Alguém arranca a faca de minhas mãos, me deixando indefesa. Em uma fúria cega, ataco minha irmã com minhas ilusões, tentando obrigá-la a me devolver a faca, mas ela tira meu poder. A súbita onda de energia deixando meu corpo me tira o fôlego. Eu arfo, depois me apoio na mesa e meus joelhos cedem. Os braços de Violetta estão em volta de mim; ela está me baixando com cuidado até o chão. À nossa volta estão os cachos do meu cabelo, pintados de prata e cinza pelas luas. Violetta me abraça apertado. Agarro-me a ela desesperadamente, apavorada.

– Sinto que estou me perdendo – sussurro, a voz entrecortada por soluços. – A escuridão penetra mais fundo a cada dia. O que fiz? Como posso ser assim?

– Posso fazer isso parar. Posso até aprender a tirar isso de você para sempre. – Suas palavras suaves cortam as vozes zangadas que envenenam minha mente. Ela hesita. – Posso salvar você.

As palavras exatas de Teren saem da boca de minha irmã. Eu recuo.

– *Não* – disparo. – Devolva.

Os olhos de Violetta brilham com as lágrimas.

– Isso vai destruí-la.

Que seja. Não me importa.

– Devolva meu poder, eu imploro. Não posso viver sem ele.

Violetta observa meu rosto. Não é sempre que vejo nossa semelhança... mas aqui, sob o luar pálido, seus olhos se tornam meus, meus cabelos se tornam os dela, e a tristeza em seu rosto parte meu coração, assim como a minha certamente parte o dela.

Por fim, Violetta desiste; minha energia corre de volta para mim, devolvendo minha vida e minha liberdade. Agarro os fios e os puxo, unidos. Isso é tudo o que tenho de meu.

– Apenas me deixe sozinha – murmuro. – Apenas me deixe sozinha...

Minhas palavras são cortadas quando Violetta me envolve de novo em seus braços.

– Mi Adelinetta – sussurra em meu ouvido. – Lembra como costumávamos nos deitar na grama alta, contando as estrelas enquanto elas surgiam no céu? – Assinto com a cabeça em seu ombro. – Lembra como dançávamos no antigo quarto de mamãe? Lembra como nos escondíamos no armário e fingíamos morar muito, muito longe? – Sua voz começa a tremer. – Lembra como eu me sentava com você, tarde da noite, enfaixando seu dedo quebrado o melhor que eu podia? Lembra?

Assinto, contendo as lágrimas. *Sim.*

– Você não está sozinha. – Ela me abraça mais apertado. – A vida inteira tentei protegê-la.

E então percebo que tudo que sempre quis, a bondade sem amarras, vinha apenas de Violetta. Não sei por que nunca vi isso. Em todo o mundo, apenas ela fez algo por mim, bom ou ruim, sem nunca pensar em se beneficiar. Somos irmãs. Apesar de tudo o que passamos, tudo o que sustentamos uma contra a outra, somos irmãs até a morte.

Algo se parte dentro de mim, dissipando os sussurros horríveis que me atormentavam momentos antes, e os portões que contêm minhas lágrimas se abrem. Abraço Violetta intensamente, como se eu fosse morrer se a soltasse. O sofrimento me envolve. Começo a tecer os fios. Crio uma ilusão a nossa volta, uma visão de coisas com que sonhei e que não existem. O quarto tremula e depois desaparece, substituído pelos jardins ensolarados de nossa antiga casa. Meu cabelo e meus cílios não são mais prateados, mas escuros como os de minha irmã e de minha mãe, e meu rosto é perfeito, sem marcas. Violetta ri para mim e prende uma flor atrás da minha orelha. Nosso pai sai da casa para nos cumprimentar – é uma visão inteira e saudável, a fantasia de alguém que nunca conheci, com a voz risonha, o cheiro de vento e madeira em seu casaco, em vez do aroma familiar de vinho. Ao lado dele está nossa mãe, um sorriso distraído no rosto, uma visão da mulher que nos tornaremos. Corro para os braços deles. Minha mãe põe as mãos em meu rosto e me beija. Meu pai me abraça e me levanta no ar. Gira-me em um círculo largo. Jogo a cabeça para trás e rio com ele, porque sou sua filha e ele é meu pai e não tem vergonha de mim. Ele me ama por inteiro, como deveria ter sido.

Sustento a visão pelo máximo de tempo que posso. Eu a teria sustentado para sempre, feliz por me perder nela pelo resto da vida.

Por fim, desfaço a ilusão. À nossa volta, ela some lentamente, o sol e a grama substituídos pelo luar e o piso de madeira, meus pais substituídos por Violetta, seus braços ainda apertados ao meu redor, sua pele quente. Eu me recosto nela, fraca e exausta, sangrando, sem energia. Nenhuma de nós fala.

Amanhã de manhã, vou nos guiar para longe de Estenzia. Vou encontrar outros como nós. Vou me voltar contra Teren com tanta fúria que ele vai implorar perdão. Amanhã, farei todas essas coisas. Serei imbatível.

Mas esta noite ficamos como estamos, abraçadas, perdidas no escuro.

EPÍLOGO

Cidade de Hadenbury
Norte de Beldain
Terras do Céu

Maeve Jacqueline Kelly Corrigan

Longe, ao norte da nação insular de Kenettra, nas altas planícies de Beldain, nas Terras do Sol, a princesa herdeira Maeve mergulha a mão na água benta, preparando-se para a execução de um prisioneiro. Ela estreita os olhos para as nuvens que cobrem o céu, depois para a longa extensão da ponte que leva dos portões do Palácio Hadenbury para fora da cidade. O vento está forte para um dia de verão. Sopra contra os portões atrás dela, entoando um canto assombrado, e o pequeno número de pessoas que se reuniu para a execução se amontoa em ambos os lados dos portões, enfrentando o frio e espiando com curiosidade sobre as cabeças dos soldados.

Maeve ajeita as peles mais alto em seu pescoço e abraça o próprio corpo, para se proteger do vento diante dos portões, e volta sua atenção para o homem acorrentado se arrastando a seus pés. Minúsculos enfeites pendurados em seu cabelo tilintam ao vento. O terceiro prisioneiro de hoje. Ela suspira. *Se vou passar o dia matando pessoas, deveria ao menos estar no campo de batalha.* Disparar flechas em prisioneiros fracos e cambaleantes não tem graça nenhuma.

Atrás dela, em uma linha perfeita, estão seus seis irmãos mais velhos. Ao seu lado, seu tigre branco beldaíno senta-se languidamente, olhando o prisioneiro com seus olhos dourados e preguiçosos, o pelo longo e grosso de listras douradas. Eles combinam com as terríveis linhas douradas pintadas no rosto da própria Maeve. De fato, é incrível como um tigre adolescente e magrelo, tirado das florestas ao norte das Terras do Sol, pode crescer em um ano.

Ela pousa a mão no cabo da espada.

– Tem algo a confessar? – pergunta ao prisioneiro. Sua voz soa baixa, dura e áspera, exatamente como a de sua mãe, porém alta o bastante para o público ouvir. – Fale, para que eu possa decidir se você merece uma morte rápida.

Maeve mal consegue entender a resposta do prisioneiro por entre seus soluços. Ele rasteja para o mais perto dela possível, até os guardas a seu lado o empurrarem de volta. Ele consegue passar os dedos sujos nas pontas de suas botas.

– Alteza – diz, com a voz trêmula. Ergue a cabeça para ela, os olhos úmidos e suplicantes, e limpa as linhas de sujeira e sangue que mancham seu rosto. Maeve franze o nariz, enojada. Difícil acreditar que este homem já foi um nobre. – Tenho uma confissão. Eu... envergonhei esta terra que a Santa Fortuna abençoou. Não mereço viver. Eu... Vossa Alteza Real, sou seu humilde...

– A confissão, Sir Briadhe – interrompe ela, em tom de tédio.

Hoje usa as tranças altas, à moda dos guerreiros, grossas cordas de cachos entrelaçados que pendem dos dois lados de sua cabeça levantam seu cabelo como os pelos do pescoço de um lobo. Metade de seu cabelo é louro-escura; a outra metade, preta como a noite. A grande deusa Fortuna, protetora de Beldain, a abençoou com esta marca, entre outras coisas.

Os soluços do prisioneiro continuam. Ele confessa, por entre lábios trêmulos, algo sobre adultério e casos, raiva e assassinato, como matou sua esposa em fuga com uma punhalada nas costas. Como continuou esfaqueando-a mesmo depois que ela estava morta.

O público murmura enquanto ele fala. Quando termina, os olhos de Maeve percorrem a cena, ponderando a punição adequada. Após um momento, ela baixa os olhos para o prisioneiro.

– Sir Briadhe – diz. Saca uma besta pesada das costas. – Vou lhe propor um acordo.

O homem ergue os olhos para ela, uma súbita onda de esperança iluminando seus olhos.

– Um acordo?

– Sim. Olhe para trás. Está vendo esta longa ponte onde nos encontramos? Como ela leva para a cidade além das terras do palácio? – Maeve acena para a distância enquanto prende uma flecha na besta. – Chegue ao fim da ponte antes de eu contar até dez, e vou lhe tomar o título e deixá-lo viver no exílio.

O prisioneiro engasga. Ele rasteja até Maeve e começa a beijar suas botas.

– Eu vou – diz, apressado. – Eu vou, obrigado, princesa, obrigado, Alteza.

– Bem... – fala Maeve, enquanto os homens da guarda o põem de pé. Ela aperta a mão em volta da besta. Os guardas dão um passo para o lado e deixam o homem tentar se equilibrar sozinho. – É melhor você ir.

Ela apoia a besta no ombro e começa a contar:

– Um. Dois.

O prisioneiro entra em pânico. Ele se vira, pega as correntes e começa a correr o mais rápido que pode. Na pressa, tropeça nas correntes, mas consegue se recuperar a tempo. A multidão começa a cantar, depois a gritar. Maeve puxa a linha da besta. Continua contando.

– Sete. Oito. Nove.

O prisioneiro é lento demais. Maeve dispara a flecha. *Para cada crime*, sua mãe sempre dizia, *uma punição à altura*.

A flecha acerta em cheio sua panturrilha. Ele grita, depois cai. Levanta-se freneticamente, em seguida cambaleia para a frente. Com calma, Maeve prepara outra flecha, ergue a besta e atira de novo. Desta vez, mira a outra perna. A flecha o atinge em cheio. O homem cai duro. Seus soluços cortam o ar. A multidão vibra. O prisioneiro está a poucos metros da última coluna da ponte e começa a se arrastar sobre os cotovelos.

Presos sempre se desesperam quando encaram a morte.

Por um momento, Maeve o observa rastejar. Ela se ajoelha junto do tigre.

– Vá – ordena.

O animal dispara do lado dela. Momentos depois, os lamentos do prisioneiro se transformam em gritos agudos. Maeve observa enquanto o público aplaude. A visão não lhe traz alegria. Ela ergue as mãos pedindo silêncio, e os gritos são abruptamente interrompidos.

– Esta não é uma ocasião para aplausos – diz ela, em desaprovação. – A rainha não tolera assassinatos a sangue-frio na grande nação de Beldain. Que sirva de lição para todos vocês.

Um de seus irmãos se empertiga e dá um tapinha no ombro dela. Augustine. Ele lhe entrega um pergaminho.

– Notícias de Estenzia, Pequena Jac – diz, mais alto que o vozerio. – O pombo chegou esta manhã.

Ouvir seu apelido alivia o coração de Maeve por um instante. Aquele nome sempre a lembrava de sua infância com os irmãos, arrastando-se atrás deles em suas peles e seus vestidos, imitando sua ginga e sua postura de caça. Em seguida, seu coração fica tenso. Ultimamente, Augustine só a chamava de Pequena Jac quando chegavam notícias ruins, como quando a mãe adoeceu.

Maeve lê a carta em silêncio. É de Lucent, e não foi endereçada ao palácio, mas diretamente a Maeve. Ela permanece em silêncio por um longo tempo. Suspira, frustrada.

– Parece que Kenettra tem uma nova governante – diz enfim. Estala a língua, desaprovando, então assobia para o tigre voltar.

Seu irmão se inclina para perto.

– O que aconteceu?

– O rei foi assassinado – responde Maeve. – Não pelo príncipe herdeiro, mas pelo Líder Inquisidor de Kenettra. E o príncipe está morto.

Augustine se empertiga e pousa a mão no cabo da espada.

– Isso muda nossos planos, não é?

Maeve assente sem responder, os lábios apertados. Ela tinha esperança de que ser uma das maiores patrocinadoras dos Punhais significaria que, depois que Enzo tomasse o trono, ele manteria sua promessa de reiniciar o comércio entre Kenettra e Beldain. *Se vou aos poucos assumir o controle de Kenettra, é melhor fazer isso sem sacrificar milhares de soldados.* Além disso, ela preferia ver no trono da nação insular alguém que apoiasse os *malfettos*. Mas agora o príncipe herdeiro está morto.

– É uma complicação – diz, por fim. – Ainda assim, talvez seja mais fácil desse jeito.

– E essa menção à Loba Branca?

– Alguma nova Jovem de Elite – murmura Maeve, distraída, enquanto relê a carta. Matar os escolhidos da Fortunata? Esses kenettranos se tornam mais bárbaros a cada dia. Ela se vira e devolve o pergaminho ao irmão. – Entregue isto à rainha.

– Claro.

– E reúna os outros – acrescenta. É hora de convocar os Jovens de Elite para a ação. Se ainda quisermos agir, temos que fazer isso logo.

Augustine cruza os braços e sorri.

– Com prazer, Alteza.

Maeve o observa partir. *Lucent.* Ela sente tanta falta de Lucent, de suas conversas íntimas, seus duelos amigáveis e aventuras selvagens na floresta. Lucent rastreava a presa; Maeve disparava. Lucent ficava com raiva; Maeve provocava. Lucent se ajoelhava para jurar lealdade à coroa; Maeve a ajudava a se levantar. Lucent se desviava, envergonhada, de seus beijos; Maeve a puxava de volta.

Lucent fugiu para Kenettra depois que a rainha a exilou; Maeve se tornou silenciosa e fria durante sua ausência.

Enquanto os guardas limpam tudo após a execução, Maeve volta para o Palácio Hadenbury. Seus irmãos continuam no quarto da mãe, as vozes animadas enquanto discutem as notícias, mas Maeve segue uma rota diferente, que a leva para longe dos aposentos do palácio, para fora dos pátios, em direção a uma mansão menor, isolada. Sua mãe teve dois maridos e sete filhos antes de enfim ter uma menina. Maeve esperou a vida toda para desfrutar seu direito de nascença...

mas se tornar rainha de Beldain significa que antes sua mãe tem que morrer. Ela estremece diante desse pensamento.

Ainda assim, evita visitar a rainha agonizante com seus irmãos. Maeve não estava no clima para outro sermão sobre escolher um marido para gerar uma herdeira.

Dois soldados de guarda na mansão se curvam para ela. Eles a escoltam pelos corredores familiares até enfim chegarem a um andar mais silencioso. Ali, Maeve assume a frente enquanto os guardas nervosos ficam alguns metros atrás. Ela se aproxima de uma porta estreita, com barras de ferro sobre a madeira, então pega uma chave pendurada em seu pescoço. Do outro lado da porta, ouve uma agitação. Os guardas se afastam. Até mesmo seu tigre se recusa a chegar perto.

A fechadura se abre com um clique. Maeve empurra as grades de ferro para o lado e abre a porta com um leve rangido. Entra sozinha, fechando bem a porta atrás de si.

O quarto está escuro; feixes de luz azul entram por entre as grades de ferro das janelas. Na cama, uma figura se mexe à entrada e senta-se ereta. Alta e magra, com o cabelo despenteado. Seu irmão mais novo.

– Sou eu – anuncia Maeve suavemente.

O jovem na cama estreita os olhos sonolentos para ela. À luz, seus olhos refletem como dois discos brilhantes, a cor não parece ser deste mundo. Ele não responde.

Maeve para a alguns passos dos pés da cama. Eles se encaram. Ela sabe que, se abrisse a porta do quarto e desse uma ordem, os olhos dele se tornariam pretos e ele poderia matar todos no palácio. Mas ela não o faz, e ele fica quieto.

– Dormiu bem, Tristan?

– Bem o bastante – responde o rapaz.

– Sabe o que ouvi dizer hoje? Kenettra tem uma nova governante, e os Jovens de Elite do país estão em guerra.

– Trágico – responde Tristan.

De algum modo, nos últimos meses, as conversas dele acabaram se tornando frases curtas. A cada dia a luz em seus olhos se torna mais distante.

Ela engole em seco, tentando ignorar o modo como o silêncio dele aperta seu coração. Havia apenas um ano de diferença entre eles, Tristan e ela, e ele era comunicativo, a ponto de ela gritar para que ele a deixasse em paz. Eles passaram longos dias na floresta com Lucent. Ela fecha os olhos e lembra do que aconteceu cinco anos antes. O acidente. A morte de Tristan. O exílio de Lucent. A descoberta de Maeve.

Ela ainda se lembra de como foi ao Submundo em seus pesadelos, pouco depois de Tristan ser morto. Ela tivera sonhos com o reino dos mortos antes, mas naquela noite foi diferente. Ela estava lá, *fisicamente*, nadando em águas escuras em uma tentativa de encontrar o irmão. E o encontrou. E o puxou de volta à superfície. Um milagre, um poder dos deuses. *Magia*, era como as pessoas chamariam agora, o dom dos Jovens de Elite. Mas ela nunca contou a ninguém o que fizera – todos simplesmente presumiram que Tristan nunca morrera de verdade. Ela manteve seu poder em segredo, até para a mãe, até em suas raras cartas para Lucent. Apenas sua sociedade sabia. Se o boato se espalhasse, os portões do palácio se encheriam de pessoas do mundo todo, implorando-lhe que trouxesse de volta seus entes queridos. Era melhor ser discreta.

Durante os primeiros anos depois de seu retorno, Tristan foi ele mesmo. Vivo. Normal.

Então, aos poucos, começou a mudar.

Maeve dá um sorriso triste para o silêncio do irmão, então toca seu rosto. Ainda pode sentir sua força, um poder estranho e sobrenatural correndo pelo seu corpo que só ela, que escolheu trazê-lo de volta, pode liberar sobre o inimigo que quiser.

– Venha – diz. – Preciso fazer uma visita a Kenettra.

Agradecimentos

Jovens de Elite começou como a jornada de um herói – um garoto assume a tarefa de controlar seus poderes e derrotar o vilão. No entanto, a história não funcionou, e fiquei lutando, no meio do nada, tentando descobrir por quê. Um dia, enquanto eu refletia sobre isso com minha agente, Kristin Nelson, ela disse: "Ei, e essa garota, Adelina? Ela é uma coadjuvante interessante."

"Ah, é", respondi, distraída. "Ela é uma menina má sobre quem é divertido escrever. Espero poder mantê-la se eu recomeçar."

Kristin disse: "Talvez ela devesse ser a estrela."

Às vezes, tudo de que se precisa para ver o caminho certo é um insight brilhante de outra pessoa. Percebi que o problema era que eu não queria contar a jornada de um herói; queria contar a de um vilão.

Então, obrigada, Kristin, por sua perspicácia, sua sabedoria e sua maravilhosa amizade. O livro não existiria sem você.

Consequentemente, eu nunca teria sido capaz de transformar aquele primeiro rascunho ruim em uma história de verdade sem a orientação constante do meu editor e amigo, Jen Besser. Você é incrível, em todos os sentidos.

Por seu feedback afiado, obrigada JJ, Amie e Jess Spotswood, por me forçarem a ser uma contadora de histórias melhor. Amo o cérebro de vocês e amo seus livros.

Eu nunca teria me poupado de muitos contratempos embaraçosos com o copidesque sem a incrivelmente inteligente Anne Heausler ao meu lado. Se não sei alguma coisa, sei que você saberá.

Obrigada ao pessoal adorável da Putnam e da Penguin, por defenderem o livro incansavelmente e fazê-lo chegar às mãos certas. O Shenanigans com vocês é muito melhor que mil shows de Lil Jon.

Escrever pode ser um trabalho solitário, subestimado e irregular. Tenho a sorte de estar cercada de amigos que não apenas são solidários, mas me confortam e torcem por mim. Beth, Jess e Andrea, vocês são minhas eternas irmãs. Margie, Mel, Kami, Tahereh, Ransom, Leigh e Josie – é muita coisa boa em uma frase só. Jess Brody, Morgan, Jess Khoury, Brodi, Jen Bosworth, Jenn Johansen e Emmy, vida longa ao poderoso Steamboat 8. Amie, anseio por sua grandiosidade como anseio por bolo. O tempo todo.

Por fim, eu não seria feliz sem meu suporte diário. Obrigada amigos, família, mamãe e Andre. E obrigada, Primo. Ainda acho estranho chamá-lo de meu marido. Estranho de um jeito bom. Bom mesmo. Amo você.

Impressão e Acabamento:
EDITORA JPA LTDA.